D0109820

LA QUETE DU SAINT-GRAAL

ISBN 2 - 85203 - 076 - 4
ISSN 0 - 180 - 47 - 07

TRADUCTIONS DES CLASSIQUES FRANÇAIS
DU MOYEN AGE
sous la direction de Jean Dufournet

XXX

LA QUETE DU SAINT-GRAAL

traduite en français moderne

par
Emmanuèle Baumgartner,
professeur à Paris X - Nanterre.

Librairie Honoré Champion, Editeur
7, quai Malaquais
PARIS
1983

« Souviens-toi de toi-même et retire à l'instinct
Ce fil (ton doigt doré le dispute au matin),
Ce fil dont la finesse aveuglément suivie
Jusque sur cette rive a ramené ta vie. »

Paul Valéry, *La Jeune Parque.*

Pour Henri, Raphaël, Julien.

REPERAGES

La Quête du Saint-Graal fait partie intégrante de cet immense ensemble romanesque appelé le *Lancelot-Graal* et qui a été composé, par étapes successives, dans le premier tiers du XIIIe siècle. Matériellement d'abord, puisque la plupart des manuscrits qui nous ont conservé cette œuvre ne la donnent jamais seule mais insérée entre l'*Agravain,* dernière partie du *Lancelot,* et la *Mort Artu.* Au niveau de la fiction romanesque ensuite. Ce n'est pas le lieu d'examiner ici dans le détail les sources multiples de la *Quête.* Précisons simplement que vers 1220, telle est la date retenue par le dernier éditeur, A. Pauphilet, son anonyme auteur pouvait connaître aussi bien le *Conte du Graal* de Chrétien de Troyes et ses deux premières *Continuations* que le *Joseph* de Robert de Boron, le *Merlin,* le *Didot-Perceval* et le *Perlesvaus.* Tous textes dans lesquels Perceval reste le seul élu de la Quête et dont la dimension mystique, voire eschatologique, tout au moins en ce qui concerne Robert de Boron et ses successeurs, a dû largement influencer la conception de l'œuvre, l'une des dernières lectures spirituelles du mythe du Graal dans le monde médiéval. C'est néanmoins sur le *Lancelot* et à partir de cette modification essentielle qu'est dans ce roman la substitution de Galaad à Perceval comme élu du Graal, que s'articule très étroitement la *Quête.* C'est donc à partir de ce texte qu'il convient à notre tour de la lire.

Les liens sont en effet multiples et manifestes. Même cadre originel : la cour d'Artus est présente, au début comme à la fin, dans sa double fonction de point de départ du récit (des aventures) et de point de départ du texte et là s'effectue, à partir de la relation de Bohort, la première mise en écrit de la Quête. Mêmes personnages, avec, toutefois, des coupes sombres et des réajustements. Des chevaliers arthuriens ne subsistent que quelques noms très marqués, comme Keu, le gardien de la coutume, Gauvain, le parfait représentant de la chevalerie selon le siècle, tandis que la réputation de Lancelot, le meilleur chevalier du monde, est éclipsée par celle de son fils Galaad, un nouveau venu, et qu'arrivent au premier plan Perceval, dont le rôle est minime dans le *Lancelot,* et Bohort. Même type d'aventures aussi, le motif de la quête, largement utilisé dans les textes antérieurs, permettant d'introduire aussi souvent que nécessaire joutes, tournois et rencontres imprévues dans l'espace de la Forêt Gaste. Plus signifiant encore, de nombreuses aventures, presque uniquement attribuées à Galaad, ne sont que l'accomplissement d'aventures déjà décrites, de prophéties déjà énoncées dans le *Lancelot* et établissent ainsi un réseau concerté de concordances, d'échos entre la *Quête* et le reste du cycle. Une première constatation s'impose donc. La *Quête,* ce « tableau de la vie chrétienne » selon la définition d'A. Pauphilet, cette « œuvre de littérature spirituelle », pour reprendre la formule d'A. Béguin, ce « roman de la grâce et de l'extase », selon E. Gilson, est d'abord, même si cela n'épuise pas sa *senefiance,* un roman arthurien. J'entends par là un texte qui s'adresse au public des romans courtois, c'est-à-dire à la fraction la plus cultivée, la plus intellectuelle de la classe chevaleresque de la fin du règne de Philippe Auguste. Un texte qui a pour référent littéraire explicite la « matière de Bretagne » dont l'auteur réutilise, réécrit systématiquement les motifs, quitte à les organiser de manière toute différente, et à les charger de résonances spirituelles et mystiques. Que l'on examine par exemple ce que deviennent dans son œuvre le motif de la navigation à l'aventure, de l'*imrama* irlandaise, sur la nef sans aviron et sans pilote ou, plus simplement, le motif du *Château des Pucelles,* reprise de l'épisode du *Château de Pesme Aventure* dans *le Chevalier au lion* de Chrétien. Un texte enfin qui suppose connue sinon admise par son public une idéologie que l'on peut sommairement définir comme une dialectique de l'amour et de la prouesse, comme un pari généreux mais ici définitivement condamné sur la valeur morale et sociale de l'amour humain.

La traduction que je propose ici suit en règle très générale le texte de l'édition Pauphilet. J'en ai donc respecté le titre, *La Quête du Saint-Graal.* Non sans hésitation. Présentée comme la suite immédiate de l'*Agravain,* l'œuvre n'a pas, ne peut avoir de prologue énonçant un projet et un nouveau titre. L'épilogue en revanche, quel que soit le manuscrit considéré, la désigne comme les *Aventures du Saint-Graal*. Appellation que n'ont consacrée ni les critiques ni l'éditeur mais qui rend mieux compte, me semble-t-il, des structures du récit. La quête est certes le procédé narratif qui organise l'ensemble du texte comme le projet commun des compagnons de la Table Ronde, la trajectoire de leur désir. Mais être en quête du Graal, c'est d'abord trouver, puis comprendre, et le cas échéant achever des aventures très diverses mais qui sont toutes des représentations concrètes, incarnées dans la vie quotidienne de la chevalerie errante, des commandements de Dieu et des grands mystères de la Foi. Le guide le plus sûr, sur cette voie pénible que le chevalier *« aventureus »* doit se frayer à l'écart de tout chemin battu, au plus obscur de la Forêt Gaste, c'est Galaad, l'élu de Dieu, le maître de la Table Ronde, doublement investi par l'épreuve de l'épée — comme jadis Artus — et celle du Siège Périlleux. Le retrouver, après la séparation initiale, devenir momentanément ou plus durablement son compagnon, parcourir à sa recherche ou avec lui la Forêt Gaste, lieu privilégié de l'aventure, s'embarquer avec lui sur la Nef, lieu de l'initiation, aborder enfin à Sarras, le Palais spirituel, et rester avec lui jusque dans la mort constituent ainsi autant d'aventures périlleuses, d'épreuves plus ou moins réussies, d'échecs définitifs qui créent peu à peu une hiérarchie, de Gauvain à Perceval, dans la société fraternelle de la Table Ronde.

Hiérarchie reproduite dans le contenu même des aventures rencontrées. En trouver est déjà signe d'élection. En se plaignant comme Calogrenant dans le *Chevalier au lion* — *Je sui, fet il, uns chevaliers / qui quier ce que trover ne puis : / assez ai quis et rien ne truis* (vv.358-360) — de l'absence d'aventures, Gauvain se désigne lui-même comme exclu de la Quête. Chevalier terrestre, alourdi et aveuglé par ses péchés, il est en outre incapable d'identifier comme telles puis de tenir compte d'une première série d'aventures destinées à rappeler aux chevaliers de son espèce, Hector, Lionel, Mélyant même, ou à de plus avertis comme Lancelot, Bohort et Perceval, les exigences et les impératifs de la loi divine comme à mettre en scène l'éternel combat du bien et du mal. Mais l'essentiel est bien, car ce sont là les aventures réservées aux élus, à ceux qui ont triomphé des tentations ou n'ont pu être tentés, de découvrir au terme de la Quête les secrets de Dieu, de soulever le voile qui recouvre obstinément le Graal. Voir le Graal, le voir distinctement, *trestot descovert,* sans perdre la vue ou l'usage de ses membres, être aussitôt rassasié non de nourritures terrestres, cet appât grossier, généreusement distribué à la cour d'Artus le jour de la Pentecôte, mais du Pain de Vie, du corps même du Christ, telle est la première étape. Voir se renouveler concrètement dans le Saint-Vase les grands mystères de la Foi, mystères de la Trinité, de l'Incarnation, de la Passion, de la Résurrection et de l'Eucharistie, n'est plus donné déjà qu'aux trois élus. Voir enfin, tout voile aboli, à l'intérieur même du creuset mystique, l'origine de toute chose et la source de toute vie, être celui qui goûte dès ce monde aux deux arbres du jardin d'Eden, l'Arbre de la Connaissance et l'Arbre de Vie, telle est l'ultime étape, l'ultime aventure réservée au seul Galaad, et à jamais tue car indicible.

Suite ordonnée et close d'unités narratives, les aventures constituent ainsi, dans leur sens littéral, une première structure du récit, une ligne diachronique horizontale qui se confond avec la ligne de la Quête et le plan du récit et que parcourent plus ou moins longtemps, selon leurs mérites ou leurs efforts, les principaux protagonistes. Simultanément, toute aventure, toute *semblance,* comme dit le texte, est perçue par son héros comme porteuse d'un sens, d'une *senefiance*. Mais s'il est généralement habile à reconnaître le double statut de l'aventure, la *merveille* qu'elle signifie, le chevalier en revanche n'est pas capable de dire ce sens et de manipuler les signes. C'est donc à une catégorie spéciale d'actants, les ermites, les recluses ou, en dernier ressort, quand l'enjeu est trop grand, au livre lui-même, que revient cette fonction : interpréter l'aventure et l'interpréter par rapport à un référent immuable, la doctrine chrétienne. Ainsi est mis à jour, par le biais de l'aventure, de sa relation, puis du discours qu'elle suscite, un système d'analogies, de concordances, préexistantes à l'événement comme à son exégèse, entre le monde sensible, ici ramené aux dimensions de l'univers arthurien, et le monde divin. Les diverses manifestations ou aventures du Saint-Graal ne sont donc que les métaphores concrètes des réalités divines et la stratégie de l'interprétation consiste dès lors à utiliser, voire à superposer les différentes grilles possibles* pour déjouer la métaphore, débarrasser le

* L'apparition du Cerf Blanc et des quatre lions, tout à la fois *semblance* du Christ et des quatre Evangélistes, *semblance* de l'Incarnation, de la Résurrection et de l'Ascension selon l'ermite mais aussi *semblance* du désir et de l'amour humain si l'on recourt, pourquoi pas, aux mythes celtes de l'Au-delà, en est un excellent exemple.

signifié de l'enveloppe obscure mais non arbitraire du signifiant et dire au fil du texte de nouvelles paraboles pour un temps nouveau, un nouvel évangile adapté à la société chevaleresque.

Ainsi donc, que l'on considère le genre littéraire choisi, la thématique retenue comme prétexte ou les règles d'écriture utilisées — un récit qui est simultanément donné à lire au sens littéral et au sens figuré, un récit toujours en quête d'une interprétation —, tout nous ramène au même projet. Donner à la classe chevaleresque un livre qui soit le livre par excellence. Un livre qui lui propose d'abord un modèle de vie à travers la figure idéale de Galaad, le chevalier *celestiel,* servant Dieu aussi bien par ses prouesses physiques que par ses vertus morales. Un livre qui soit aussi une exaltation de la chevalerie et qui l'institue comme le peuple témoin, la classe élue par Dieu, en ce troisième (et dernier?) âge de l'humanité, pour une nouvelle révélation, un nouveau et définitif combat contre le mal, — l'achèvement des aventures —. Telle est, en effet, la fonction majeure de ces longs discours qui interrompent à intervalles réguliers les aventures et leur exégèse et qui, de l'histoire de l'écu de Josèphé et des trois tables jusqu'au récit de la Genèse, de l'Arbre de Vie et de la construction de la Nef de Salomon, élaborent, en remontant de plus en plus loin dans le temps, un véritable discours des origines de la chevalerie. L'enjeu en effet est clair. Il s'agit de démontrer peu à peu, par le jeu des analogies, des correspondances et des préfigurations de toutes sortes, que les armes de la *nova militia,* de la chevalerie rénovée pour reprendre les termes de saint Bernard, lui sont réservées par Dieu depuis l'origine des temps. L'écu et l'épée, bien évidemment, mais aussi les armes spécifiques de Notre Seigneur, les instruments de ses mystères, la Table de l'autel, le Vase de l'Eucharistie, la Croix de la Passion. Signifié par les trois fuseaux blanc, vert et rouge, figures des trois âges du monde, des trois âges de l'homme, le fil est ainsi tissé qui, dans sa continuité, unit la Genèse au temps présent et ramène peu à peu Galaad, le chevalier-prêtre, à la rive originelle, au bord du jardin d'Eden. Le cycle pourtant n'est pas éternel retour, éternel recommencement. Engagée, incarnée dans le temps de l'histoire, comme jadis le Christ, la chevalerie est mortelle. Mais avant la fin des temps et le jugement dernier, elle a, et elle seule, le droit d'abord refusé à Adam de savoir, c'est-à-dire de voir. Juste avant de mourir, juste avant d'en mourir, Galaad ajoute ainsi à sa connaissance discursive d'une histoire globalement ordonnée en fonction de la chevalerie, la révélation extatique de l'origine absolue, du moment même où s'initie la prouesse, où nait la chevalerie, incomparable *merveille,* et où s'abolit tout discours.

« Ici voi ge la començaille des granz hardemenz et l'achoison des proeces; ici voi ge les merveilles de totes autres merveilles! Et puis qu'il est einsi, biax dolz Sires, que vos m'avez acomplies mes volentez de lessier moi veoir ce que j'ai touz jors desirré, or vos pri ge que vos en cest point ou je sui et en ceste grant joie soffrez que je trespasse de ceste terriene vie en la celestiel. »

REFERENCES.

Les études fondamentales pour une lecture de la *Quête du Saint-Graal* restent :

— E. Gilson, *La mystique de la grâce dans la « Queste del Saint Graal »* dans *Romania,* t. LI, 1925, pp. 321-347.

— J. Frappier, *Etude sur la Mort le Roi Artu,* 2è éd. revue et augmentée, Genève, Droz, 1961.

— F. Lot, *Etude sur le Lancelot en prose,* 2è éd. Paris, Champion, 1954.

— A. Pauphilet, *Etudes sur la « Queste del Saint Graal » attribuée à Gautier Map,* Paris, Champion, 1921.

On consultera également les introductions et préface d'A. Béguin et Y. Bonnefoy à la *Traduction de la Quête du Graal, présentée et établie par A. Béguin et Y. Bonnefoy,* Editions du Seuil, Paris 1965.

On peut enfin établir une bibliographie très complète des études sur la *Quête du Graal* à partir du Bulletin bibliographique annuel de la Société Arthurienne (premier numéro paru en 1949).

NOTE PRELIMINAIRE A LA TRADUCTION

La traduction que je propose a été établie d'après l'édition A. Pauphilet *(CFMA)*, fondée sur les mss *KRZ* de la *Quête*. Là où le texte de l'édition m'a paru peu intelligible, je l'ai corrigé à l'aide de la *varia lectio* de l'édition, du ms.B.N.f.fr.339 (ms *A*) ou du texte de l'édition Sommer. Voici les passages que j'ai cru devoir corriger. Les références renvoient aux pages et lignes de l'éd. Pauphilet.

p. 26, (l.) 28 : *a fine force,* qui fait ici contre-sens (cf. *ibid* 1,4.) n'est ni dans *A* ni dans Sommer.

p. 87, (l.) 23 : texte traduit d'après *A : et il se relieve tantost comme cil qui...*

p. 112, (l.) 20 : j'ai adopté la var. de *A* citée par Pauphilet.

p. 113, (l.) 28 : texte traduit d'après Sommer: *les preudomes et ceus en qui li Sainz Esperiz (A : les fermes en sa creance en qui...)*

p. 137, (l.) 14 : *en avision est il pieça avenue (A* et Sommer*)*

p. 138, (l.) 17 *voudroie (A* et Sommer *)* et non *voloie.*

p. 143, (l.) 16 *mes (A* et Sommer *)* au lieu de *car.*

p. 145, (l.) 1 *ne par racine de pechié, A, por aucune autre racine,* Sommer.

p. 150, (l.) 19 *qui ne se remuoit de sor son grant cheval* glose *A.*

p. 159, (l.) 10 : le texte de Pauphilet, *si qu'il ne se tendra pas a home* n'a guère de sens. Sommer propose *honni.* Nous avons adopté *A : il ne se tendra pas a boivre.*

p. 162, (l.) 21 : *li plus verais de toute la chevalerie (compagnie,* Sommer*) de la queste, A.*

p. 170, (l.) 19 : Sommer: *cele nuit fist la dame a Bohort grant feste et joie (grant heneur A) et li fist apareillier...*

p. 228, (l.) 5 *dou saint Graal* omis par *A* et Sommer. Nous avons ici conservé le texte de l'éditeur.

p. 236, (l.) 15 : texte traduit d'après Sommer : *si en a li haus sires demoustré en cest païs et en autres sa demoustrance as preudomes et as boins chevaliers en tel semblance...*

Les titres courants de l'édition A. Pauphilet ont été gardés tels quels dans la traduction.

LA QUETE DU SAINT-GRAAL

LA PENTECOTE DU GRAAL

La veille de la Pentecôte, au début de l'après-midi, comme les compagnons de la Table Ronde réunis à Camaaloth allaient se mettre à table après avoir entendu la messe, une demoiselle (1) d'une très grande beauté entra à cheval dans la salle. Manifestement, elle était venue à vive allure car son cheval était encore tout couvert de sueur. Mettant pied à terre, elle vint saluer le roi qui la recommanda à Dieu :

« Seigneur, lui dit-elle, dites-moi, au nom de Dieu, si Lancelot est ici.

— Mais oui, le voici » répondit-il en le lui désignant. Et elle, se dirigeant aussitôt vers le chevalier lui dit :

« Lancelot, je vous prie au nom du roi Pellés de me suivre jusque dans cette forêt.

— Mais à qui donc appartenez-vous ?

— A celui que je viens de nommer.

— Et pourquoi avez-vous besoin de moi ?

— Vous le verrez bientôt.

— Par Dieu, j'irai donc bien volontiers ! »

Lancelot ordonne alors à un écuyer de seller son cheval et de lui apporter ses armes. Le roi cependant, et tous ceux qui se trouvaient dans la salle, sont très contrariés par ce départ mais, comprenant qu'ils ne pourront retenir le chevalier, ils ne disent mot.

« Lancelot, demande la reine, que se passe-t-il ? Nous abandonnerez-vous en ce jour si solennel ?

— Ma dame, dit la demoiselle, soyez sûre qu'il sera de retour dès demain matin.

— Qu'il parte donc ! Mais s'il ne devait être là demain, je ne l'aurais pas laissé s'en aller aujourd'hui de mon plein gré ! »

Lancelot monte alors à cheval ainsi que la demoiselle et

tous deux quittent la cour sans s'attarder davantage, simplement accompagnés d'un écuyer qui était venu avec la jeune femme.

Une fois sortis de Camaaloth, ils chevauchent jusqu'à l'entrée de la forêt puis font environ une demi-lieue de bonne route avant d'arriver dans une vallée où ils aperçoivent devant eux, barrant le chemin, une abbaye de religieuses. La demoiselle poursuit sa route jusqu'à la porte. L'écuyer appelle, on lui ouvre, et les voyageurs mettent pied à terre et entrent dans les murs. Dès que les gens de l'abbaye apprennent que Lancelot est là, tous viennent à son avance avec de grandes manifestations de joie, puis le mènent dans une chambre où ils le désarment. C'est alors qu'il aperçoit avec un vif plaisir ses deux cousins, Bohort et Lionel, qui dorment chacun dans un lit. Il les réveille et eux, dès qu'ils le reconnaissent, le serrent dans leurs bras, tout à la joie de se retrouver.

« Cher seigneur, dit Bohort à Lancelot, quelle aventure vous a conduit ici ? Nous pensions en effet vous retrouver à Camaaloth ».

Mais Lancelot leur explique comment une demoiselle l'a amené dans cette abbaye, sans qu'il sache d'ailleurs pourquoi.

Sur ces entrefaites, trois religieuses entrèrent dans la pièce. Devant elles marchait Galaad. Cet enfant était si beau, son corps si harmonieux, qu'il eût été bien difficile de trouver son égal dans le monde entier. La religieuse qui avait préséance sur les deux autres le tenait par la main en pleurant d'émotion. Arrivée devant Lancelot, elle lui dit :

« Seigneur, je vous présente cet enfant que nous avons élevé et en qui résident toute notre joie, notre réconfort et notre espérance, afin que vous le fassiez chevalier. Nous pensons en effet que nul n'est plus digne que vous de lui donner l'ordre de chevalerie ».

Lancelot regarde l'adolescent qui lui paraît d'une beauté si parfaite et si exceptionnelle qu'il pense n'avoir jamais vu un être de son âge qu'on puisse lui comparer. D'autre part, l'innocence qu'il lit dans son regard lui en fait augurer tant de bien qu'il se réjouit de le faire chevalier. Aussi répond-il aux religieuses qu'il exaucera très volontiers leur requête et le fera chevalier avec plaisir, puisque tel est leur désir.

« Seigneur, dit alors celle qui tenait l'enfant par la main, nous voudrions que ce soit ce soir ou demain.

— Par Dieu, il sera fait selon votre volonté ».

Lancelot resta donc dans l'abbaye et passa la nuit dans la

chapelle aux côtés du jeune homme qui veillait. Le lendemain, à la première heure du jour, il le fit chevalier. Il lui attacha l'un des éperons et Bohort l'autre. Il lui ceignit l'épée et lui donna la colée, lui souhaitant que Dieu fasse de lui un chevalier de grand mérite, eu égard à sa beauté (2). Enfin, le rituel de l'adoubement achevé, il dit au nouveau chevalier :

« Cher seigneur, m'accompagnerez-vous à la cour de mon seigneur, le roi Artus ?

— Non, seigneur, répondit le jeune homme, je n'irai pas avec vous.

— Ma dame, dit alors Lancelot à l'abbesse, acceptez que notre nouveau chevalier vienne avec nous à la cour de mon seigneur le roi : ce lui sera plus bénéfique que de demeurer ici avec vous.

— Seigneur, il n'ira pas maintenant mais, dès que nous jugerons que l'heure en est venue, nous l'y enverrons ».

Lancelot quitta alors l'abbaye avec ses compagnons et tous trois chevauchèrent vers Camaaloth où ils arrivèrent dans la matinée. Le roi était allé entendre la messe avec nombre de puissants seigneurs. Les trois cousins descendirent de cheval dans la cour puis se rendirent dans la salle du haut où ils se mirent à parler du jeune garçon que Lancelot avait armé chevalier. Bohort déclara qu'il n'avait jamais vu quelqu'un qui ressemblât autant à Lancelot.

« Certes, poursuivit-il, je ne pourrai jamais croire que ce n'est pas là Galaad, l'enfant de la belle fille du Riche Roi Pêcheur, car sa ressemblance avec le lignage du Roi Pêcheur et le nôtre est vraiment saisissante.

— Ma foi, dit Lionel, je le pense moi aussi car il ressemble beaucoup à mon seigneur Lancelot ».

Ils poursuivirent longtemps leur conversation afin de tirer quelque renseignement de Lancelot, mais, tout le temps qu'ils parlèrent, celui-ci garda le silence. Ils finirent donc par renoncer.

Examinant alors les sièges de la Table Ronde, ils trouvèrent écrit sur chacun d'eux : *Ici doit prendre place un tel »*. Mais lorsqu'ils arrivèrent près du grand siège que l'on appelait le Siège Périlleux, ils découvrirent une inscription, récente leur sembla-t-il, et ainsi rédigée :

« Quatre cent cinquante-quatre ans se sont écoulés depuis la Passion de Jésus-Christ et, le jour de la Pentecôte, ce siège doit trouver son maître ».

« Assurément, s'écrièrent-ils tous trois en lisant l'inscription, voilà une extraordinaire aventure !

— Par Dieu, ajouta Lancelot, si l'on calculait le temps qui s'est écoulé entre la Résurrection de Notre Seigneur et la date indiquée par cette inscription, on trouverait que c'est précisément aujourd'hui que ce siège doit être occupé : c'est aujourd'hui la Pentecôte et nous sommes en l'an quatre-cent-cinquante-quatre. Mais je voudrais que personne désormais ne puisse voir cette inscription avant l'arrivée de celui à qui cette aventure est destinée ».

Ses compagnons l'assurèrent alors qu'ils sauraient bien la cacher et firent apporter une étoffe de soie dont ils recouvrirent le siège.

Lorsque le roi, à son retour de l'église, vit que Lancelot était revenu et qu'il avait amené avec lui Bohort et Lionel, il souhaita avec joie la bienvenue aux trois chevaliers, au milieu de l'allégresse générale, car les compagnons de la Table Ronde étaient très heureux de revoir les deux frères. Puis, comme monseigneur Gauvain leur demandait si tout s'était bien passé depuis leur départ de la cour :

« Oui, très bien, lui répondirent-ils. Grâce à Dieu, nous avons toujours été en bonne santé !

— J'en suis très heureux », répondit monseigneur Gauvain, tandis que toute l'assistance faisait à Bohort et à Lionel un accueil enthousiaste. Il y avait longtemps en effet qu'on ne les avait pas vus à la cour.

Le roi donna ordre de mettre les nappes, pensant qu'il était temps de manger.

« Seigneur, lui dit Keu le sénéchal, si vous vous mettez maintenant à table, vous allez enfreindre, me semble-t-il, la coutume qui règne ici. Nous avons toujours vu, en effet, que les jours de fête solennelle, vous ne preniez jamais place à table avant que quelque aventure ne fût arrivée à votre cour en présence de tous vos barons.

— C'est vrai, Keu, j'ai toujours observé cette coutume et je l'observerai aussi longtemps que je pourrai. Mais je me réjouissais tant de voir Lancelot et ses cousins revenir à la cour sains et saufs que je l'avais oubliée.

— Qu'il vous en souvienne donc désormais », répliqua Keu.

Sur ces entrefaites, un jeune écuyer entra dans la salle et vint dire au roi :

« Seigneur, je vous apporte une étonnante nouvelle.

— Et laquelle ? Dis vite !

— Seigneur, j'ai vu là-bas, au pied de votre château, un gros bloc de pierre flotter sur l'eau. Venez le voir car je suis sûr que c'est là une extraordinaire aventure ».

Le roi descendit aussitôt pour voir ce prodige, suivi de tous les chevaliers présents mais, une fois arrivés sur le rivage, ils trouvèrent le bloc déjà sorti de l'eau. Il était de marbre rouge et une épée, qui paraissait fort belle et fort précieuse, y était fichée. Sur le pommeau, fait d'une pierre précieuse, était très habilement gravée une inscription en lettres d'or qui disait, ainsi que purent le lire les barons :

« Jamais personne ne pourra m'enlever d'ici sinon celui qui doit me pendre à son côté. Et ce sera le meilleur chevalier du monde. »

« Cher seigneur, dit alors le roi à Lancelot, cette épée est pour vous, et à juste titre, car je sais bien que vous êtes le meilleur chevalier du monde.

— Non seigneur, répondit Lancelot avec une profonde tristesse, elle n'est pas pour moi et je ne saurais avoir le désir ni l'audace d'y porter la main car mon mérite et ma valeur ne sont pas tels qu'il me soit donné de le faire. Je m'abstiendrai donc de la toucher car ce serait folie pure.

— Vous essaierez pourtant, dit le roi, et nous verrons si vous pourrez l'enlever.

— Non seigneur, je ne le ferai pas car personne, je le sais, ne pourra tenter l'épreuve sans être blessé s'il échoue.

— Qu'en savez-vous donc ?

— Seigneur, je le sais et je veux aussi vous apprendre que c'est aujourd'hui que commenceront les grandes aventures et les grands prodiges du Saint-Graal. »

Comprenant que Lancelot en restera là, le roi dit à monseigneur Gauvain :

« Cher neveu, essayez-donc.

— Seigneur, si vous le permettez, puisque monseigneur Lancelot n'a pas tenté l'épreuve, j'agirai de même : je m'essaierai en vain puisque, comme vous le savez bien, sa valeur est largement supérieure à la mienne.

— Pourtant, reprend le roi, vous tenterez l'épreuve, non pour avoir l'épée mais parce que telle est ma volonté ».

Gauvain saisit donc l'épée par la poignée et tire mais il ne peut la dégager.

« Cher neveu, arrêtez, lui dit alors le roi, vous avez fait ce que je voulais.

— Monseigneur Gauvain, dit Lancelot, sachez que cette épée vous touchera un jour de si près que vous ne voudriez alors y avoir porté la main pour un château.

— Seigneur, qu'y puis-je ? J'aurais agi de même, même si j'avais dû mourir sur le champ, pour obéir aux ordres de monseigneur le roi ».

En entendant cette réponse, le roi se repentit d'avoir ainsi forcé Gauvain.

Le roi demanda ensuite à Perceval de s'essayer. Celui-ci accepta bien volontiers afin, dit-il, de tenir compagnie à monseigneur Gauvain. Il empoigna donc l'épée et tira, mais en vain. Tous les assistants furent alors persuadés que Lancelot avait dit la vérité et que l'inscription était véridique. Plus personne n'eut donc assez d'audace pour porter la main sur l'épée.

« Ma foi, seigneur, dit alors Keu au roi, vous pouvez vous mettre à table quand il vous plaira et en toute sérénité. L'aventure que vous attendiez s'est bel et bien produite, me semble-t-il !

— Dînons donc, dit le roi, car aussi bien il en est l'heure ».

Les chevaliers se retirèrent en laissant le bloc de marbre sur la grève. Le roi donna ordre de corner l'eau (3) et s'assit à la table d'honneur (4) tandis que les compagnons de la Table Ronde prenaient leur place habituelle. Ce jour-là, le service fut assuré par quatre rois portant couronne, aidés d'un si grand nombre de puissants seigneurs que cela tenait du prodige. Ce jour là, le roi occupait la table d'honneur, entourée de la foule empressée des grands barons. Quand tout le monde dans la salle fut assis, on s'aperçut que tous les compagnons de la Table Ronde étaient là et que tous les sièges étaient occupés sauf celui que l'on appelait le Siège Périlleux.

Après le premier service, il se passa quelque chose de tout à fait extraordinaire : toutes les portes et toutes les fenêtres de la salle où ils mangeaient se fermèrent d'elles-mêmes, sans que personne y touchât. La salle pourtant n'était pas sombre, ce qui emplit d'étonnement toute l'assistance.

« Par Dieu, chers seigneurs, dit Artus, prenant le premier la parole, nous avons assisté aujourd'hui à d'étranges événements, que ce soit ici ou sur le rivage ! Mais je pense qu'avant la nuit nous en verrons qui nous surprendront plus encore ».

Tandis qu'il parlait, un vieillard tout de blanc vêtu entra

dans la salle sans que personne, parmi les chevaliers présents, ait pu savoir par où il était entré. Le vieillard était à pied et tenait par la main un chevalier revêtu d'une armure vermeille mais qui ne portait ni écu ni épée. Arrivé au milieu de la salle, il dit :

« Que la paix soit avec vous », puis s'adressa au roi en ces termes :

« Roi Artus, je t'amène le Chevalier Désiré, celui qui descend de la noble race du roi David et du lignage de Joseph d'Arimathie (5), celui grâce à qui cesseront les aventures étranges que connaît ce pays comme les terres étrangères. Le voici ».

Tout heureux de cette nouvelle, le roi dit au vieillard :

« Seigneur, si vos paroles sont véridiques, soyez le bienvenu ainsi que le chevalier, car si c'est celui que nous attendons pour achever les aventures du Saint-Graal, jamais personne ici n'aura été accueilli avec autant de joie. Au reste, quel qu'il soit, celui que vous dites ou un autre, je souhaiterais qu'il réussisse puisqu'il est si noble et issu d'un aussi haut lignage.

— Sur ma foi, répondit le vieillard, vous en verrez bientôt les heureuses prémices ».

Il fait alors désarmer le chevalier qui apparaît en cotte de soie rouge puis le revêt d'un manteau de brocard rouge doublé d'hermine qu'il portait sur son épaule.

Après l'avoir ainsi vêtu, le vieillard lui dit :

« Suivez-moi, seigneur chevalier » et le conduit tout droit vers le Siège Périlleux à côté duquel était assis Lancelot. Il soulève l'étoffe de soie que les trois cousins avait mise et aperçoit l'inscription qui disait : *Ceci est le siège de Galaad*. Le vieillard examine cette inscription, récemment gravée lui semble-t-il, et déchiffre le nom puis dit à si haute voix que tous l'entendent :

« Seigneur chevalier, asseyez-vous ici car cette place est vôtre ».

Le jeune homme s'assied alors sans hésiter.

Seigneur, dit-il au vieillard, vous pouvez vous en retourner car vous avez bien accompli votre mission. Saluez de ma part tous ceux qui habitent la sainte demeure ainsi que mon oncle le roi Pellés et mon aieul le Riche Roi Pêcheur et faites-leur savoir que j'irai les voir aussitôt que je le pourrai ».

Le vieillard se retire alors en recommandant à Dieu le roi et tous les chevaliers présents. Comme ceux-ci lui demandent qui il est, il coupe court à leurs questions en déclarant nettement qu'il ne leur dira pas maintenant mais qu'ils le sauront bien, le moment venu, s'ils osent le demander. Il se dirige ensuite vers la grand-porte de la salle qui était close, l'ouvre, et descend dans la cour où l'attendaient quinze chevaliers et écuyers qui étaient venus avec lui. Aussitôt il monte à cheval et quitte la cour sans que personne ne puisse, ce jour-là, en savoir davantage sur son compte.

Quand ceux qui se trouvaient dans la salle virent le chevalier occuper le siège que tant de chevaliers de haut mérite avaient redouté et où de tels prodiges avaient eu lieu, ils en restèrent tout interdits : ce chevalier est si jeune qu'ils ne voient pas comment il aurait pu mériter une telle grâce sinon par la volonté de Notre Seigneur. La joie cependant éclate dans la salle et tous s'empressent pour l'honorer car tous sont sûrs désormais que c'est lui qui doit achever les aventures du Saint-Graal : l'épreuve du siège en est un signe manifeste, ce siège où jamais personne avant lui n'a pu s'asseoir sans dommage. Ils le servent donc avec tous les égards et le respect possibles, reconnaissant ainsi sa suprématie sur tous les compagnons de la Table Ronde. Lancelot, qui le regardait avec attention et admiration, finit par reconnaître en lui, avec beaucoup de joie, le jeune homme qu'il a adoubé le jour-même. Il le traite avec un très grand respect, lui parle de divers sujets, l'interroge enfin sur lui-même. Le jeune homme qui le reconnaît lui aussi, n'ose se dérober et répond à plusieurs reprises à ses questions. Quant à Bohort, qui plus que tout autre éprouve une immense joie lorsqu'il comprend que c'est là Galaad, le fils de Lancelot, celui qui doit achever les aventures, il dit à son frère Lionel :

« Cher frère, savez-vous qui est ce chevalier qui est assis sur le Siège Périlleux ?

— Pas vraiment, répond Lionel. Je sais simplement que c'est le nouveau chevalier, celui que Lancelot a adoubé ce matin même, celui dont nous avons nous-mêmes parlé toute la journée, le fils de Lancelot et de la fille du Riche Roi Pêcheur.

— C'est lui-même, sans aucun doute, et il est de notre sang. Aussi devons-nous nous réjouir de cette aventure car il est sûr et certain qu'il surpassera tous les chevaliers que j'aie pu connaître. En voilà déjà de belles prémices ! »

Tandis que les deux frères et toute l'assistance parlaient ainsi de Galaad, la nouvelle de sa venue se répandit dans tout le château. Tant et si bien que la reine, qui mangeait en privé, l'apprit par un jeune écuyer :

« Ma dame, lui dit-il, il se passe ici des choses bien étonnantes !

— Et quoi ? Raconte-moi !

— Un chevalier est venu à la cour qui a réussi l'aventure du Siège Périlleux, et il est si jeune que tout le monde se demande comment il a pu mériter une telle grâce.

— Vraiment ? Est-ce bien sûr ?

— Oui, ma dame, vous pouvez me croire.

— Par Dieu, c'est là en effet une faveur insigne car tous ceux qui ont voulu tenter cette aventure ont été tués ou blessés.

— Ha ! Dieu, s'écrièrent les dames, que ce chevalier est né sous d'heureux auspices ! Jamais chevalier, quelle que soit sa prouesse, n'a pu accomplir ce qu'il a accompli. C'est donc bien lui, il n'est plus possible d'en douter, qui mettra fin aux aventures de la Grande-Bretagne et qui guérira le Roi Méhaignié.

— Cher ami, poursuit la reine, et comment est-il ?

— Par Dieu, ma dame, c'est l'un des plus beaux chevaliers du monde, bien qu'il soit encore d'une extrême jeunesse, et il ressemble tant à Lancelot et au lignage du roi Ban que tous ici assurent qu'il est issu de cette famille ».

La reine éprouve alors un désir encore plus vif de le voir. A la mention de cette ressemblance, elle est sûre en effet qu'il s'agit de Galaad, le fils de Lancelot et de la fille du Riche Roi Pêcheur, car on lui avait déjà raconté plusieurs fois ce qui s'était produit et comment Lancelot avait été abusé. Et sans doute aurait-elle été extrêmement irritée contre lui s'il l'avait alors volontairement trahie.

Le repas terminé, le roi et les compagnons de la Table Ronde se levèrent de table. Le roi en personne vint vers le Siège Périlleux et, soulevant l'étoffe de soie, lut ce nom de Galaad qu'il désirait tant connaître. Puis, le montrant à monseigneur Gauvain,

« Cher neveu, lui dit-il, voici qu'est parmi nous Galaad, le bon, le parfait chevalier, celui que les compagnons de la Table Ronde et nous-mêmes avons tant désiré voir. Ayons donc à cœur de le servir et de l'honorer tant qu'il sera parmi nous : son séjour ici sera bref, je le sais, car la grande Quête du Graal va bientôt commencer, j'en suis sûr. D'ailleurs, Lancelot aujourd'hui même nous l'a bien fait comprendre, lui qui n'aurait pas parlé à la légère.

— Seigneur, dit monseigneur Gauvain, nous devons tous ici le servir car c'est Dieu lui-même qui nous l'a envoyé pour que notre pays soit délivré des prodiges étranges et des aventures extraordinaires qui depuis si longtemps ne cessent de s'y produire. »

Le roi s'approcha alors de Galaad :

« Seigneur, lui dit-il, soyez le bienvenu car nous avons ardemment désiré vous voir. Vous voici parmi nous : nous en remercions Dieu et nous vous remercions, vous qui avez daigné venir ici.

— Seigneur, répondit Galaad, je suis venu parce qu'il le fallait. C'est d'ici en effet que doivent partir ceux qui participeront à la Quête du Saint-Graal qui va bientôt commencer.

— Seigneur, reprit le roi, nous avons bien besoin de vous, et pour de multiples raisons. Pour mettre fin d'abord aux prodiges qui apparaissent dans ce pays mais aussi pour mener à bien une aventure qui s'est produite aujourd'hui et où tous ici ont échoué. Mais je sais bien que vous, vous n'échouerez pas car vous êtes celui qui doit réussir là où tous les autres ont échoué. C'est pour cela que Dieu vous a envoyé parmi nous, pour accomplir ce que les autres n'ont pu mener à bien.

— Seigneur, quelle est donc cette aventure ? Je la verrais volontiers.

— Je vais vous la montrer », répondit le roi en le prenant par la main. Tous deux sortent alors de la salle, suivis de tous les seigneurs présents qui vont voir comment sera achevée l'aventure du bloc. Tous se précipitent, si bien que la salle reste vide. La reine, aussitôt informée, ordonne d'enlever les tables et dit à quatre des plus nobles dames de sa suite :

« Belles dames, accompagnez-moi jusqu'au rivage. Pour rien au monde je ne voudrais manquer de voir la conclusion de cette aventure, si du moins je peux arriver à temps. »

La reine descend donc vers le rivage, suivie d'un grand nombre de dames et de demoiselles.

« Voici la reine, s'écrient les chevaliers en la voyant approcher, revenez sur vos pas ! »

Tandis que les plus renommés d'entre eux lui font escorte, le roi dit à Galaad :

« Seigneur, voici l'épreuve dont je vous ai parlé. Oter cette épée de ce bloc de marbre, voilà ce que n'ont pu faire aujourd'hui les plus illustres chevaliers de ma cour.

— Seigneur, ce n'est pas surprenant. C'est à moi que l'aventure était destinée, non à eux. D'ailleurs, j'étais si sûr d'avoir cette épée que, comme vous pouvez le voir, je n'en ai pas apporté avec moi ».

Il pose alors la main sur l'épée et l'enlève sans aucun effort de la pierre comme si elle n'y avait pas été fixée. Puis il prend le fourreau, y place l'épée, et la ceint à son côté. (6)

« Seigneur, dit-il au roi, me voici mieux équipé que tout à l'heure ! Maintenant, il ne me manque plus qu'un écu.

— Cher seigneur, répond le roi, Dieu y pourvoiera de quelque manière, comme il l'a fait pour l'épée ! »

Regardant alors le long du rivage, ils voient venir vers eux à très vive allure une demoiselle montée sur un palefroi blanc. Une fois à leur hauteur, elle salue le roi et toute l'assistance puis demande si Lancelot est là. Il se trouvait juste devant elle et lui dit :

« Ma demoiselle, me voici ».

Elle le regarde, le reconnaît aussitôt et lui dit tout en pleurs :

« Ha ! Lancelot, comme votre condition a changé depuis hier matin !

— Et pourquoi, ma demoiselle ? Dites-le moi.

— Ma foi, je vous le dirai, et devant tous ces barons. Hier matin, vous étiez le meilleur chevalier du monde et c'est à bon droit qu'on vous aurait donné ce titre car c'était la vérité, mais maintenant ce serait un mensonge car il y a meilleur que vous. La preuve en est l'aventure de l'épée, de cette épée que vous n'avez pas osé toucher. Voilà la raison du changement qu'a subi votre nom, changement que je vous signifie afin que, dorénavant, vous ne vous considériez plus comme le meilleur chevalier du monde ».

Et il lui répond qu'il en est désormais convaincu car cette aventure lui a ouvert les yeux. La demoiselle se tourne alors vers le roi.

« Roi Artus, lui dit-elle, l'ermite Nascien te fait savoir par ma bouche que tu connaîtras aujourd'hui le plus grand honneur qui soit jamais arrivé à un chevalier de Bretagne mais qui sera en fait destiné à un autre que toi. Et sais-tu de quoi il s'agit ? Du Saint-Graal qui aujourd'hui apparaîtra à ta cour et apaisera la faim des compagnons de la Table Ronde ».

A ces mots, elle tourne bride et repart par le même chemin. Dans l'assistance, nombre de seigneurs et de chevaliers auraient bien voulu la retenir pour savoir qui elle était et d'où elle venait mais, en dépit de toutes leurs prières, elle refusa de s'attarder.

S'adressant alors aux chevaliers de sa cour, le roi leur dit :

« Chers seigneurs, nous avons désormais l'assurance que vous commencerez prochainement la Quête du Saint-Graal et, comme je sais que jamais plus je ne vous verrai tous réunis comme aujourd'hui, je désire qu'ait lieu maintenant, dans les prairies devant Camaaloth, un tournoi si brillant que nos descendants, après notre mort, en gardent le souvenir ».

Tous l'approuvent et reviennent dans la ville. Certains revêtent leurs armures pour jouter avec plus de sécurité mais la plupart se contentent de prendre housses de cheval et écus tant ils se fient en leur valeur. Le roi, lui, n'avait pris cette initiative que pour avoir un aperçu de la prouesse de Galaad. Il savait bien en effet, qu'une fois parti de la cour, le chevalier n'y reviendrait pas de sitôt.

Quand tout le monde fut réuni dans la prairie devant Camaaloth, Galaad, à la demande expresse du roi et de la reine, revêtit son haubert et son heaume mais, malgré leurs prières, il refusa de prendre un écu. Monseigneur Gauvain, que cette attitude comblait de joie, proposa de porter ses lances ; monseigneur Yvain et Bohort de Gaunes firent de même. La reine était montée sur les murs avec un grand nombre de dames et de demoiselles. Galaad, qui était venu dans la prairie avec les autres, se mit alors à briser des lances avec une telle fougue que nul n'aurait pu le voir sans être frappé d'étonnement. En peu de temps, il accomplit tant de prouesses que tous ceux, hommes et femmes, qui assistaient à ses exploits étaient émerveillés et voyaient en lui le meilleur des chevaliers. Tous ces gens qui le voyaient pour la première fois s'accordaient à dire qu'il avait commencé avec éclat sa carrière de chevalier et qu'il était manifeste, à voir ses exploits d'aujourd'hui, qu'il n'aurait aucune difficulté à surpasser tous les autres chevaliers. En effet, à la fin du tournoi, on s'aperçut que de tous les compagnons de la Table Ronde qui y avaient participé, il n'y en avait que deux qu'il n'avait pas abattus, Lancelot et Perceval.

Le tournoi dura ainsi une partie de l'après-midi jusqu'au moment où le roi lui-même y mit fin : il craignait que les passions ne se déchaînent. Il fit délacer le heaume de Galaad et le donna à Bohort de Gaunes puis conduisit le jeune homme à travers la prairie jusqu'à la cité de Camaaloth où il le fit entrer par la grand-rue, le visage découvert, afin que tous puissent le voir distinctement. La reine, après l'avoir longuement regardé, déclara que c'était bien là le fils de Lancelot car il était impossible que deux hommes se ressemblent autant que ces deux-là. Rien d'étonnant donc à ce que sa prouesse soit aussi grande : il aurait autrement fait grande honte à son lignage. Une dame qui avait entendu partie de ses paroles demanda alors :

« Ma dame, doit-il nécessairement être aussi valeureux que vous le dites ?

— Oui, sans aucun doute, répondit la reine, car il est issu des meilleurs chevaliers qui soient et de la plus noble famille que l'on connaisse ».

Les dames quittèrent alors les murailles pour aller écouter les vêpres en ce jour solennel. Au retour de l'église, le roi monta dans la salle haute et ordonna de mettre les tables. Les chevaliers reprirent leur place, comme ils l'avaient fait le matin. Ils étaient tous assis et le silence s'était établi lorsque éclata un coup de tonnerre d'une force et d'une violence telles qu'il leur semblât que le château s'écroulait. Puis aussitôt apparut un rayon de soleil qui répandit dans la salle une éblouissante clarté. Tous ceux qui se trouvaient là furent comme illuminés par la grâce du Saint-Esprit. Ils se regardèrent les uns les autres, se demandant ce qui avait bien pu se produire, mais tous restaient silencieux, incapables de dire un mot. Ils demeurèrent longtemps ainsi sans pouvoir parler, à se regarder comme des bêtes privées de parole. Alors apparut à l'intérieur de la salle le Saint-Graal que recouvrait une étoffe de soie blanche. Personne ne put voir qui le portait. Il entra par la grand-porte et aussitôt la salle fut emplie d'odeurs si suaves qu'il semblait que toutes les senteurs de la terre y avaient été répandues. Le Saint-Graal passa dans la salle en faisant le tour de chaque table et, chaque fois qu'il passait, apparaissaient à chaque place les mets que chacun désirait. Puis, quand tous furent servis, le Saint-Graal disparut. Nul ne put voir ce qu'il était devenu et où il était parti. Ils retrouvèrent aussitôt l'usage de la parole et la plupart louèrent le Seigneur et le remercièrent de l'honneur insigne qu'Il leur avait fait en les rassasiant de la grâce du Saint-Vase. (7) Mais le plus heureux de tous était sans conteste le roi Artus car Notre Seigneur lui avait donné une preuve de sa bienveillance telle qu'aucun roi avant lui n'avait obtenu la pareille.

Cet événement combla de joie tous ceux qui y avaient assisté. Il leur parut que Dieu ne les avait pas oubliés puisqu'Il leur manifestait une telle bonté. Ils en parlèrent tout au long du repas, tout comme le roi, qui dit à ceux qui étaient près de lui :

« Seigneurs, nous devons être remplis d'allégresse car Notre Seigneur nous a donné une telle preuve de son amour qu'Il a bien voulu nous rassasier de sa grâce en ce jour si solennel de la Pentecôte.

— Seigneur, dit monseigneur Gauvain, vous ne savez pas tout encore : tous ceux qui étaient là ont été servis de ce qu'ils désiraient en leur cœur et ceci ne s'est jamais produit en aucune cour sauf chez le Roi Méhaignié. (8) Mais ils sont si égarés qu'ils n'ont pu voir distinctement le Saint-Graal et que sa véritable apparence leur est restée cachée. C'est pourquoi je fais pour ma part le serment que, dès demain matin, j'entreprendrai la Quête et que je la poursuivrai pendant un an et un jour, et davantage s'il le faut. J'ajoute que je ne reviendrai pas à la cour, quoi qu'il advienne, avant d'avoir vu le Saint-Graal plus distinctement qu'il ne m'est apparu ici, si du moins une telle faveur peut m'être accordée. Si elle m'est refusée, je reviendrai. »

Quand les compagnons de la Table Ronde l'entendirent ainsi parler, ils se levèrent à leur tour, prononcèrent le même serment et jurèrent que leur quête ne cesserait que le jour où ils prendraient place à la sainte table où est chaque jour apprêtée la nourriture suave qu'ils avaient eue aujourd'hui. Ce serment remplit le roi de douleur car il comprit alors que rien ne les ferait plus renoncer. Aussi dit-il à monseigneur Gauvain :

« Ha ! Gauvain, vous m'avez tué en faisant ce vœu car vous m'avez enlevé les plus nobles et les plus loyaux compagnons que j'ai jamais eus, je veux dire les compagnons de la Table Ronde. Une fois qu'ils m'auront quitté, et peu importe le moment, tous, je le sais, ne reviendront pas, mais beaucoup périront en cette Quête qui ne finira pas aussi tôt que vous le pensez. J'en suis profondément affligé car j'ai œuvré de toutes mes forces pour que grandissent leur valeur et leur renommée. Je les ai toujours aimés et je les aime encore comme s'ils étaient mes fils ou mes frères. Ma tristesse à les voir partir sera donc grande car j'avais pris l'habitude de les voir souvent et de vivre en leur compagnie et je ne sais comment je pourrai supporter cette séparation. »

Le roi s'enferme alors dans ses pensées tandis que les larmes coulent de ses yeux, au vu et au su de toute l'assistance. Puis, quand il reprend la parole, il dit à si haute voix que tous l'entendent :

« Gauvain, Gauvain, vous m'avez causé une douleur telle

que jamais je ne pourrai me réjouir tant que je ne connaîtrai pas l'issue de cette Quête, si grande est ma crainte que ceux qui me sont le plus chers n'en reviennent jamais !

— Seigneur, répond Lancelot, que dites-vous là ! Un homme tel que vous doit ignorer la peur et ne connaître que la justice, le courage et l'espérance ! Mais rassurez-vous : si nous devions tous mourir au cours de cette Quête, ce serait une plus grande gloire de mourir ainsi qu'en nulle autre entreprise.

— Lancelot, poursuit le roi, c'est le profond amour que je leur ai toujours porté qui me fait parler ainsi. Il n'y a rien d'étonnant à ce que leur départ m'afflige. Jamais, dans toute la chrétienté, un roi n'eut ni n'aura à sa table, comme moi aujourd'hui, tant de valeureux chevaliers, d'hommes de si haut mérite. Jamais plus désormais ils ne seront réunis comme ils l'ont été ici. Voilà ce qui m'est le plus douloureux ».

Monseigneur Gauvain ne trouva rien à répondre. Il savait bien que le roi disait vrai et, s'il avait osé, il serait volontiers revenu sur son serment, mais c'était trop tard : il était déjà largement connu.

La nouvelle se répandit aussitôt dans le palais que la Quête du Graal était commencée et que ceux qui devaient y participer quitteraient la cour le lendemain. Beaucoup en furent plus peinés que contents car c'était grâce à la prouesse des compagnons de la Table Ronde que la cour du roi Artus était plus redoutée que toute autre. Parmi les dames et les demoiselles qui dînaient avec la reine dans ses appartements, nombreuses furent aussi celles que la nouvelle consterna, et surtout celles qui étaient l'épouse ou l'amie d'un chevalier de la Table Ronde. Ce qui n'avait rien de surprenant. Elles craignaient en effet que meurent au cours de cette Quête ceux qui leur témoignaient amour et tendresse. Tandis que leurs lamentations éclataient, la reine dit au jeune écuyer qui se tenait à côté d'elle :

« Etais-tu là lorsque la Quête a été jurée ?

— Oui, ma dame.

— Monseigneur Gauvain et Lancelot du Lac y participent-ils ?

— Oui bien sûr ! Monseigneur Gauvain a juré le premier puis Lancelot et tous les autres, tant et si bien que tous les chevaliers de la Table Ronde se sont engagés ».

A l'annonce du départ de Lancelot, la reine éprouve une telle souffrance qu'elle croit bien mourir de douleur et qu'elle ne peut s'empêcher de pleurer. Au bout d'un moment, elle dit avec accablement :

« Assurément, c'est là un grand malheur ! Cette Quête ne s'achèvera pas sans que meurent un grand nombre de preux, puisqu'ils sont si nombreux à l'avoir jurée. Je m'étonne que monseigneur le roi, dans sa grande sagesse, y ait consenti car les meilleurs de ses chevaliers vont le quitter dans des conditions telles que ceux qui resteront vaudront bien peu ! »

Elle se met alors à pleurer de manière pitoyable ainsi que toutes les dames et demoiselles qui l'entourent.

La nouvelle du départ répandait ainsi le trouble dans la cour. Lorsqu'on eut enlevé les tables dans la salle et dans les appartements privés et que dames et chevaliers furent réunis, les lamentations reprirent de plus belle. Dames et demoiselles, épouses ou amies, toutes proposaient à leur chevalier de l'accompagner. Certains y auraient volontiers consenti, mais voici qu'arriva, après le dîner, un vieillard vêtu d'un habit de religion. Il vint devant le roi et dit d'une voix si forte que tous l'entendirent :

« Ecoutez-moi, vous tous chevaliers de la Table Ronde qui avez juré de participer à la Quête du Saint-Graal : Nascien l'ermite vous fait savoir par ma bouche que quiconque emmènera en cette Quête dame ou demoiselle sera en état de péché mortel et que personne ne doit l'entreprendre sans être absous ou sans aller se confesser, car personne ne doit entreprendre une aussi haute mission sans s'être auparavant lavé et purifié de toute faute et de tout péché mortel. Cette Quête en effet n'est pas la quête des choses terrestres mais la recherche des plus intimes secrets de Notre Seigneur, des grands mystères que le Tout-Puissant dévoilera au bienheureux chevalier qu'Il a choisi entre tous pour son serviteur. Il lui montrera les grandes merveilles du Saint-Graal et lui fera contempler ce que l'esprit humain ne peut concevoir et ce que la parole humaine ne peut exprimer ».

Tous renoncèrent donc à emmener femme ou amie. Le roi reçut somptueusement le vieillard, lui posant maintes questions sur lui-même, mais il répondit très brièvement : ses préoccupations étaient autres.

La reine cependant s'approche de Galaad et, s'asseyant à côté de lui, l'interroge sur son origine, sa famille, son pays. Il répond sans difficulté à la plupart de ses questions mais sans jamais lui dire qu'il est le fils de Lancelot. Néanmoins la reine est désormais certaine que c'est bien le fils que Lancelot a eu de la fille du Roi Pellés comme elle l'avait souvent entendu dire. Mais parce qu'elle voudrait l'entendre de sa bouche, elle lui demande qui est son père. Le jeune homme répond qu'il ne sait pas très bien.

« Ha ! seigneur, lui dit-elle, vous voulez me le cacher ! Et pourquoi ? Par Dieu, vous n'avez aucune raison d'avoir honte de dire son nom. C'est le plus beau chevalier du monde, il n'a pour ancêtres que des rois et des reines et il est issu de la plus noble famille qui soit. Enfin, il a été considéré jusqu'à ce jour comme le meilleur des chevaliers. C'est pourquoi vous devriez vous aussi surpasser tout le monde. D'ailleurs, votre ressemblance avec lui est si frappante qu'il n'est personne ici, si peu averti qu'il soit, qui ne puisse la remarquer. »

Les paroles de la reine mettent Galaad très mal à l'aise.

« Ma dame, lui répond-il, puisque vous savez si bien qui est mon père, vous pouvez bien me dire son nom ! Si c'est celui que je tiens pour mon père, j'en conviendrai avec vous ; si vous dites un autre nom, je ne pourrai vous croire, quels que soient vos arguments.

— Par Dieu, puisque vous ne voulez pas le dire, je vous le dirai : vous êtes le fils de Lancelot du Lac, le plus beau, le plus aimable et le meilleur des chevaliers, celui que tous désirent voir et que tous aiment plus que quiconque. C'est pourquoi je pense que vous ne devez pas cacher votre naissance ni à moi ni à qui que ce soit, car il est impossible d'être le fils d'un être plus noble, d'un chevalier plus valeureux.

— Ma dame, puisque vous le savez si bien, à quoi bon vous le dire ? D'ailleurs, on l'apprendra bien en temps utile ».

La conversation entre Galaad et la reine dura longtemps, jusqu'à la nuit. Lorsqu'il fut temps de dormir, le roi conduisit Galaad dans sa chambre et lui donna son propre lit pour rendre hommage à sa haute naissance. Puis il alla se coucher avec Lancelot et les autres barons présents. Le roi passa la nuit dans la peine et l'inquiétude, pensant à tous ces vaillants chevaliers qu'il avait tant aimés et qui allaient le quitter le lendemain pour une expédition qui, lui semblait-il, durerait bien longtemps. Qu'ils demeurent longtemps loin de lui, cela encore ne l'aurait pas trop inquiété mais ce qui l'afflige et le tourmente davantage c'est de penser que beaucoup mourront au cours de cette Quête. Les plus puissants seigneurs de la cour et ceux du royaume de Logres passèrent de même la nuit dans la douleur et les tourments. Enfin, lorsqu'il plut à Notre Seigneur de laisser la clarté du jour dissiper les ténèbres de la nuit, tous les chevaliers que ces pensées troublaient, se levèrent et se vêtirent. Le soleil était déjà haut lorsque le roi se leva à son tour. Dès qu'il fut prèt, il se rendit dans la chambre où Lancelot et Gauvain avaient dormi et les trouva déjà habillés et prêts à se rendre à l'église. Le roi, qui les aimait comme ses propres fils, se précipita pour les saluer. Ils se levèrent à son approche en lui souhaitant la bienvenue mais il les fit se rasseoir et se mit à côté d'eux. Puis, se tournant vers Gauvain :

« Gauvain, Gauvain, lui dit-il, vous m'avez trahi ! Tout l'éclat que vous avez donné à ma cour ne contrebalance pas le tort que vous lui causez aujourd'hui car jamais plus elle ne pourra s'enorgueillir de réunir des chevaliers aussi nobles et aussi preux que ceux dont me prive aujourd'hui votre initiative. Encore ai-je moins de douleur pour les autres que pour vous deux car vous, je vous ai aimés autant qu'un être humain peut en aimer un autre, et cet amour ne date pas d'aujourd'hui mais de l'instant même où j'ai connu les hautes vertus qui étaient en vous. »

Le roi se tait alors, perdu dans ses pensées, tandis que les larmes coulent le long de son visage. Pleins de tristesse devant sa douleur, Gauvain et Lancelot n'osent lui répondre. Le roi demeure longtemps dans cet état puis dit enfin avec une grande tristesse :

« Ha ! Dieu, je pensais bien pourtant ne jamais me séparer de ces compagnons que le destin m'avait envoyés ! »

Puis, s'adressant à Lancelot :

« Lancelot, par la foi que vous m'avez jurée, je vous demande de m'aider en cette circonstance de vos conseils.

— Seigneur, mais comment ?

— Je désirerais de tout cœur empêcher cette Quête, s'il se peut.

— Seigneur, j'ai vu tant de nobles cœurs jurer d'y participer qu'ils ne consentiraient pas, je pense, à y renoncer. Aucun n'accepterait de se parjurer et le leur demander serait leur faire grande injure.

— Je sais bien, répond le roi, que vous avez raison mais c'est l'amour que j'ai pour eux et pour vous qui me dicte ces paroles et s'il y avait quelque moyen convenable de revenir sur cette décision, j'en serais heureux, tant il me sera pénible de les voir partir ».

Le jour, cependant, s'était levé dans toute sa splendeur. Le soleil avait dissipé la rosée et déjà les barons du royaume emplissaient la salle. La reine,qui s'était levée, vint rejoindre le roi et lui dit :

« Seigneur, vos chevaliers vous attendent en bas pour aller à l'église ».

Le roi se lève alors et s'essuie les yeux pour dissimuler sa douleur à ceux qui le verront tandis que monseigneur Gauvain et Lancelot demandent qu'on leur apporte leurs armures. Une fois armés, mais sans écu, tous deux viennent dans la salle où ils retrouvent leurs compagnons, prêts à partir eux aussi, et tous se rendent à l'église, ainsi équipés, pour écouter la messe. A leur retour dans la salle, tous ceux qui devaient participer à la Quête s'asseyent les uns à côté des autres.

« Seigneur, dit le roi Baudemagu, puisque nous voici définitivement engagés dans cette entreprise, il serait bon, je pense, de faire apporter les reliquaires. Ceux qui prendront part à la Quête pourraient ainsi prêter serment comme on le fait en de telles circonstances.

— Volontiers », répond le roi, puisque vous le souhaitez et qu'il ne peut en être autrement. Les clercs du palais firent donc apporter les reliquaires sur lesquels on prêtait serment à la cour et les placèrent devant les tables d'honneur. Le roi appela monseigneur Gauvain.

« Seigneur, lui dit-il, puisque c'est vous qui avez pris l'initiative de cette Quête, prononcez le premier le serment que doivent faire ceux qui y participeront.

— Seigneur, dit le roi Baudemagu, ne vous en déplaise, ce n'est pas lui qui prêtera serment le premier, mais celui que nous tous ici devons reconnaître comme le maître et le seigneur de la Table Ronde, monseigneur Galaad. Lorsqu'il aura juré, nous prêterons serment à notre tour, et dans les mêmes termes, car il doit en être ainsi ». On appela donc Galaad. Il vint s'agenouiller devant les reliquaires puis jura sur son honneur de chevalier qu'il poursuivrait la Quête un an et un jour, et davantage s'il le fallait, et qu'il ne reviendrait pas à la cour avant d'avoir eu révélation des secrets du Saint-Graal, si du moins cela lui était accordé. Lancelot prêta ensuite serment dans les mêmes termes, suivi par monseigneur Gauvain, Perceval, Bohort, Lionel, Helain le Blanc et, après eux, par tous les compagnons de la Table Ronde. Lorsque tous les participants eurent prêté serment, ceux qui inscrivaient leurs noms comptèrent qu'ils étaient cent-cinquante, tous plus valeureux les uns que les autres. Les compagnons mangèrent un peu, à la prière du roi, lacèrent leurs heaumes, — toute la cour sut alors que le départ était proche —, puis recommandèrent la reine à Dieu au milieu des larmes et des pleurs.

Voyant que leur départ était imminent, la reine éclata en lamentations comme si elle voyait tous ses parents morts devant elle. Puis, pour ne pas trop montrer l'étendue de sa peine, elle rentra dans ses appartements et se jeta sur son lit en proie à une telle affliction que nul, si sensible soit-il, n'aurait pu rester indifférent. Lancelot, déjà tout prêt à partir, mais qui était tout bouleversé de voir le désespoir de la reine, la rejoignit dans la chambre où il l'avait vue entrer. Lorsque la reine le vit, tout équipé pour le départ, elle lui cria :

« Ha ! Lancelot, vous m'avez trahie et vous me brisez le cœur, vous qui allez quitter la cour de mon seigneur le roi pour ces pays lointains dont vous ne reviendrez jamais, si Dieu lui-même n'en prend soin.

— Ma dame, si Dieu le veut, je reviendrai et peut-être plus vite que vous ne le pensez.

— Ha ! Dieu, ce n'est pas mon sentiment, et mon cœur est assailli de tous les tourments et de toutes les craintes que jamais femme pût éprouver pour un homme.

— Ma dame, je ne partirai qu'avec votre permission et quand il vous plaira.

— Si la décision m'appartenait, vous ne partiriez jamais, mais puisqu'il doit en être ainsi, je vous remets entre les mains de Celui qui se laissa supplicier sur la très sainte Croix pour sauver l'humanité de la mort éternelle. Qu'Il vous protège et vous garde sain et sauf partout où vous irez !

— Ma dame, puisse-t-Il faire ainsi dans sa sainte miséricorde ! »

Lancelot quitta alors la reine et descendit dans la cour où tous ses compagnons, déjà à cheval, n'attendaient que lui pour partir. Il monta à son tour en selle. Voyant que Galaad allait partir sans prendre d'écu, le roi vint lui dire :

« Seigneur, il me semble que vous n'êtes pas raisonnable de ne pas prendre d'écu comme le font vos compagnons.

— Seigneur, répliqua le chevalier, je commettrais une faute si j'en prenais un ici et je n'en prendrai point avant que le sort ne me le procure.

— Que Dieu vous garde donc ! dit le roi. Je n'en parlerai

plus puisqu'il doit en être ainsi ».

Barons et chevaliers montèrent alors en selle et quittèrent le château à cheval. Ils furent bientôt en dehors de la ville. Jamais on ne vit douleur pareille à celle des gens de Camaaloth lorsqu'ils les virent partir pour la Quête du Saint-Graal. Tous sans exception pleuraient et se désolaient et, parmi les seigneurs qui restaient, il n'y en avait aucun, de quelque rang qu'il fût qui ne pleurât à chaudes larmes, tant ce départ suscitait la consternation. Mais ceux qui partaient ne semblaient rien éprouver de tel, bien au contraire, et l'on aurait pu lire sur leurs visages la joie qui les habitait.

Une fois arrivés dans la forêt, non loin du château de Vagan, ils s'arrêtèrent au pied d'une croix.

« Seigneur, dit alors monseigneur Gauvain au roi, vous êtes venu assez loin. Il faut maintenant vous en retourner, vous ne pouvez pas nous accompagner davantage.

— Le retour me sera bien plus douloureux que l'aller, dit le roi, car c'est bien malgré moi que je vous quitte. Mais puisqu'il doit en être ainsi, je m'en retourne ».

Gauvain, imité par tous ses compagnons, enlève alors son heaume et embrasse le roi. Puis, après avoir relacé leurs heaumes, ils se recommandent mutuellement à Dieu en pleurant d'émotion et quittent le roi qui retourne à Camaaloth. Les compagnons pénètrent dans la forêt et chevauchent jusqu'au château de Vagan.

Ce Vagan était un homme de grande vertu qui avait été dans sa jeunesse un chevalier des plus remarquables. Lorsqu'il vit les compagnons pénétrer dans l'enceinte de son château, il fit immédiatement fermer toutes les portes et dit aux chevaliers que, puisque Dieu lui avait fait l'honneur de les lui confier, il ne les laisserait pas repartir avant de les avoir aussi bien reçus qu'il le pouvait. Il les garda ainsi chez lui presque de vive force, les fit désarmer, et leur donna, ce soir-là, une si somptueuse hospitalité qu'ils se demandèrent d'où il tirait toutes ces richesses.

Cette nuit-là, les compagnons se consultèrent sur la conduite à tenir et décidèrent qu'au matin ils se sépareraient et que chacun irait de son côté car, pensaient-ils, on pourrait les blâmer s'ils restaient tous ensemble. Le lendemain matin, ils se levèrent avec le jour, s'armèrent et entendirent la messe dans la chapelle du château. Ils montèrent ensuite à cheval, dirent adieu à Vagan en le remerciant beaucoup de son accueil et sortirent de l'enceinte. Ils se séparèrent alors comme ils l'avaient décidé et chacun s'enfonça dans l'épaisseur de la forêt en évitant délibérément les chemins frayés. Même ceux qui se croyaient inaccessibles à la pitié et à l'émotion ne purent s'empêcher de pleurer lors de cette séparation. Mais le conte, ici, ne dit plus rien sur eux et parle de Galaad car c'est par lui que la Quête avait commencé.

LES AVENTURES

Après avoir quitté ses compagnons, Galaad, — ainsi le rapporte le conte —, chevaucha trois ou quatre jours sans trouver d'aventures dignes d'être racontées. Au cinquième jour, en fin d'après-midi, sa route le conduisit juste devant une abbaye de moines blancs. (9) Il frappa à la porte. Les moines accoururent à son appel et l'aidèrent à descendre de cheval, voyant bien que c'était un chevalier errant. Tandis que l'un s'occupait de son cheval, un autre le fit se désarmer dans une salle basse. Une fois débarrassé de ses armes, Galaad regarda autour de lui et aperçut deux compagnons de la Table Ronde, le roi Baudemagu et Yvain l'Avoutre (10). Dès que ces derniers le reconnurent, ils se précipitèrent vers lui, les bras tendus, et l'accueillirent chaleureusement, tout à leur joie de le retrouver. Ils lui dirent qui ils étaient et lui, aussitôt, leur fit à son tour de grandes démonstrations d'amitié, les honorant comme ses frères et ses compagnons.

Le soir, après le dîner, ils allèrent se délasser dans le verger de l'abbaye, qui était fort beau, et s'assirent sous un arbre. Galaad demanda alors à ses compagnons quelle aventure les avait conduits en ce lieu.

« Ma foi, dirent-ils, nous sommes venus ici pour voir une aventure tout à fait extraordinaire, d'après ce qu'on nous en a dit. Il y a en effet dans cette abbaye un écu que personne ne peut pendre à son cou et emporter sans être tué, blessé ou mutilé dans les deux jours qui suivent. Nous sommes donc venus ici pour savoir si ce qu'on dit est vrai.

— Pour ma part, ajouta Baudemagu, je veux emporter cet écu demain matin et je saurai alors si l'aventure est telle qu'on nous l'a décrite.

— Par Dieu, dit Galaad, si cet écu est tel que vous le dites, voilà qui est fort surprenant. Si donc vous ne parvenez pas à l'emporter, c'est moi qui l'emporterai puisque aussi bien je n'ai pas d'écu.

— Seigneur, nous vous le laisserons donc car nous savons bien que vous n'échouerez pas.

— Bien au contraire ! Je désire que vous tentiez cette aventure avant moi pour savoir si ce qu'on vous a dit est exact ».

Les deux compagnons acceptèrent.

Cette nuit-là, ils reçurent une hospitalité aussi parfaite que pouvaient l'offrir les moines qui firent grand cas de Galaad en voyant l'estime que lui témoignaient les deux chevaliers. Ils lui firent une couche somptueuse et tout à fait digne d'un homme tel que lui. Le roi Baudemagu et son compagnon dormirent à ses côtés.

Le lendemain après la messe, le roi Baudemagu demanda à un des moines où était l'écu dont on parlait tant dans le pays.

« Seigneur, dit le moine, pourquoi cette question ?

— Parce que je veux l'emporter avec moi pour voir s'il a bien le pouvoir qu'on lui prête.

— Je ne vous conseille pas pourtant de le faire, car je ne pense pas que l'aventure se termine à votre avantage.

— Néanmoins, je veux savoir où il est et comment il est. » Le moine conduit aussitôt Baudemagu derrière le maître-autel et là il voit un écu blanc barré d'une croix vermeille.

« Seigneur, dit le moine, le voici. »

Après l'avoir examiné, les chevaliers déclarent qu'ils n'ont jamais vu un écu si beau et si précieux. Il en émanait en outre une odeur aussi suave que si toutes les senteurs du monde avaient été répandues sur lui.

« Par Dieu, dit Yvain l'Avoutre, voici un écu que nul ne doit pendre à son cou s'il n'est le meilleur des chevaliers. Il ne pendra donc jamais au mien car ma prouesse et mes mérites ne sont pas tels qu'il me soit donné de le faire.

— Par Dieu, réplique le roi Baudemagu, moi je l'emporterai d'ici, quoi qu'il puisse m'arriver. »

Il le pend alors à son cou et l'emporte hors de l'église puis, arrivé près de son cheval, il dit à Galaad :

« Seigneur, si vous le voulez bien, je serais heureux que vous m'attendiez ici jusqu'à ce que je puisse vous raconter ce qui m'est advenu. S'il m'arrive malheur en effet, j'aimerais bien que vous l'appreniez car je suis certain que vous, vous réussirez facilement l'aventure.

— Bien volontiers, » répond Galaad. Baudemagu monte

alors en selle, escorté d'un écuyer que lui donnèrent les moines et qui devra, le cas échéant, rapporter l'écu.

Galaad demeura donc avec Yvain qui était bien décidé à rester avec lui jusqu'au dénouement. Quant au roi Baudemagu qui était parti avec l'écuyer, il chevaucha un peu plus de deux lieues avant d'arriver au fond d'une vallée devant un ermitage. Comme il regardait de ce côté, il vit venir un chevalier à l'armure blanche qui galopait aussi vite que le lui permettait son cheval et fonçait sur lui, lance en arrêt. Baudemagu aussitôt fait face mais sa lance vole en éclats sur l'armure du chevalier blanc qui, voyant que son adversaire s'est découvert, le heurte si rudement qu'il lui brise les mailles de sa cuirasse et lui enfonce le fer de sa lance dans l'épaule gauche. Le coup est donné avec une audace et une force telles que Baudemagu est désarçonné. Le chevalier lui ôte alors l'écu en lui disant si distinctement que le roi tout comme l'écuyer purent l'entendre :

« Seigneur chevalier, vous avez été bien fou et bien imprudent de pendre cet écu à votre cou ! Nul en effet n'a le droit de le faire s'il n'est le meilleur chevalier du monde. Aussi Notre Seigneur m'a-t-il envoyé ici pour que vous receviez le juste châtiment de votre faute ».

Sur ce, il s'approche de l'écuyer et lui dit :

« Tiens, porte-moi cet écu au soldat de Jésus-Christ, au bon chevalier que l'on nomme Galaad, celui que tu viens de laisser à l'abbaye et dis-lui que le Tout-Puissant lui ordonne de le porter. Cet écu en effet restera toujours aussi neuf et aussi résistant qu'il l'est aujourd'hui. Il doit donc en faire grand cas. Enfin salue-le de ma part dès que tu le verras.

— Seigneur, lui demande l'écuyer, quel est votre nom, afin que je le dise au chevalier quand je le reverrai.

— Mon nom, tu ne peux le connaître car il ne doit être révélé ni à toi ni à aucun être humain. Résigne-toi donc à l'ignorer mais fais ce que je te demande.

— Seigneur, puisque je ne peux savoir votre nom, je vous supplie du moins, par ce que vous avez de plus cher au monde, de me dire ce qu'il en est de cet écu, comment il est venu en ce monde, et pourquoi il est source de si grands prodiges, car jamais personne à notre époque n'a pu le pendre à son cou sans qu'il lui arrive malheur.

— Tu me le demandes avec tant d'insistance, répond le chevalier, que je te le dirai, mais pas seulement à toi. Je veux en effet que tu fasses également venir ici le chevalier à qui tu remettras l'écu ».

L'écuyer le lui promet et ajoute :

« Où pourrons-nous vous retrouver quand nous reviendrons ?

— Ici même, » répond-il.

S'approchant alors de Baudemagu, l'écuyer lui demande s'il est gravement blessé.

« Oui, dit-il, et si profondément que je ne pense pas pouvoir survivre.

— Mais pourrez-vous monter à cheval ?

— Je vais essayer ».

Le roi se met donc debout en dépit de sa blessure et, soutenu par l'écuyer, vient jusqu'au cheval dont il avait été désarçonné. Il monte devant et le jeune homme derrière lui, l'enserrant dans ses bras car il avait peur, et avec raison, que le roi ne puisse tenir en selle.

Ils s'éloignent ainsi de l'endroit où Baudemagu avait été blessé et reviennent dans l'abbaye qu'ils avaient quittée peu auparavant. Lorsque les moines les voient revenir, ils se précipitent à leur avance, descendent le roi de cheval, l'installent dans une chambre et soignent sa plaie qui était extrêmement profonde.

« Pensez-vous qu'il pourra guérir ? demande Galaad à l'un des moines qui s'occupaient du blessé. Ce serait un grand malheur, me semble-t-il, si cette aventure devait lui coûter la vie.

— Seigneur, répond le moine, s'il plaît à Dieu, il guérira mais il est très gravement atteint. Au reste, on ne doit pas trop le plaindre. Nous lui avions bien dit qu'il lui arriverait malheur s'il emportait l'écu et il l'a fait malgré nous. Il ne peut donc s'en prendre qu'à son imprudence. »

Quand les moines lui eurent donné tous les soins qu'ils jugeaient utiles, l'écuyer dit à Galaad devant tout le monde :

« Seigneur, le bon chevalier à l'armure blanche, celui qui blessa le roi Baudemagu, vous salue et vous envoie cet écu. Il vous demande de le porter désormais sur l'ordre du Tout-Puissant. Personne en effet, a-t-il dit, ne doit le porter sauf vous. Aussi m'a-t-il chargé de vous le remettre. Enfin, si vous voulez savoir pourquoi cet écu a si souvent produit de grands prodiges, venez avec moi auprès du chevalier qui nous l'expliquera, comme il me l'a promis. »

A ces mots, les moines s'inclinent humblement devant Galaad, bénissant la fortune de l'avoir conduit jusque chez eux car c'est par lui, ils le savent bien, que seront achevées les dangereuses aventures qui désolent ce pays.

« Monseigneur Galaad, dit Yvain l'Avoutre, suspendez à votre cou cet écu qui a été fait tout spécialement pour vous. Mes souhaits seront alors pleinement exaucés puisque je n'ai jamais eu plus cher désir que de connaître le Bon Chevalier digne de posséder cet écu ».

Galaad lui répond qu'il le prendra, puisque en effet il lui est envoyé, mais qu'auparavant il revêtira son armure. On la lui apporte à sa demande. Une fois armé, il monte en selle, met l'écu à son cou, et quitte l'abbaye en recommandant les moines à Dieu. Yvain l'Avoutre s'était lui aussi armé et était monté en selle car il voulait accompagner Galaad. Mais celui-ci s'y opposa : il irait tout seul avec l'écuyer. Ils se séparèrent donc et partirent chacun de leur côté.

Yvain s'enfonce dans une forêt tandis que Galaad et l'écuyer chevauchent jusqu'au moment où ils retrouvent le chevalier à l'armure blanche que l'écuyer avait déjà vu.. Dès qu'il aperçoit Galaad, le chevalier vient à sa rencontre et le salue. Galaad en fait de même avec la plus grande courtoisie puis ils s'entretiennent tous deux de choses et d'autres jusqu'à ce que Galaad dise au chevalier :

« Seigneur, cet écu que je porte a causé, m'a-t-on dit, de nombreux prodiges en ce pays. Je voudrais donc vous demander de me dire, au nom de notre loyale amitié, la vérité à son sujet et comment et pourquoi tout ceci est arrivé car je suis sûr que vous le savez.

— Volontiers, répond le chevalier. Je sais en effet ce qu'il en est. Ecoutez-moi donc si vous le voulez bien. »

« Quarante-deux ans après la Passion de Jésus-Christ, Joseph d'Arimathie, le noble chevalier qui détacha Notre Seigneur de la Très Sainte Croix, quitta la cité de Jérusalem avec la plus grande partie de sa famille, sur l'ordre de Notre Seigneur. Ils finirent par arriver dans la cité de Sarras, qui appartenait à un roi païen, Evalach. Lorsque Joseph arriva à Sarras, Evalach était en guerre contre un de ses voisins, un roi redoutable et puissant dont la terre bordait la sienne et qui se nommait Tholomer. Comme Evalach s'apprêtait à attaquer Tholomer qui revendiquait son royaume, Josèphé, le fils de Joseph (11), lui dit que s'il partait au combat ainsi, sans prendre d'autres précautions, il serait honteusement vaincu par son ennemi.

« Que me conseillez-vous donc », dit Evalach ? Josèphé

commença alors à lui exposer les articles de la Nouvelle Loi, à lui révéler les vérités de l'Evangile, de la Passion de Notre Seigneur et de sa Résurrection puis il fit apporter un écu où il fixa une croix de soie rouge et lui dit :

« Roi Evalach, je vais te dire clairement comment tu pourras reconnaître la puissance et le pouvoir de Celui qui fut crucifié. Pendant trois jours et trois nuits, Tholomer le vagabond aura l'avantage sur toi et tu craindras pour ta vie. Mais quand tu penseras qu'il n'y a plus de salut pour toi, découvre la croix et dit : « Mon doux Seigneur, vous qui avez imposé sur moi le signe de votre mort, secourez-moi en ce péril et accordez-moi ainsi de recevoir les marques de votre foi ! »

« Là-dessus, le roi partit combattre Tholomer et tout se déroula comme Josèphé l'avait dit. Quand Evalach se vit en péril de mort, il enleva la housse de l'écu et vit au milieu un homme crucifié, tout sanglant. Il prononça les mots que Josèphé lui avait appris, grâce à quoi il échappa aux mains de ses ennemis et remporta une éclatante victoire sur Tholomer et toute son armée. De retour en sa cité de Sarras, il révéla à son peuple la vérité que lui avait enseignée Josèphé et sut si bien proclamer l'existence du Crucifié que Nascien reçut le baptême. Pendant qu'on le baptisait, un homme passa devant eux qui avait une main coupée et la tenait dans son autre main. Josèphé l'appela, l'homme s'approcha et, dès qu'il eut touché la croix qui était sur l'écu, sa main lui fut rendue. Et il arriva plus extraordinaire encore : la croix qui se trouvait sur l'écu disparut définitivement et vint se coller sur le bras de l'homme. Evalach reçut alors le baptême et devint le soldat de Jésus-Christ qu'il ne cessa d'aimer et d'honorer avec ferveur. Quant à l'écu, il le fit très précieusement garder.

« Par la suite, Josèphé et son père, qui avaient quitté Sarras pour venir en Grande-Bretagne, tombèrent aux mains d'un roi perfide et cruel qui les emprisonna ainsi que de nombreux chrétiens. Mais très vite la nouvelle se répandit au loin que Josèphé était en prison car personne alors n'était aussi connu. Tant et si bien que le roi Mordrain l'apprit. Il réunit ses vassaux et ses troupes et, avec Nascien son beau-frère, il vint attaquer le roi de Grande-Bretagne qui tenait Josèphé en prison. Tous deux le dépouillèrent de ses possessions et réduisirent à merci les habitants du pays, si bien que tout le royaume fut converti au christianisme. Evalach et Nascien aimaient tant Josèphé qu'ils ne voulurent plus le quitter. Ils demeurèrent donc dans le pays avec lui et le suivirent partout où il allait. Quand Josèphé fut sur son lit de mort, Evalach, comprenant qu'il allait quitter ce monde, vint auprès de lui en pleurant d'une manière pitoyable et lui dit :

« Seigneur, voilà que vous m'abandonnez ! Je vais rester tout seul dans ce pays, moi qui, pour l'amour de vous, ai laissé mon royaume et ma patrie que j'aimais tant ! Mais, puisqu'il vous faut quitter ce monde, laissez-moi du moins quelque chose qui me permette de conserver votre souvenir après votre mort.

— Seigneur, dit Josèphé, je vais y réfléchir ».

« Il réfléchit un bon moment à ce qu'il pourrait lui laisser puis dit au roi :

« Roi Evalach, fais apporter ici l'écu que je t'ai donné lorsque tu es allé combattre Tholomer.

— Bien volontiers », répondit le roi. L'écu était en effet à proximité car il l'emportait partout avec lui. Or, lorsqu'on apporta l'écu devant Josèphé, celui-ci saignait si fort du nez qu'on n'arrivait pas à arrêter le sang. Il prit alors l'écu et y traça avec son sang la croix que vous pouvez encore y voir car c'est là, sachez-le, cet écu dont je vous parle. Puis, lorsqu'il eut tracé la croix que vous avez sous les yeux, il dit au roi :

« Je vous laisse cet écu en souvenir de moi. Vous ne le verrez jamais sans penser à moi car, vous le savez, cette croix est faite de mon sang et, tant que l'écu durera, elle sera toujours aussi fraîche et aussi rouge qu'aujourd'hui. Et il durera longtemps puisque nul ne pourra le mettre à son cou, s'il est chevalier, sans regretter son geste, jusqu'au jour où Galaad, le Bon Chevalier, le dernier descendant du lignage de Nascien, l'y pendra. Aussi, que nul n'ait assez d'audace pour le prendre, sinon celui à qui Dieu l'a destiné ! Et en voici la raison : de même que cet écu fut source de prodiges étonnants, de même ce chevalier surpassera tous les autres en prouesse et en vertu.

— Puisque vous me laissez de vous un souvenir si précieux, indiquez-moi également, dit le roi, où je dois placer cet écu car j'aimerais beaucoup qu'il soit mis là où le Bon Chevalier puisse le trouver.

— Voici donc ce que vous ferez : déposez-le à l'endroit où sera enterré Nascien car c'est là que viendra le Bon Chevalier, cinq jours après avoir reçu l'ordre de chevalerie. »

« Or, tout s'est accompli comme il l'avait prédit puisque cinq jours après votre adoubement vous êtes venu dans cette abbaye où est enterré Nascien. Voici donc pourquoi tant d'étranges aventures sont arrivées aux chevaliers assez présomptueux pour transgresser la défense et porter cet écu qui ne pouvait appartenir qu'à vous. »

Sur ce, il disparut sans que Galaad puisse savoir où il était allé et ce qu'il était devenu. L'écuyer, qui avait tout écouté, descendit alors de cheval et, se jetant en pleurant aux pieds de Galaad, le supplia, au nom de Celui dont il portait le signe sur son écu, de le faire chevalier et de le prendre comme écuyer.

« Si je voulais un compagnon, j'accepterais volontiers, répondit Galaad.

— Par Dieu, seigneur, reprit le jeune homme, je vous demande au moins de m'adouber car, si Dieu le veut, je ferai honneur, je vous l'assure, à l'ordre de chevalerie. »

Voyant que le jeune homme pleurait d'une manière pitoyable, Galaad décida alors d'accepter, par compassion pour lui.

« Revenons à l'abbaye, seigneur, lui dit le jeune homme, car je trouverai là une armure et un cheval. Il vous faut d'ailleurs y retourner, moins pour moi que pour une aventure que personne n'a pu mener à bien mais que vous, j'en suis sûr, vous réussirez.

— Volontiers », répondit Galaad.

Il revint donc à l'abbaye où les moines l'accueillirent avec empressement tout en demandant au jeune homme la raison de ce retour.

« Pour m'adouber », leur dit-il. Et cette réponse les remplit de joie. Le Bon Chevalier cependant demande où se trouve l'aventure.

« Seigneur, lui disent les moines, savez-vous de quoi il s'agit ?

— Non, pas du tout.

— Eh bien voici : c'est une voix qui sort d'une tombe de notre cimetière et dont la force est telle que nul ne peut l'entendre sans perdre pour longtemps l'usage de ses membres.

— Et savez-vous qui crie ainsi ?

— Non, si ce n'est le Diable.

— Alors, menez-moi voir cela, j'en ai fort envie.

— En ce cas, suivez-nous ».

Il les suit donc jusque par derrière l'église, tout armé, à l'exception de son heaume.

« Voyez-vous cette pierre tombale sous ce grand arbre, lui dit alors un des frères ?

— Oui.

— Voici donc ce que vous devez faire : approchez-vous de la pierre et soulevez-la. Vous assisterez alors, je vous l'assure, à un spectacle stupéfiant. »

Galaad s'approcha alors de la tombe.

Poussant un cri plein de détresse avec une force telle que tous purent l'entendre, la voix dit :

« Ha ! Galaad, soldat de Jésus-Christ, ne viens pas plus près de moi car tu m'obligerais à sortir de ce lieu où je suis depuis si longtemps ! »

Galaad toutefois marche vers la pierre sans la moindre hésitation mais, lorsqu'il veut la saisir par le haut, il en voit sortir une fumée, puis une flamme, puis, enfin, la plus hideuse forme humaine que l'on puisse imaginer. Il se signe, comprenant bien qu'il a affaire au Diable et entend alors une voix qui lui dit :

« Ha ! Galaad, créature sainte, je te vois si entouré d'anges que je n'ai plus aucune force devant toi et je t'abandonne la place ! »

En entendant ces mots, Galaad se signe et remercie Notre Seigneur puis, soulevant complètement la pierre, il aperçoit dessous un cadavre en armes, une épée posée à côté de lui, et entouré de tout l'équipement d'un chevalier. Il appelle alors les frères.

« Venez voir, leur dit-il, ce que j'ai trouvé et dites-moi ce que je dois faire car je suis prêt à continuer s'il le faut ».

En découvrant le corps étendu dans la fosse, les moines disent à Galaad :

« Seigneur, vous en avez assez fait car, à notre avis, il ne faut pas déplacer ce cadavre.

— Pas du tout, dit le vieillard qui avait raconté l'aventure à Galaad. Il faut qu'il soit jeté loin du cimetière car c'est une terre sainte et bénie où ne doivent pas reposer les restes d'un mauvais chrétien. »

Il donne alors ordre aux serviteurs de l'abbaye d'enlever le corps et de le jeter en dehors du cimetière. Galaad cependant dit au vieillard :

« Seigneur, ai-je fait tout ce qu'il fallait ?

— Oui, répond-il, car désormais personne n'entendra plus cette voix, source de tant de maux.

— Et savez-vous la raison de tous ces prodiges ?

— Assurément et je vous la dirai volontiers. C'est, au reste, un récit qu'il vous faut entendre car il est riche de signification. »

Ils quittent alors le cimetière pour revenir à l'abbaye. Galaad demande au jeune homme de veiller toute la nuit dans la chapelle : au matin, il l'adoubera selon la règle. L'écuyer lui répond qu'il n'a d'autre désir et se prépare comme on lui dit de le faire pour recevoir ce noble ordre de chevalerie qu'il a tant souhaité. Le vieillard cependant fait désarmer Galaad dans une chambre, l'invite à s'asseoir sur un lit et lui dit :

« Seigneur, vous m'avez demandé le sens de l'aventure que vous venez d'achever. Je vous l'expliquerai bien volontiers. Dans cette aventure, il y avait trois épreuves redoutables : la pierre tombale, très lourde à soulever, le corps du chevalier, qu'il fallait chasser de sa tombe, la voix, qui faisait perdre à qui l'entendait l'usage de ses membres, la raison et la mémoire. Or voici la signification de ces trois épreuves :

« La pierre qui recouvrait le cadavre signifie l'endurcissement qui régnait sans partage sur la terre lorsque Notre Seigneur y vint. Alors, le fils haïssait son père et le père son fils, si bien que le Diable les emportait tous deux en enfer. Lorsque Notre Père céleste vit que l'endurcissement des hommes était tel qu'ils s'ignoraient entre eux, se défiaient l'un de l'autre et dédaignaient les paroles des Prophètes tout en inventant chaque jour de nouvelles sources de maux, il envoya son Fils sur la terre pour amollir cette dureté et pour redonner aux cœurs des pécheurs mansuétude et candeur. Mais lorsque le Fils vint sur la terre, il trouva les hommes si endurcis au péché qu'il aurait été plus facile d'attendrir une pierre que leurs cœurs. Il dit alors par la bouche de David le Prophète : « Je suis seul jusqu'à ma mort » (12), ce qui veut dire : Père, tu auras converti une bien faible partie de ce peuple avant ma mort ». Or voici que se renouvelle le geste que fit le Père lorsqu'il envoya son Fils pour délivrer son peuple. De même que l'erreur et la déraison se sont enfuies jadis devant lui et que s'est revélée et manifestée la vérité, de même Notre Seigneur vous a choisi parmi tous ses chevaliers pour que vous alliez dans ces pays inconnus mettre terme aux pénibles aventures qui s'y produisent et en expliquer l'origine. C'est pourquoi votre venue, bien qu'elle ne l'égale pas en importance, offre une si grande ressemblance avec celle de Jésus-Christ. Et, de même que les Prophètes, qui ont vécu bien longtemps avant lui, ont annoncé la venue de Jésus-Christ et prédit qu'il délivrerait l'humanité des chaînes de l'Enfer, de même les ermites et les saints ont annoncé votre venue depuis plus de vingt ans, répétant que les aventures qui se déroulent dans le royaume de Logres ne cesseraient pas avant. Longue a été notre attente jusqu'à ce jour où, grâce à Dieu, vous voici parmi nous !

— Mais expliquez-moi maintenant, reprit Galaad, ce que le corps signifie, puisque je connais le sens de la tombe.

— Voici. Le corps signifie l'humanité qui était restée si longtemps dans l'endurcissement qu'elle était comme morte et aveuglée par le poids chaque jour accru de ses péchés. Aveuglement qui fut manifeste lors de l'avènement de Jésus-Christ. En effet, alors que les hommes avaient parmi eux le Roi des Rois et le Sauveur du monde, ils le crurent pareil à eux et le prirent pour un pécheur. En revanche, ils se fièrent plus au Diable qu'à lui et le mirent à mort sur les conseils du démon qui sans cesse faisait leur siège et s'insinuait dans leur cœur. Aussi commirent-ils cet acte qui attira sur eux le châtiment de Vespasien, lui qui les dépouilla et les mit à mort dès qu'il sut qui était Celui qu'ils avaient trahi. (13) C'est ainsi qu'ils furent anéantis, pour avoir suivi le démon et ses conseils.

« Mais voyons maintenant quelle correspondance établir entre l'aventure présente et ces faits passés. La tombe signifie l'endurcissement des Juifs et le cadavre, c'est eux et leurs descendants, tous condamnés à mort par leur péché mortel et sans grand espoir de rachat. La voix qui sortait de la tombe signifie les paroles funestes qu'ils dirent devant le proconsul Ponce-Pilate : « Que son sang retombe sur nous et sur nos enfants » ! Paroles pour lesquelles ils furent déshonorés et perdirent tout ce qu'ils possédaient. Ainsi donc pouvez-vous retrouver dans cette aventure la signification de la Passion de Jésus-Christ et l'image de son Avènement. Au reste, d'autres prodiges se sont encore produits sur cette tombe. En effet, dès que les chevaliers errants venaient par ici et approchaient, le Diable, qui savait que c'étaient là de misérables pécheurs pleins d'iniquité et qui connaissait leur endurcissement à la luxure et au vice, leur causait une telle peur avec son cri épouvantable qu'ils en perdaient l'usage de leurs membres. Aventure qui aurait duré à tout jamais, pour le plus grand péril des pécheurs, si Dieu ne vous avait envoyé pour y mettre fin. Mais dès que vous êtes venu, le Diable qui vous savait vierge et aussi pur de tout péché qu'on peut l'être ici-bas, n'a pas osé vous attendre. Il s'est enfui, rendu impuissant par votre présence. Ainsi s'est achevée l'aventure où s'étaient essayés maints chevaliers renommés et dont vous connaissez maintenant le sens. »

Galaad déclara alors qu'elle était beaucoup plus chargée de signification qu'il ne l'avait pensé.

Ce soir-là, les frères reçurent Galaad de leur mieux. Au matin, il adouba le jeune homme selon le rituel alors en usage puis, après avoir accompli tous les rites, il lui demanda son nom. Le jeune homme répondit qu'il s'appelait Mélyant et qu'il était fils du roi du Danemark.

« Cher ami, reprit Galaad, puisque vous voilà chevalier et que vous êtes de sang royal, prenez soin de préserver dans votre nouvel état l'honneur de votre famille car, lorsqu'un fils de roi reçoit l'ordre de chevalerie, son mérite doit éclipser celui de tous les autres chevaliers comme la lumière du soleil éclipse celle des étoiles. »

Le jeune homme lui répondit que, s'il plaisait à Dieu, il saurait préserver l'honneur de la chevalerie et que rien ne pourrait l'en empêcher, en quelque circonstance que ce soit. Galaad cependant demanda son armure mais Mélyant lui dit :

« Seigneur, grâce à Dieu et grâce à vous, me voilà chevalier, et ma joie est telle qu'elle a peine à s'exprimer ! Mais vous savez bien, — telle est la coutume —, que celui qui a ordonné un nouveau chevalier ne doit pas lui refuser la première requête qu'il lui présente, si du moins elle est raisonnable.

— Assurément, mais pourquoi me dites-vous cela ?

— Parce que je veux vous demander un don et je vous prie de me l'accorder car il n'aura aucune incidence funeste pour vous.

— Je vous l'accorde, et quelles qu'en soient les conséquences.

— Mille mercis, dit Mélyant. Je vous demande donc de me laisser vous accompagner en cette quête jusqu'à ce que le hasard nous sépare et, s'il nous réunit à nouveau, je vous demande encore de me choisir comme compagnon, de préférence à tout autre ».

Mélyant demande alors qu'on lui amène un cheval car il veut partir avec Galaad et tous deux s'en vont de concert. Ils chevauchèrnt ainsi jusqu'au soir, puis une semaine entière. Un mardi matin, ils arrivèrent devant une croix. Là, la route se divisait en deux. S'approchant de la croix, ils lurent, gravée sur le bois, l'inscription que voici :

« Chevalier, toi qui cherches les aventures, écoute : voici deux routes, l'une à droite, l'autre à gauche. Je t'interdis de prendre celle de gauche car seul un homme de haut mérite a chance de la suivre jusqu'au bout; et si tu prends celle de droite, ta mort est proche ».

En lisant ces mots, Mélyant dit à Galaad :

« Noble chevalier, au nom de Dieu, laissez-moi prendre la route de gauche car c'est là que je pourrai éprouver ma force et savoir si j'ai assez de vaillance et d'audace pour devenir un chevalier de grand renom.

— Si vous y consentiez, je préférerais la prendre, lui dit Galaad. Je pense en effet que mes chances sont supérieures aux vôtres ».

Mais Mélyant persiste dans son choix. Ils se séparent donc et chacun suit sa route. Mais ici le conte abandonne Galaad et rapporte ce qui arriva à Mélyant.

* * *

Après avoir quitté Galaad, Mélyant, — ainsi le rapporte le conte —, chevaucha jusqu'à l'entrée d'une forêt séculaire dont la traversée demandait bien deux jours. Le lendemain, en début de matinée, il arriva dans une prairie et là il vit, au milieu de son chemin, un siège somptueux sur lequel était posée une splendide couronne d'or. Devant le siège, il y avait plusieurs tables couvertes de mets fort appétissants. Mélyant regarde tout cela, mais seule la couronne, qui est si belle, excite sa convoitise et il se dit que bienheureux serait celui qui pourrait la porter devant le peuple. Finalement il décide de la prendre, la passe à son bras droit et s'enfonce de nouveau dans la forêt. Peu après, il voit venir derrière lui un chevalier monté sur un grand destrier qui lui dit :

« Chevalier, posez cette couronne, elle ne vous appartient pas et c'est pour votre malheur que vous l'avez prise. »

Comprenant qu'il ne pourra éviter le combat, Mélyant fait demi-tour, se signe et dit :

« Mon doux Seigneur, assistez votre nouveau chevalier ! »

Mais l'autre lui court sus et le frappe avec tant de force que sa lance, transperçant écu et haubert, l'atteint au côté. Sous le choc, Mélyant tombe à terre, tant et si bien que le fer de la lance et une grande partie du bois restent enfoncés dans son flanc.

S'approchant alors de lui, le chevalier lui enlève la couronne.

« Chevalier, lui dit-il, laissez cette couronne sur laquelle vous n'avez aucun droit ! »

Puis il repart par où il était venu. Mélyant reste étendu, incapable de se relever, convaincu qu'il est blessé à mort et se reprochant, dans son infortune, de n'avoir pas écouté Galaad.

Tandis qu'il gisait dans cet état pitoyable, Galaad vint à passer dans ces parages. Voyant Mélyant étendu à terre et blessé, il en fut très affligé car il était persuadé que le chevalier était blessé à mort.

« Ha ! Mélyant, lui dit-il, qui vous a fait cela ? Pensez-vous que vous pourrez guérir ? »

Mélyant, qui l'avait reconnu au son de sa voix, lui répondit :

« Ha ! seigneur, au nom de Dieu, ne me laissez pas mourir dans cette forêt mais emportez-moi dans une abbaye où je puisse recevoir les derniers sacrements et mourir en bon chrétien.

— Quoi, dit Galaad, pensez-vous être si touché que vous ne puissiez survivre ?

— Oui, dit-il. »

Galaad, consterné, lui demande où sont ses agresseurs mais voici que sort des taillis le chevalier qui avait blessé Mélyant.

« Seigneur chevalier, crie-t-il à Galaad, gardez-vous de moi car je vous ferai tout le mal que je pourrai !

— Ha ! seigneur, dit Mélyant, voici celui qui m'a tué. Au nom de Dieu, gardez-vous de lui ! »

Galaad ne répond rien mais se porte contre le chevalier. Celui-ci venait à si vive allure qu'il manque son adversaire. Galaad, au contraire, le frappe avec une violence telle que la lance, avant de se briser, lui transperce l'épaule et qu'il l'abat avec son cheval. Galaad achève sa course puis fait demi-tour, mais il aperçoit alors un autre chevalier en armes qui lui crie :

« Chevalier, vous allez me laisser votre cheval ! » et qui se porte contre lui, lance en arrêt. Celle-ci toutefois se brise sur l'écu de Galaad et il ne parvient pas à le désarçonner. Galaad en revanche lui tranche la main gauche d'un coup d'épée. Se voyant ainsi estropié, le chevalier s'enfuit, craignant d'être tué. Galaad, qui n'a pas l'intention de le châtier plus durement, ne le poursuit pas mais retourne auprès de Mélyant sans se préoccuper du chevalier qu'il a abattu.

Il demande alors à Mélyant ce qu'il désire car il est prêt à faire tout ce qu'il pourra pour lui.

« Seigneur, répond Mélyant, si je peux y arriver, je voudrais que vous me preniez en selle devant vous et que vous me conduisiez jusqu'à une abbaye qui est proche d'ici. Je pense en effet que, si j'y arrivais, on mettrait tout en œuvre pour me guérir.

— Bien volontiers, répond Galaad, mais je pense qu'il serait préférable de vous enlever d'abord ce fer.

— Non, seigneur, je ne prendrai pas ce risque avant de m'être confessé car j'ai peur de mourir lorsqu'on me l'enlèvera, mais emmenez-moi. »

Galaad, le soulevant aussi doucement que possible, le met alors en selle devant lui et le tient dans ses bras car sa faiblesse est telle qu'il a peur qu'il ne tombe. Ils poursuivent ainsi leur route jusqu'à une abbaye.

Une fois à la porte, ils appellent. Les bons moines leur ouvrent, les reçoivent avec bienveillance et emportent Mélyant au calme, dans une chambre. Dès qu'il a ôté son heaume, le chevalier demande qu'on lui apporte son Sauveur et, après s'être confessé et avoir imploré son pardon comme doit le faire un bon chrétien, il reçoit le corps de Notre Seigneur.

« Seigneur, dit-il ensuite à Galaad, la mort peut venir maintenant, je ne redoute plus ses assauts. Vous pouvez donc essayer de m'enlever le fer. »

Galaad prend alors le fer et le retire avec le bois mais la douleur est telle que Mélyant s'évanouit. Galaad demande aux moines s'il y a là quelqu'un capable de soigner les plaies du chevalier.

« Oui seigneur », répondent-ils, et ils font venir un moine âgé qui avait été chevalier et lui montrent la plaie. Après l'avoir examinée, il déclare que, dans un mois, il aura complètement guéri le blessé. Tout heureux, Galaad se fait désarmer, disant qu'il restera à l'abbaye jusqu'au lendemain pour savoir si Mélyant pourra vraiment guérir.

Il resta ainsi trois jours puis, au troisième jour, il demanda à Mélyant comment il se sentait.

« Je vais guérir, lui répondit-il.

— Je peux donc partir demain, dit Galaad.

— Ha ! monseigneur Galaad, répond avec douleur Mélyant, m'abandonnerez-vous donc ici, moi qui plus que quiconque désire rester avec vous, s'il se peut ?

— Seigneur, je ne vous suis plus ici d'aucune utilité et, plutôt que de me reposer, il me faudrait rechercher le Saint-Graal dont j'ai commencé la Quête.

— Comment, dit un des moines, la Quête est commencée ?

— Oui, dit Galaad et nous y participons tous deux.

— Alors dit le moine, en s'adressant à Mélyant, je peux bien vous assurer que vos péchés sont à l'origine de votre mésaventure. Et si vous me racontiez ce que vous avez fait depuis que vous avez entrepris la Quête, je saurais vous dire quel péché vous avez commis pour en arriver là.

— Seigneur, dit Mélyant, je vais vous le raconter. »

Il lui expliqua alors comment Galaad l'avait fait chevalier, comment ils trouvèrent sur la croix l'inscription interdisant la route de gauche, comment enfin il avait pris cette route et ce qui lui était arrivé. Le moine dont la sainteté et la sagesse étaient très grandes, poursuivit :

« Assurément, seigneur chevalier, il s'agit bien là des aventures du Saint-Graal car, dans ce que vous venez de me raconter, rien n'est dépourvu de signification. Je vais d'ailleurs vous le montrer.

« Avant d'être adoubé, vous vous êtes confessé. Lorsque vous avez reçu l'ordre de chevalerie, vous étiez donc parfaitement purifié de toutes les iniquités et de tous les péchés dont vous vous sentiez souillé et vous avez commencé la Quête du Graal dans l'état qui convenait. Mais quand le Diable s'en aperçut, il en fut fort affligé et décida de vous attaquer dès qu'il en verrait l'occasion. Ainsi fit-il, et voici à quel moment : quand vous avez quitté l'abbaye où vous avez été adoubé, votre première rencontre fut l'emblème de la Sainte Croix, cet emblème en qui le chevalier doit avoir toute confiance. Mieux encore, il y avait là une inscription qui vous indiquait deux voies, celle de droite et celle de gauche. Celle de droite signifie, sachez-le, la voie du Christ, la voie de piété que les chevaliers de Notre Seigneur parcourent de nuit et de jour guidés, la nuit par le corps, le jour par l'âme. La voie de gauche signifie, elle, la voie du péché, et les plus grands périls guettent ceux qui l'empruntent. Comme elle est moins sûre que l'autre, l'inscription l'interdisait à quiconque ne serait pas d'un mérite extrême, c'est-à-dire à quiconque ne serait pas assez affermi dans l'amour de Jésus-Christ pour ne pas risquer de tomber, quoi qu'il arrive, dans le péché. Lorsque tu as vu l'inscription, tu t'es demandé ce qu'elle pouvait bien signifier et c'est alors que l'Ennemi t'a frappé d'une de ses flèches. Sais-tu laquelle ? De la flèche d'orgueil car tu t'es imaginé que tu pourrais triompher par ta vaillance mais tu t'es trompé d'interprétation. L'écrit concernait la chevalerie céleste et toi, tu as cru qu'il s'agissait de la chevalerie terrestre, si bien que tu as succombé à l'orgueil et que tu es tombé en état de péché mortel.

« Dès que tu as quitté Galaad, le Diable, qui avait mesuré ta faiblesse, t'a suivi en pensant qu'il serait bien dommage de ne pas te faire commettre un autre péché mortel pour, de péché en péché, te conduire en enfer. Il te présenta donc une couronne d'or que tu convoitas dès que tu la vis. En la prenant, tu commis deux péchés mortels, l'orgueil et la convoitise. Puis, lorsqu'il vit que la convoitise avait fait son œuvre et que tu emportais la couronne, il s'empara de l'esprit d'un chevalier pécheur qu'il tenait à sa merci et lui insufla un tel désir de mal faire que celui-ci chercha à te tuer. Il t'attaqua, lance en arrêt, et t'aurait tué si le signe de croix que tu fis alors ne t'avait sauvé. Néanmoins, pour te punir d'avoir abandonné son service, Notre Seigneur t'a mené à deux doigts de la mort afin que, désormais, tu te fies davantage en Lui qu'en ta vaillance. Comme secours immédiat, il envoya Galaad, ce saint chevalier, combattre à ta place les deux chevaliers qui représentaient les deux péchés que tu avais commis et qui ne purent lui opposer de résistance car il était pur, lui, de tout péché mortel. Telle est donc la signification de tes aventures.

— Signification d'une extrême richesse », concluent les chevaliers.

Cette nuit-là, le moine et les deux chevaliers parlèrent longuement des aventures du Saint-Graal. A force de prières, Galaad convainquit Mélyant de le laisser s'en aller quand il voudrait et annonça aussitôt son départ. Le lendemain donc, tout de suite après la messe, il s'arma et partit en recommandant Mélyant à Dieu. Il chevaucha ensuite bien des jours sans rencontrer d'aventures dignes d'être rapportées. Toutefois, un jour où il avait quitté la demeure d'un vavasseur (14) sans avoir entendu la messe, il arriva au sommet d'une montagne élevée où il trouva une vieille chapelle. Il s'en approcha pour entendre la messe car il était très ennuyé de n'avoir pu le faire ce jour-là. Mais en arrivant, il ne trouva personne ; d'ailleurs, la chapelle était en ruines. Néanmoins, il se mit à genoux en priant Notre Seigneur de l'aider de ses conseils. Sa prière terminée, il entendit une voix qui lui disait :

« Chevalier en quête des aventures (15), écoute ! Va droit au Château des Pucelles pour y abolir les coutumes funestes qui y règnent ».

Remerciant Dieu de l'avoir ainsi guidé, il remonte aussitôt à cheval et repart. Il aperçoit alors, assez loin dans une vallée, un château fortifié de noble allure que traversait une rivière large et rapide, la Saverne (16). Il se dirige vers le château près duquel il rencontre un homme très âgé et pauvrement vêtu qui le salue avec courtoisie. Galaad en fait de même puis lui demande le nom du château.

« Seigneur, lui dit-il, c'est le Château des Pucelles, château maudit comme tous ceux qui y demeurent car toute pitié en est exclue et la cruauté y règne sans partage.

— Pourquoi dites-vous cela ? demande Galaad.

— Parce qu'on y fait toutes les avanies possibles à tous ceux qui y passent. C'est pourquoi, seigneur chevalier, je vous conseille de vous en retourner car vous courriez de grands risques à poursuivre.

— Que Dieu vous protège, noble vieillard, dit Galaad, mais c'est bien malgré moi que je retournerais en arrière ! »

Et, après avoir examiné ses armes pour voir si rien ne lui manque, il galope vers le château.

Il rencontre alors sept jeunes filles très richement montées qui lui disent :

« Seigneur chevalier, vous avez franchi les bornes ! »

Mais lui leur répond que, bornes ou non, il ira jusqu'au château. Poursuivant donc sa route, il rencontre un écuyer qui lui déclare que les gens du château lui interdisent d'aller plus avant sans avoir dit d'abord ce qu'il veut.

« Je ne veux rien d'autre que satisfaire à la coutume du château.

— Vous vous en repentirez, réplique l'écuyer, car jamais chevalier n'a pu l'abolir, mais attendez-moi ici et vous aurez ce que vous demandez.

— Va donc vite que j'en termine avec cette tâche. »

L'écuyer retourne au château et, peu après, Galaad en voit sortir sept chevaliers, tous frères, qui lui crient :

« Chevalier, en garde ! Votre mort est certaine !

— Comment ? Vous voulez m'attaquer tous ensemble ?

— Oui, car telles sont les termes de cette coutume. »

Galaad éperonne alors son cheval, lance en arrêt, et frappe le premier chevalier avec une force telle qu'il le jette à terre et manque de lui briser le cou. Les autres cependant le frappent tous ensemble sur son écu sans parvenir toutefois à le désarçonner. Néanmoins, par le choc des lances, ils bloquent l'élan de son cheval et peu s'en faut qu'ils ne l'abattent. Dès cette première rencontre, toutes les lances sont brisées mais Galaad a abattu trois adversaires avec la sienne. Dégainant alors son épée, il court sus aux chevaliers restés en selle qui font front. La bataille fait rage, terrible et périlleuse, et voici que ceux qui avaient été abattus remontent en selle. La lutte reprend donc, plus acharnée encore. Mais Galaad, le meilleur chevalier du monde, se bat avec tant d'ardeur qu'il les oblige enfin à quitter la place. Il les arrange de telle sorte au tranchant de l'épée qu'à travers leur armure, le sang jaillit et eux trouvent en lui une puissance, une agilité telles qu'ils ne pensent pas avoir affaire à un être humain car jamais un être humain n'aurait pu endurer la moitié de ce qu'il a enduré. Ils cèdent donc à la panique en voyant qu'ils ne peuvent le faire reculer et que sa résistance, depuis le début, n'a pas faibli. Car il est prouvé, — c'est l'histoire du Saint-Graal (17) qui le certifie —, que jamais personne ne le vit fatigué par un combat.

La bataille dura ainsi jusqu'à midi. Les sept frères étaient très vaillants mais, à midi, ils se sentirent si las, si mal en point qu'ils n'avaient pas la force de se défendre. Alors, celui qui jamais ne fut forcé d'abandonner un combat les jette à bas de leurs chevaux et eux, comprenant qu'ils ne pourront résister davantage, prennent la fuite. Galaad pourtant ne les poursuit pas, mais se dirige vers le pont-levis qui commandait l'accès du château. Là, il rencontre un homme qui lui dit :

« Seigneur, voici les clés. Vous pouvez faire ce que vous voudrez de ce château et de ses habitants. Vous avez fait preuve d'une telle prouesse qu'il est vôtre désormais. »

Galaad, prenant les clés, pénètre dans le château. A peine entré, il voit parmi les rues une foule innombrable de jeunes filles qui lui crient :

« Seigneur, soyez le bienvenu ! Voici longtemps que nous attendons notre délivrance ! Que Dieu soit béni de vous avoir amené ici car autrement nous n'aurions jamais pu sortir de ce funeste château !

— Que Dieu vous bénisse », répond-il.

Elles le conduisent alors par le mors jusqu'au donjon où elles le désarment presque de force car il leur répétait qu'il était encore trop tôt pour s'arrêter.

« Ha ! seigneur, que dites-vous là !, s'écrie alors une demoiselle. Si vous vous en alliez maintenant, ceux que votre prouesse a mis en fuite reviendraient dès ce soir et rétabliraient la coutume qu'ils ont fait si longtemps régner sur ce château. Ainsi, tous vos efforts n'auraient servi à rien.

— Mais alors, qu'attendez-vous de moi ? Je suis prêt à faire ce que vous me demanderez pourvu que cela me paraisse acceptable.

— Nous voulons, reprend la demoiselle, que vous convoquiez les chevaliers et les vavasseurs des alentours (car leurs fiefs dépendent de ce château) et que vous leur fassiez jurer, à eux comme à tous les habitants d'ici, qu'ils n'observeront plus cette coutume.

— Volontiers », répond Galaad. Les demoiselles l'emmènent alors jusqu'au logis principal. Il met pied à terre, ôte son heaume et monte dans la grand-salle.

A ce moment-là sortit d'une chambre une demoiselle qui tenait un cor d'ivoire somptueusement incrusté de filets d'or et qui le remit à Galaad.

« Seigneur, lui dit-elle, si vous voulez que viennent ici ceux qui désormais tiendront cette terre en votre nom, sonnez de ce cor que l'on entend bien à dix lieues à la ronde. »

Galaad accepte bien volontiers et donne le cor à un chevalier qui se tenait près de lui. Celui-ci en sonne avec tant de force qu'on peut l'entendre dans tout le pays alentour. Puis tous s'asseyent autour de Galaad qui demande alors à celui qui lui avait remis les clés s'il est prêtre.

« Oui », dit-il.

— En ce cas, expliquez-moi l'origine de cette coutume et dites-moi où ont été prises toutes ces demoiselles.

— Volontiers », répond le prêtre.

« Voici dix ans, les sept chevaliers que vous avez vaincus vinrent par hasard dans ce château et se logèrent chez le duc Lynor, un homme d'un extrême mérite, qui était le seigneur de toute cette contrée. Le soir, après le dîner, une querelle éclata entre les sept frères et le duc car ceux-ci voulaient prendre de force une de ses filles. Tant et si bien que le duc fut tué ainsi qu'un de ses fils, et sa fille, la cause de la querelle, fut retenue de force. Par la suite, les sept frères s'emparèrent du trésor du duc, réunirent des chevaliers et des hommes d'armes et attaquèrent les habitants de ce pays. Ces derniers furent vaincus et leurs fiefs tombèrent sous la dépendance des frères. Profondément affligée de cette situation, la fille du duc dit aux chevaliers d'un ton prophétique :

« Seigneurs, vous voici les maîtres de ce château mais peu nous importe car, de même que vous l'avez conquis du fait d'une femme, de même vous le perdrez par une demoiselle et vous serez tous les sept vaincus par un seul chevalier. »

Ils ne tinrent aucun compte de ses paroles mais dirent qu'à cause de sa prédiction, ils retiendraient désormais prisonnières toutes les demoiselles qui passeraient par ce château jusqu'à ce que vienne le chevalier qui triompherait d'eux. Ainsi ont-ils fait jusqu'à ce jour et c'est pourquoi le château a pris le nom de Château des Pucelles.

— Mais la jeune fille pour laquelle éclata la querelle est-elle encore en vie ? demanda Galaad.

— Non seigneur, elle est morte mais sa sœur cadette vit toujours.

— Et comment traitait-on les demoiselles ?

— Fort mal, seigneur.

— Les voilà donc sauvées », répliqua Galaad.

En début d'après-midi commencèrent à affluer au château tous ceux qui avaient appris la victoire de Galaad. Tous firent un accueil chaleureux au chevalier qu'ils considéraient désormais comme leur seigneur mais il remit sur le champ à la fille du duc le château et les terres qui en dépendaient et convainquit tous les chevaliers du pays de lui faire hommage. Puis il leur fit jurer d'abolir à tout jamais cette coutume. Les jeunes filles repartirent dans leur pays respectif et Galaad passa là toute la journée, honoré de tous. Le lendemain, on apprit que les sept frères avaient été tués.

« Et par qui ? demanda Galaad.

— Seigneur, dit un écuyer, hier, lorsqu'ils fuirent devant vous, ils rencontrèrent sur cette colline monseigneur Gauvain, son frère Gaheriet et monseigneur Yvain. Ils se combattirent et les sept frères furent vaincus. »

Galaad est tout surpris de cette nouvelle. Il se fait apporter ses armes et, sitôt prêt, quitte le château, longuement escorté par ses habitants. Au bout d'un moment, il leur demanda de le laisser et continua seul sa route. Mais le conte, ici, ne parle plus de lui et revient à monseigneur Gauvain.

*

* *

Après avoir quitté ses compagnons, monseigneur Gauvain, — ainsi le rapporte le conte —, chevaucha plusieurs journées sans trouver d'aventures dignes d'être racontées jusqu'au jour où il arriva à l'abbaye où Galaad avait pris l'écu blanc à la croix vermeille. Là on lui raconta les exploits du chevalier et il s'enquit aussitôt de la direction qu'il avait prise. Il partit donc à sa recherche et chevaucha jusqu'au moment où il arriva à l'abbaye où l'on soignait Mélyant. Dès que ce dernier reconnut Gauvain, il lui apprit que Galaad était parti le matin même.

« Dieu ! quelle malchance, s'écria Gauvain. Je suis vraiment le plus infortuné chevalier du monde, moi qui suis Galaad de si près et ne peux le rejoindre ! Pourtant, si Dieu m'accordait de le retrouver, je ne le quitterais plus jamais, si du moins il appréciait autant ma compagnie que moi la sienne !

— En vérité, seigneur, lui dit un des moines qui l'avait entendu, tout s'oppose a ce que vous soyez son compagnon car vous êtes un soldat plein de méchanceté et de perfidie et lui, un chevalier exemplaire.

— Seigneur, répondit monseigneur Gauvain, il me semble, d'après vos paroles, que vous me connaissez bien.

— Mieux encore que vous ne l'imaginez !

— Dites-moi donc, s'il vous plaît, en quoi je suis tel que vous me le reprochez.

— Je ne vous le dirai pas, mais vous rencontrerez bientôt qui s'en chargera », répliqua le moine.

Sur ces entrefaites, un chevalier tout armé descendit de cheval dans la cour de l'abbaye. Les moines se précipitèrent pour le désarmer puis le conduisirent dans la pièce où se trouvait monseigneur Gauvain qui reconnut en lui, quand il fut désarmé, son frère Gaheriet. Accourant vers lui bras grands ouverts, il lui fait un accueil chaleureux et lui demande comment il va.

« Bien, Dieu merci », répond Gaheriet.

Ce soir-là, les moines donnèrent aux chevaliers une généreuse hospitalité. Le lendemain, dès le lever du jour, les deux frères assistèrent à la messe, tout équipés sauf leurs heaumes, puis, une fois prêts, ils montèrent en selle et chevauchèrent jusqu'au début de la matinée. Regardant alors devant eux, ils aperçurent Yvain qui chevauchait tout seul et qu'ils identifièrent à ses armes. Ils lui crient de s'arrêter. Lui se retourne en entendant son nom, s'arrête et reconnaît leurs voix.

Les deux frères, manifestant leur joie de le revoir, lui demandent ce qui lui est arrivé depuis son départ.

« Rien du tout, répond-il, je n'ai jamais trouvé d'aventure qui m'agrée.

— Alors, chevauchons ensemble, dit Gauvain, jusqu'à ce que Dieu nous propose quelque aventure.

— Volontiers », répondent-ils et tous trois reprennent leur route de concert. Après une longue chevauchée, ils arrivèrent au Château des Pucelles, le jour même où le château avait été conquis.

Quand les sept frères virent les trois compagnons, ils dirent entre eux :

« Courons-leur sus et tuons-les car ce sont là des chevaliers en quête des aventures, ceux par qui nous sommes dépouillés. »

Ils galopent donc vers les trois chevaliers en leur criant :

« En garde, c'en est fait de vous ! »

Mais ceux-ci, les entendant, font face et, dès la première joute, trois des sept frères tombent morts. Monseigneur Gauvain en tue un, monseigneur Yvain un autre et Gaheriet un troisième. Les trois compagnons tirent alors l'épée et attaquent les survivants qui se défendent avec courage mais sans grand succès. Ils étaient en effet au bord de l'épuisement tant le combat du matin contre Galaad avait été rude. Les trois compagnons, qui étaient des chevaliers de grande vaillance, les combattent avec tant d'acharnement qu'ils les ont bientôt mis à mort. Ils abandonnent les corps sur le lieu du combat puis poursuivent leur route au hasard de leur chevauchée.

Au lieu de se diriger vers le Château des Pucelles, ils prirent un chemin à droite et perdirent ainsi la trace de Galaad. Dans l'après-midi, ils se séparèrent et chacun partit de son côté. Monseigneur Gauvain chevaucha jusqu'à un ermitage où l'ermite, dans sa chapelle, chantait les vêpres de Notre-Dame. Gauvain met pied à terre pour les écouter puis demande l'hospitalité par charité. L'ermite la lui accorde avec bonté.

Le soir, l'ermite demanda à monseigneur Gauvain d'où il venait. Celui-ci lui raconta toute son histoire et lui dit quelle quête il avait entreprise. En apprenant qu'il avait devant lui monseigneur Gauvain, l'ermite lui dit :

« Seigneur, si vous le voulez bien, j'aimerais en savoir davantage sur vous ».

Et il commence à lui parler de confession, lui rappelant les belles leçons de l'Evangile et l'exhortant à se confesser à lui car il le conseillera aussi bien que possible.

« Seigneur, répond Gauvain, si vous acceptiez de m'expliquer les paroles que l'on m'a dites avant-hier, je vous dirais toute la vérité sur moi car vous me semblez de grand mérite et je sais bien que vous êtes prêtre. »

L'ermite lui assure qu'il le conseillera de son mieux et monseigneur Gauvain le voit si âgé, il lui inspire un tel respect qu'il a très envie de lui dire sa confession. Il s'accuse donc des principaux péchés qu'il a commis envers Notre Seigneur, sans oublier de rapporter ce que lui avait dit l'autre moine. L'ermite apprit ainsi qu'il ne s'était pas confessé depuis quatre ans.

« Seigneur, lui dit-il alors, c'est à bon droit que vous avez été appelé soldat plein de méchanceté et de perfidie car, si l'on vous a jadis admis dans l'ordre de chevalerie, ce n'était pas pour devenir le serviteur du Diable mais pour servir notre Créateur, défendre notre Sainte Eglise et remettre à Dieu le trésor qu'il vous avait confié, je veux dire votre âme. Voilà pourquoi on vous fit chevalier, mais vous avez bien mal rempli votre office car vous êtes devenu le serviteur du Diable. Vous avez abandonné votre Créateur et vous avez mené la vie la plus impure et la plus condamnable que chevalier ait jamais menée. Vous le voyez maintenant qu'il vous connaissait bien celui qui vous traita de soldat méchant et perfide. D'ailleurs, si vous n'étiez pas un aussi grand pécheur, vous n'auriez pas contribué à mettre à mort les sept frères. Ils auraient pu encore faire pénitence pour la funeste coutume qu'ils ont si longtemps maintenue au Château des Pucelles et se réconcilier ainsi avec Dieu. Galaad, le Bon Chevalier, celui que vous recherchez, a agi différemment, lui qui les a vaincus sans les tuer. Au reste, ce n'était pas sans signification que les sept frères avaient établi cette coutume au château et retenaient, à tort ou à raison, toutes les jeunes filles qui y venaient.

— Ha ! seigneur, je vous en prie, expliquez-moi cela, dit monseigneur Gauvain, pour que je puisse le raconter à la cour lorsque j'y reviendrai.

— Très volontiers », répond l'ermite.

« Le Château des Pucelles représente, sache-le, l'Enfer et les jeunes filles, les âmes des justes qui y étaient retenues à tort avant la Passion de Jésus-Christ. Les sept chevaliers représentent, eux, les sept péchés capitaux qui régnaient alors sur le monde et y abolissaient toute justice. En effet, dès qu'une âme quittait un corps, que ce soit l'âme d'un juste ou celle d'un méchant, elle allait aussitôt en enfer où elle restait captive, comme les jeunes filles. Mais lorsque Notre Père céleste vit que sa création allait ainsi à sa perte, il envoya son Fils sur la terre pour délivrer les bonnes jeunes filles, je veux dire les âmes des justes. Et de même qu'il envoya son Fils qui était avec lui depuis le commencement du monde, de même il a envoyé ici-bas Galaad qu'il avait choisi comme son chevalier et son soldat pour arracher du château les bonnes jeunes filles qui sont aussi pures et aussi candides que le lys qui ne souffre jamais de l'ardeur du soleil (18). »

Gauvain ne sut que répondre.

« Gauvain, Gauvain, reprit alors l'ermite, si tu voulais abandonner la vie mauvaise que tu as si longuement menée, tu pourrais encore te réconcilier avec Notre Seigneur car, — l'Ecriture le dit —, il n'est si grand pécheur qui implore en vain la miséricorde de Notre Seigneur s'il le fait du fond du cœur. Le meilleur conseil que je puisse te donner est donc de faire pénitence de tes péchés ».

Mais Gauvain répond qu'il se sent incapable de se mortifier. L'ermite renonce donc à l'exhorter davantage, comprenant bien que ce serait peine perdue.

Au matin, monseigneur Gauvain s'en alla. Au cours de sa chevauchée, il rencontra Agloval (19) et Girflet le fils de Do. Ils firent route ensemble durant quatre jours sans trouver d'aventure digne d'être racontée. Au cinquième jour, ils se séparèrent et chacun s'en alla de son côté. Mais ici le conte ne s'occupe plus d'eux et parle de Galaad.

*
* *

Après avoir quitté le Château des Pucelles, Galaad, — ainsi le rapporte le conte —, finit par arriver, après plusieurs journées de route, dans la Forêt Gaste (20). Là, il rencontra un jour Lancelot et Perceval qui faisaient route ensemble mais eux ne le reconnurent pas car ils n'avaient jamais eu l'occasion de voir ses armes. Lancelot le premier lui court sus et brise sa lance sur la poitrine de son adversaire qui le heurte alors avec une telle violence qu'il l'abat avec son cheval, sans toutefois lui faire d'autre mal. La lance de Galaad s'est brisée sous le choc mais il tire son épée et en frappe Perceval avec tant de force qu'il lui tranche son heaume et sa coiffe de fer. Il l'aurait tué si l'épée n'avait tourné dans sa main. Néanmoins Perceval ne parvient pas à rester en selle et tombe à terre, si assommé par la violence du choc qu'il ne sait plus s'il fait jour ou nuit. Ce combat se déroulait devant un ermitage où vivait une recluse qui, voyant Galaad s'éloigner, le recommanda à Dieu.

« Assurément, ajouta-t-elle, si ces chevaliers savaient aussi bien que moi qui vous êtes, ils n'auraient pas eu l'audace de vous attaquer ! »

Mais Galaad, redoutant d'être reconnu, éperonne son cheval et s'en va aussi vite que possible. Quand Lancelot et Perceval le voient partir, ils remontent en selle au plus vite mais, comprenant qu'ils n'ont aucune chance de le rejoindre, ils reviennent sur leurs pas, si consternés et si furieux qu'ils voudraient mourir sur le champ tant ils haïssent leur sort. Tous deux s'enfoncent alors dans la Forêt Gaste.

Voici donc Lancelot dans la Forêt Gaste, tout à sa douleur et à sa colère d'avoir perdu le chevalier.

« Que faire ? demande-t-il à Perceval.

— Je ne sais, répond son compagnon. Le chevalier est parti à si vive allure que nous ne pourrons pas le rejoindre. De plus, la nuit nous a surpris en un endroit dont nous risquons fort de ne pas pouvoir sortir par nous-mêmes. Mieux vaut donc, je pense, revenir sur nos pas car, si nous nous perdons, nous aurons bien du mal à retrouver le bon chemin. Vous ferez comme bon vous semblera mais,à mon avis, nous avons plutôt intérêt à revenir en arrière qu'à poursuivre ».

Lancelot néanmoins répond qu'il n'en a pas l'intention mais qu'il suivra le chevalier qui porte l'écu blanc. Il ne sera satisfait que lorsqu'il saura qui il est.

« Vous pouvez au moins attendre jusqu'à demain matin, lui dit Perceval, et nous partirons tous deux à sa recherche ».

Mais Lancelot refuse.

« Alors, que Dieu vous garde, car moi je n'irai pas plus loin aujourd'hui, mais je retournerai auprès de la recluse qui a dit qu'elle avait de bonnes raisons de le connaître ».

Les deux compagnons se séparent donc. Perceval revient vers la recluse, Lancelot part à la recherche du chevalier dans l'épaisseur de la forêt (21). Il chevauche au hasard, sans suivre route ni sentier, très ennuyé de ne pouvoir distinguer par où passer tant la nuit est profonde. Il finit néanmoins par arriver près d'une croix de pierre, au carrefour de deux routes, dans une lande désertique. En s'approchant de la croix, il voit à côté un bloc de marbre qui, lui semble-t-il, porte une inscription. Mais il fait si noir qu'il ne peut la lire. Il se retourne alors vers la croix et aperçoit une très vieille chapelle où, pense-t-il, il pourra trouver quelqu'un. Arrivé près de la chapelle, il met pied à terre, attache son cheval à un chêne et y suspend son écu. Il se rend compte alors que la chapelle est complètement en ruines. Il entre mais la grille du chœur est si solidement fermée qu'il est pratiquement impossible de la franchir. En regardant à travers la grille, il distingue toutefois, dans le chœur, un autel orné de somptueuses étoffes de soies et d'autres parures et, devant l'autel, un grand candélabre d'argent portant six cierges allumés qui répandent une vive clarté. Très désireux de pénétrer dans le chœur pour voir qui s'y trouve, (il a peine à croire qu'on puisse trouver d'aussi belles choses dans ce pays perdu), il examine encore la grille mais, voyant qu'il ne pourra pas l'ouvrir, il quitte la chapelle avec grande tristesse, revient à son cheval et le mène jusqu'à la croix. Là, il lui ôte la selle et le mors pour qu'il puisse paître, délace son heaume et le pose devant lui, détache également son épée puis se couche devant la croix, sur son écu, et s'endort assez rapidement vu sa fatigue. Il ne peut toutefois oublier le Bon Chevalier qui emporte l'écu blanc.

Il était réveillé depuis un bon moment lorsqu'il vit approcher sur une litière portée par deux palefrois un chevalier malade qui se lamentait d'une voix pitoyable. Arrivé près de Lancelot, le chevalier s'arrête et le regarde, mais sans lui adresser la parole, persuadé qu'il dort profondément. Lancelot, qui est plongé dans un demi-sommeil et comme suspendu entre le rêve et la veille, ne dit rien lui non plus. Le chevalier malade s'arrête alors devant la croix et commence à se lamenter de plus belle :

« Ha ! Dieu, répète-t-il, cette douleur n'aura-t-elle donc point de cesse ! Ha ! Dieu, quand apparaîtra le Saint-Vase qui doit apaiser cette poignante souffrance ? Ha ! Dieu, qui a jamais enduré douleur comparable à la mienne, et pour une faute si minime ? »

Le chevalier continue longuement à se plaindre à Dieu de ses maux. Lancelot cependant, en proie à une sorte de torpeur, reste immobile et silencieux bien qu'il le voie et qu'il entende tout ce qu'il dit.

Un long moment s'écoule ainsi jusqu'à ce que Lancelot, regardant attentivement autour de lui, voie sortir de la chapelle le candélabre d'argent aux six cierges qu'il avait auparavant aperçu. Il suit du regard le candélabre qui s'approche de la croix mais, à son extrême surprise, il ne voit pas qui le porte. Il voit ensuite s'avancer sur une table d'argent le Saint-Vase qu'il avait contemplé jadis chez le Roi Pêcheur et que l'on appelait le Saint-Graal (22). Or, dès que le chevalier malade l'aperçoit, il se laisse tomber du haut de sa litière, mains jointes, et s'écrie :

« Seigneur mon Dieu, vous qui, ici et ailleurs, avez fait tant de miracles par ce Saint-Vase que je vois s'approcher de moi, mon Père, jetez sur moi un regard pitoyable afin que s'apaise bientôt ce mal qui me tourmente et que je puisse participer à la Quête comme les autres preux ! »

Il se traîne alors à la force des bras jusqu'à la pierre où était la table supportant le Saint-Vase puis, s'aidant de ses mains, il se soulève et parvient à embrasser la table d'argent et à la toucher de ses yeux. Aussitôt il se sent complètement guéri de ses souffrances.

« Ha ! Dieu, s'écrie-t-il, je suis guéri ! » puis il s'endort presque immédiatement.

Le Saint-Vase demeura encore un peu puis il rentra dans la chapelle avec le candélabre mais, ni à l'aller ni au retour, Lancelot ne put savoir qui l'avait apporté. Soit parce qu'il était recru de fatigue, soit parce qu'il était accablé par ses péchés, il ne bougea pas lorsqu'apparut le Saint-Graal et n'eut aucune réaction en le voyant. Attitude qui, durant la suite de la Quête, lui fut bien souvent reprochée et qui lui attira maintes mésaventures.

Lorsque le Saint-Graal eut disparu dans la chapelle, le chevalier à la litière, complètement guéri désormais, se mit debout et vint embrasser la croix. Presque aussitôt arriva un écuyer qui apportait une armure de toute beauté. Dès qu'il aperçut le chevalier, il s'approcha de lui et lui demanda comment il allait :

« Bien, dit-il, grâce à Dieu. J'ai été guéri dès que le Saint-Graal est venu me visiter, mais je suis très surpris de l'attitude de ce chevalier qui dort si profondément qu'il n'a pas été réveillé par cette apparition.

— Par ma foi, dit l'écuyer,c'est sans doute là quelque chevalier qui ne s'est pas confessé d'un lourd péché et dont la faute est si grave que Notre Seigneur lui a refusé d'assister à cette belle aventure.

— Assurément, poursuivit le chevalier, quel qu'il soit, il est bien infortuné et pourtant il me semble bien que c'est là un chevalier de la Table Ronde, un de ceux qui ont entrepris la Quête du Saint-Graal.

— Seigneur, reprend l'écuyer, j'ai apporté votre armure : vous la revêtirez dès que vous voudrez.

— C'est tout ce dont j'ai besoin », répond le chevalier qui s'arme aussitôt et enfile ses chausses de fer et son haubert. L'écuyer cependant prend l'épée et le heaume de Lancelot et les tend à son maître puis s'approche du cheval de Lancelot et lui met la selle et le mors.

« Seigneur, dit-il au chevalier après avoir harnaché la bête, montez en selle ! Vous avez trouvé là un bon cheval et une bonne épée et, sans aucun doute, vous ferez meilleur usage de tout ce que je vous ai donné que n'en a fait ce mauvais chevalier qui est là étendu ».

La lune brillait, claire et belle, car il était déjà minuit passé. Le chevalier demande à l'écuyer comment il a pu apprécier l'épée.

« A sa beauté », lui répond-il, car il l'avait déjà sortie du fourreau et l'avait trouvée si belle qu'il en avait eu grande envie. Le chevalier, ainsi équipé, monte sur le cheval de Lancelot puis, la main tendue vers la chapelle, il jure qu'avec l'aide de Dieu et de ses saints, il n'arrêtera pas de chevaucher avant de savoir pourquoi le Saint-Graal se manifeste ainsi à travers tout le royaume de Logres et par qui et pourquoi il a été apporté en Angleterre, si du moins personne n'en a avant lui la révélation.

« Par Dieu, dit l'écuyer,voilà un noble serment ! Que Dieu vous accorde d'achever cette Quête d'une manière honorable et pour le salut de votre âme car vous ne pourrez la poursuivre longtemps sans perdre la vie !

— Si j'y meurs, répond le chevalier, j'en tirerai plus de gloire que de déshonneur car nul chevalier de mérite ne doit refuser de participer à cette Quête, dût-il y risquer sa vie ».

Il s'éloigne alors de la croix avec l'écuyer, en emportant les armes de Lancelot, et chevauche droit devant lui.

Il avait bien dû faire plus d'une demi-lieue lorsque Lancelot, parfaitement réveillé cette fois, s'assit en se demandant s'il avait ou non rêvé. Il ne sait en effet s'il a réellement vu le Saint-Graal ou s'il s'agit d'un songe. Et voici qu'en se relevant, il revoit le candélabre devant l'autel, mais nulle trace du Saint-Graal, de ce Saint-Graal dont il voudrait tant qu'il lui soit donné de connaître les secrets.

Or, lorsqu'il eut longuement contemplé la grille du chœur

dans l'espoir d'apercevoir ce qu'il avait tant désiré voir, il entendit une voix qui lui disait :

« Lancelot, plus dur que pierre, plus amer que bois, plus nu et plus dépouillé que figuier, comment as-tu eu assez d'audace pour pénétrer en un lieu visité par le Saint-Graal ? Va-t-en d'ici car cet endroit est déjà tout empuanti de ta présence ».

Ces paroles le plongent dans une telle affliction qu'il ne sait plus que faire. Il s'éloigne en poussant de profonds soupirs, en pleurant et en maudissant l'heure où il a vu le jour, sachant bien qu'il est à tout jamais déshonoré puisque les secrets du Saint-Graal lui sont restés cachés. Mais il n'a pas oublié et n'oubliera jamais plus les trois termes dont il a été qualifié, et il ne retrouvera pas la paix avant de savoir pourquoi ils lui ont été adressés. Arrivé à la croix, et ne retrouvant ni son heaume ni son épée ni son cheval, il comprend immédiatement qu'il n'a pas eu une vision et éclate en lamentations en se traitant de pauvre infortuné.

« Ha ! Dieu, dit-il, voici que mes péchés et ma vie mauvaise deviennent manifestes ! Ma faiblesse surtout m'a perdu,je le vois bien, car, au moment où j'aurais eu la possibilité de m'amender, l'Ennemi m'a confondu, lui qui m'a si bien aveuglé que je n'ai pu voir les choses divines ! Mais cet aveuglément ne doit pas me surprendre. Depuis que j'ai été armé chevalier, il n'y a pas eu un seul instant où je n'ai été recouvert des ténèbres du péché mortel car je me suis aussitôt adonné, et plus que tout autre, à la luxure et à l'abjection de ce monde ».

Tels sont les reproches et les blâmes que Lancelot s'adressait à lui-même. Toute la nuit, il se désespèra. Puis le jour parut dans sa lumineuse clarté. Les oiseaux se mirent à chanter dans la forêt et le soleil à briller à travers les arbres. Lancelot voit ce beau temps, il entend ces chants d'oiseaux qui si souvent l'ont réjoui et, en même temps, il se sent entièrement dépouillé,— n'a-t-il pas perdu ses armes et son cheval ? —, et il comprend bien que Notre Seigneur s'est irrité contre lui. Il est désormais persuadé que rien jamais ne pourra lui rendre la joie qu'il a perdue, car ces aventures du Saint-Graal où il croyait conquérir la joie et la gloire en ce monde, il les a manquées, et cet échec le désespère profondément.

Longtemps il se plaint et se lamente et déplore son infortune. Enfin, il s'éloigne de la croix et marche à travers la forêt, à pied, sans heaume, sans écu, sans épée. Il ne retourne pas à la chapelle où il a entendu les paroles qui l'ont tant frappé mais il prend un sentier et finit par arriver, au début de la matinée, sur une colline où il trouve un ermitage. L'ermite, qui allait dire la messe, avait déjà revêtu les armes de Sainte-Eglise (23). Lancelot, abattu, soucieux et profondément affligé, pénètre dans la chapelle et, agenouillé au milieu du chœur, bat sa coulpe en implorant le pardon de Notre Seigneur pour les mauvaises actions qu'il a commises en ce monde et écoute la messe que l'ermite célèbre avec son clerc. Lorsqu'elle est terminée et que le prêtre a enlevé les armes de Notre Seigneur, Lancelot l'appelle et, l'emmenant un peu à l'écart, le supplie au nom de Dieu de le guider de ses conseils. L'ermite lui demande d'où il est. Il lui répond qu'il est de la cour du roi Artus et chevalier de la Table Ronde.

« De quelle sorte d'aide avez-vous donc besoin ? reprend l'ermite. Voulez-vous vous confesser ?

— Oui, seigneur.

— Qu'il en soit donc ainsi, au nom de Dieu », dit l'ermite.

Ils vont alors s'asseoir tous deux près de l'autel. L'ermite lui demande d'abord son nom et il lui dit qu'il s'appelle Lancelot du Lac et qu'il est fils du roi Ban de Benoïc. Apprenant qu'il a devant lui Lancelot du Lac, l'homme au monde qui jouit de la plus haute réputation, l'ermite, tout surpris de le voir se désespérer ainsi, lui dit :

« Seigneur, vous devez être plein de reconnaissance envers Dieu qui vous a créé si beau et si vaillant que nul en ce monde, à notre connaissance, ne vous égale en beauté et en prouesse. Il vous a prêté (24) l'intelligence et la mémoire. Aussi devez-vous en faire si bon usage qu'Il soit récompensé de l'amour qu'Il vous a témoigné et que le Diable n'ait aucune part aux richesses dont Il vous a comblé. Servez donc Dieu de toutes vos forces, observez ses commandements et ne mettez pas les dons qu'Il vous a faits au service de son ennemi mortel, le Diable. En effet, si Lui qui a été plus généreux envers vous qu'envers tant d'autres perdait maintenant le fruit de ses bontés, le blâme en retomberait lourdement sur vous.

« N'imitez donc pas le mauvais serviteur de l'Evangile dont l'un des Apôtres (25) dit : « Un homme riche confia à trois de ses serviteurs une grande partie de son or. A l'un, il donna un besant, à l'autre deux, au troisième cinq. Celui à qui il remit les cinq besants les fit si bien fructifier que, lorsqu'il se présenta devant son maître pour lui rendre compte de ses gains, il lui dit : « Seigneur, tu m'as remis cinq besants, les voici, plus cinq autres que j'ai gagnés. Le maître lui répondit : Viens auprès de moi, bon et loyal serviteur, je t'accepte dans ma demeure. « Vint ensuite celui qui avait reçu deux besants et qui dit à son maître qu'il en avait gagné deux autres. Le maître lui fit la même réponse qu'au premier. Mais celui qui n'en avait reçu qu'un l'enfouit dans la terre, se détourna de son maître et n'osa plus se présenter devant lui. Ce fut là le mauvais serviteur, le simoniaque perfide, l'hypocrite que ne pénètre jamais le feu du Saint-Esprit. Aussi ce feu ne peut-il réchauffer et enflammer de l'amour de Notre Seigneur ceux à qui il annonce la parole sainte. Le texte sacré dit en effet : « Celui qui ne brûle pas ne peut enflammer autrui » (26). Ce qui signifie que si le feu du Saint-Esprit n'enflamme pas celui qui annonce la parole de l'Evangile, celui qui l'écoute n'en sera ni enflammé ni brûlé.

« Je vous ai rappelé ces paroles à cause des grands dons que vous a faits Notre Seigneur. Je vois en effet qu'Il vous a créé plus beau et meilleur que quiconque, si du moins je m'en rapporte aux apparences. Si donc vous vous dressez contre lui malgré sa générosité, Il vous réduira rapidement à néant, sachez-le, à moins que vous ne vous hâtiez d'implorer son pardon en faisant une confession véridique, en éprouvant un repentir sincère, et en amendant votre conduite (27). En vérité je vous le dis, si vous implorez ainsi son pardon, sa mansuétude est telle, Il est tellement heureux de voir le pécheur se repentir sincèrement plutôt que de se perdre qu'Il vous relèvera et vous rendra plus fort et plus aguerri que vous ne l'avez été dans le passé.

— Seigneur, répondit Lancelot, ce que vous venez de me dire sur les trois serviteurs et l'argent qu'ils avaient reçu, me désespère plus que tout. Je sais bien en effet que, dans mon enfance, Jésus-Christ m'a doué de toutes les qualités qu'un être humain peut posséder, et c'est précisément parce que sa générosité fut telle et parce que je L'en ai si mal récompensé que je suis sûr d'être jugé comme le mauvais serviteur qui a enfoui le besant. Toute ma vie en effet j'ai servi son ennemi et mes péchés m'ont dressé contre Lui. J'ai causé ma propre perte en choisissant la route que l'on trouve de prime abord séduisante et aisée, je veux dire la route de l'abandon au péché. Le Diable m'a tenté par l'appât de la facilité, mais il m'a dissimulé les peines éternelles qui attendent celui qui choisit de rester sur cette route.

— Seigneur, reprit l'ermite tout en pleurs, je sais bien que personne ne peut persister dans la voie dont vous parlez sans risquer la mort éternelle. Mais, comme vous le savez, de même que l'homme peut parfois s'égarer lorsqu'il dort, puis retrouver le bon chemin dès qu'il se réveille, de même le pécheur qui s'endort dans le péché mortel et abandonne la voie de rectitude peut retrouver sa route, je veux dire revenir vers son Créateur et se diriger vers le Tout Puissant qui sans cesse lui crie : « Je suis la voie, la vérité et la vie (28). » Regardant autour de lui, l'ermite montre alors à Lancelot une croix où était peinte l'image du Crucifié.

« Seigneur, lui dit-il, voyez vous cette croix ?

— Oui.

— Sachez donc que cette image a les bras grands ouverts comme pour accueillir chacun de nous. Et c'est ainsi que Notre Seigneur a ouvert les bras pour accueillir tous les pécheurs, vous et les autres qui viennent à Lui et à qui Il crie : « Venez, venez à moi ! ». Et puisque sa mansuétude est telle qu'Il est toujours disposé à accueillir ceux et celles qui reviennent à Lui, soyez sûr qu'Il ne vous repoussera pas si vous vous donnez à Lui comme je vous le demande, en faisant une confession véridique, en éprouvant un sincère repentir et en amendant votre conduite. Confessez-Lui devant moi, à haute voix, vos pensées et vos actes, et je vous aiderai et vous conseillerai de mon mieux ».

Lancelot réfléchit un moment. Jamais en effet il n'a parlé de ses relations avec la reine, et il ne le fera pas tant qu'il vivra s'il n'y est puissament exhorté. Il soupire profondément, sans pouvoir prononcer une parole. Pourtant, il avouerait volontiers mais il n'ose pas car sa faiblesse l'emporte sur son courage. L'ermite cependant le conjure de confesser son péché et d'y renoncer car il est perdu s'il ne suit pas ses conseils. Se confesser, c'est gagner la vie éternelle, se taire, c'est se vouer à l'Enfer, et il le sermonne avec tant de persuasion et d'exemples décisifs qu'enfin Lancelot lui dit :

« Oui seigneur, il est vrai, je vis en état de péché mortel à cause d'une femme que j'ai aimée toute ma vie, la reine Guenièvre, l'épouse du roi Artus. Pourtant, c'est elle qui m'a donné en abondance l'or, l'argent et les présents somptueux que j'ai pu distribuer aux chevaliers pauvres. C'est à elle que je dois ma magnificence et le rang élevé que j'occupe. C'est par amour pour elle que j'ai accompli les exploits exceptionnels dont tout le monde parle. C'est elle qui m'a fait passer de la pauvreté à la richesse et de l'infortune à une vie de délices. Mais je sais aussi que c'est à cause du péché que j'ai commis avec elle que Notre Seigneur s'est tant irrité contre moi comme Il me l'a clairement montré depuis hier soir ».

Il lui explique alors dans quelles circonstances il a vu le Saint-Graal, sans pouvoir se bouger à son approche, que ce soit par respect pour lui ou par amour pour Notre Seigneur.

Lorsqu'il eut tout dit à l'ermite, de sa vie comme de son état d'esprit, il le pria au nom de Dieu de le conseiller.

« Seigneur, lui répondit-il, tout conseil serait inutile si vous ne promettez pas à Dieu de ne jamais retomber dans ce péché. Mais si vous décidiez de vous en abstenir désormais, si vous imploriez son pardon et vous repentiez sincèrement, je pense que Notre Seigneur vous rappellerait encore au nombre de ses serviteurs et vous ouvrirait la porte des cieux où ceux qui entreront participeront à la vie éternelle. Mais dans l'état où vous êtes actuellement, aucun conseil ne pourrait vous être utile. Il en serait comme du maçon qui érige une tour haute et puissante sur des bases incertaines. Lorsqu'il a longuement travaillé, tout son édifice s'écroule. De même, les conseils que nous pouvons vous prodiguer seraient vains si vous ne les acceptiez pas du fond du cœur, avec la ferme volonté de les suivre. Il en serait comme de la semence que l'on jette sur le roc que les oiseaux emportent et dispersent et qui reste stérile. (29)

— Seigneur, lui dit-il, je ferai tout ce que vous me direz, si Dieu me prête vie.

— Je vous demande alors de me promettre de ne plus jamais offenser votre Créateur en commettant un péché mortel avec la reine ou quelque autre femme, ou en faisant quoi que ce soit qui puisse l'irriter »

Et il lui jure sur son honneur de chevalier.

« Mais dites-moi donc, reprend l'ermite, ce qui vous est arrivé en présence du Saint-Graal ».

Lancelot le lui raconte alors et lui rapporte également les trois paroles qu'avait prononcées la voix dans la chapelle lorsqu'il fut appelé pierre, bois et figuier.

« Au nom de Dieu, ajoute-t-il, expliquez-m'en la signification car jamais je n'ai entendu parole dont j'aie autant désiré connaître le sens. Je vous demande donc instamment de me l'apprendre car vous le savez, j'en suis sûr ».

L'ermite médite un long moment puis finit par dire :

« Lancelot, je ne m'étonne pas que l'on vous ait ainsi appelé. Vous avez toujours été l'homme le plus extraordinaire de ce monde. Ce n'est donc pas étonnant que l'on vous dise des paroles plus extraordinaires qu'aux autres ! Et puisque vous désirez en connaître le sens, je vais vous le dire. Ecoutez-moi.

« Donc, d'après ce que vous me rapportez, on vous a dit : Lancelot, plus dur que pierre, plus amer que bois, plus nu et plus dépouillé que figuier, va-t-en d'ici ! Que l'on vous ait appelé plus dur que pierre, c'est là chose étonnante car toute pierre est naturellement dure. Mais certaines plus que d'autres. Et celle qui est plus dure peut désigner le pécheur dont le péché a si endormi et endurci le cœur que rien ne peut l'attendrir, ni le feu, ni l'eau. Il ne peut être attendri par le feu, car le feu du Saint-Esprit ne peut plus entrer en lui et l'habiter. Le réceptacle est trop souillé par les péchés invétérés, de jour en jour accumulés. Il ne peut être amolli par l'eau, car la parole du Saint- Esprit, qui est l'eau douce et la pluie bienfaisante, ne peut pénétrer dans son cœur. Notre Seigneur en effet ne se logera jamais là où réside son ennemi mais il veut que la demeure où Il s'abritera soit propre et pure de tous péchés et de toutes iniquités. Voilà pourquoi le pécheur est appelé pierre, à cause de la grande dureté que Notre Seigneur a trouvée en lui. Mais il nous faut voir maintenant pourquoi tu es à juste titre appelé plus dur que pierre, c'est-à-dire plus pécheur que les autres pécheurs »

L'ermite médite alors un moment puis reprend :

« Voici pourquoi tu es plus pécheur que les autres pécheurs. Tu m'as bien entendu parler des trois serviteurs à qui le Puissant Maître confia ses besants pour les faire fructifier. Les deux qui avaient reçu la plus grosse somme se conduisirent en bons serviteurs pleins de loyauté, de sagesse et de prudence, mais celui qui avait moins reçu se montra serviteur insensé et infidèle. Examine donc si tu ne pourrais pas être un de ces serviteurs à qui Notre Seigneur donna ses cinq besants pour les faire fructifier. A mon avis, Il t'a donné bien plus encore. Si l'on considérait en effet tous les chevaliers de ce monde, on en trouverait pas un, me semble-t-il,envers qui Notre Seigneur ait été aussi généreux. Il t'a donné une exceptionnelle beauté. Il t'a donné l'intelligence et le pouvoir de discerner le bien du mal. Il t'a donné la vaillance et l'audace. Il t'a enfin si favorisé que tu as pu mener à bien tout ce que tu as entrepris. Mais toutes ces grâces, Notre Seigneur te les a accordées pour que tu soies son chevalier et son serviteur, pour qu'elles croissent et fructifient en toi et non pour que tu les laisses périr. Or, tu as été un serviteur si mauvais et si infidèle que tu L'as abandonné pour servir son ennemi et que tu t'es sans cesse opposé à Lui. Tu as agi comme le mauvais soldat qui quitte le service de son seigneur dès qu'il a reçu son salaire et qui va aider les adversaires de son ancien maître. Ainsi t'es-tu comporté avec Notre Seigneur. Après avoir reçu le salaire élevé qu'Il t'a donné, tu L'as quitté pour servir celui qui ne cesse de le combattre et tu as agi comme personne, je pense, n'aurait osé le faire après avoir reçu un tel salaire. Tu comprends donc maintenant pourquoi tu es plus dur que pierre et pécheur plus endurci que tout autre.

« D'ailleurs, on peut, si l'on veut, comprendre encore autrement ce terme de pierre. On a vu en effet sortir quelque douceur de la pierre dans les déserts, au delà de la Mer Rouge, là où demeura si longtemps le peuple d'Israël. Quand les gens eurent soif et commencèrent à se lamenter entre eux, Moïse dit en s'approchant d'une roche séculaire, et comme s'il s'agissait d'une chose impossible : Ne pourrons-nous faire jaillir de l'eau de cette roche ? » Et aussitôt, l'eau jaillit, si abondante que tout le peuple put boire et que leurs murmures s'apaisèrent en même temps que leur soif. Ainsi peut-on dire qu'une fois au moins quelque douceur est sortie de la pierre mais avec toi, jamais cela ne s'est produit et c'est pourquoi, tu le vois clairement, tu es plus dur que pierre.

— Seigneur, reprit Lancelot, expliquez-moi maintenant pourquoi on m'a dit que j'étais plus amer que bois.

— Eh bien voici, dit l'ermite, écoute-moi. Je t'ai montré que tu n'étais que dureté et, là où la dureté s'est installée, la douceur ne peut exister ni rien d'autre, sachons-le bien, sauf l'amertume, qui prend donc en toi la place que devrait y occuper la douceur. Ainsi, tu es semblable au bois mort et pourri d'où toute douceur a disparu et où il ne reste que l'amertume. Je t'ai donc démontré en quoi tu es plus dur que pierre et plus amer que bois, mais il me reste encore à t'expliquer pourquoi tu es plus nu et plus dépouillé que figuier. Ce figuier, l'Evangile le mentionne à l'endroit où il parle de la Pâque fleurie, de ce jour que l'on appelle le Jour des Fleurs et où Notre Seigneur entra dans la cité de Jérusalem sur l'ânesse tandis que les enfants des Hébreux chantaient à son approche le doux chant que rapporte chaque année notre Sainte Eglise (30). Ce jour là, le Tout Puissant, le Haut Maître, le Haut Prophète prêcha dans la cité de Jérusalem au milieu de ce peuple tout plein de dureté. Or, le soir, alors qu'Il était las d'avoir parlé tout le jour, Il ne trouva personne dans toute la ville pour lui donner l'hospitalité. Il s'en alla donc.

Une fois sorti de la ville, Il vit sur son chemin un très beau figuier au feuillage abondant, mais qui ne portait aucun fruit. Notre Seigneur s'approcha de l'arbre mais, le voyant stérile, Il maudit dans sa colère cet arbre qui ne portait point de fruit. Voici ce qu'il advint du figuier qui poussait près de Jérusalem. Considère maintenant si tu n'es pas semblable à cet arbre et même plus nu et plus dépouillé encore. Lorsque le Tout Puissant s'approcha de l'arbre, celui-ci portait des feuilles, Il aurait pu les prendre s'il avait voulu. Mais quand le Saint-Graal s'approcha de toi, il te vit si démuni qu'il n'y avait en toi ni bonne pensée, ni bonne intention, et il te trouva plein de turpitude et d'ordure, tout souillé de luxure, et entièrement dégarni de feuilles et de fleurs, je veux dire de bonnes actions. C'est pourquoi on t'a adressé les paroles que tu m'as rapportées : « Lancelot, plus dur que pierre, plus amer que bois, plus nu et plus dépouillé que figuier, va-t-en d'ici ».

« Seigneur, dit Lancelot, me voici pleinement convaincu que c'est à juste titre que je suis appelé pierre, bois et figuier car tous les défauts que vous m'avez rappelés sont en moi. Mais puisque vous m'avez dit que je ne suis pas allé si loin que je ne puisse revenir sur mes pas, si du moins je prends soin de ne plus commettre de péché mortel, je promets à Dieu d'abord, à vous ensuite, de ne plus vivre comme je l'ai si longtemps fait mais d'observer la chasteté et de préserver de mon mieux mon corps de toute souillure. Quant à quitter la chevalerie et le métier des armes, cela je ne pourrai le faire tant que j'aurai ma force actuelle.

— Seigneur, lui répondit l'ermite, tout heureux de cette réponse, si vous renonciez à votre conduite coupable avec la reine, je peux vous assurer que vous retrouveriez l'amour de Notre Seigneur, qu'Il viendrait à votre secours, vous témoignerait sa mansuétude et vous permettrait d'achever maintes entreprises que vous ne pouvez réussir à cause de votre péché.

— Seigneur, j'y renonce. Jamais plus je ne pécherai, ni avec elle, ni avec une autre ».

L'ermite lui donne alors la pénitence qu'il juge la plus appropriée. Il l'absout et le bénit et lui demande de rester ce jour-là avec lui. Comme Lancelot répond qu'il y est de toute manière contraint puisqu'il n'a plus ni cheval, ni écu, ni lance, ni épée, « je vous tirerai bien d'embarras, réplique l'ermite, avant demain soir. Un de mes frères, qui est chevalier, habite près d'ici et il m'enverra un cheval, des armes et tout ce qui vous sera nécessaire dès que je le lui demanderai.

— Je resterai donc bien volontiers », dit Lancelot, à la grande joie de l'ermite.

Lancelot resta ainsi avec l'ermite qui l'exhortait sans cesse à se bien conduire. Il le prêcha avec tant de persuasion que Lancelot se repentit profondément de la vie qu'il avait si longtemps menée. Il comprenait bien en effet que, s'il était mort dans cet état, il aurait perdu son âme, et son corps, peut-être, aurait lui aussi couru un grave danger. Aussi se repent-il d'avoir éprouvé pour la reine un amour coupable et d'avoir ainsi gaspillé sa vie. Il s'accuse et se blâme et jure bien en son cœur de ne plus jamais retomber dans ce péché. Mais le conte cesse ici de parler de lui et revient à Perceval.

*
* *

Après avoir quitté Lancelot, Perceval, — ainsi le rapporte le conte — , voulut retourner auprès de la recluse, persuadé qu'elle pourrait lui donner des nouvelles du chevalier qui leur avait échappé. Tout d'abord, il ne parvint pas à retrouver le bon chemin. Toutefois, prenant la direction qu'il jugea la meilleure, il finit par arriver à la chapelle et cogna à la petite fenêtre de la recluse. Elle ouvrit aussitôt car elle ne dormait pas et, avançant la tête autant que possible, lui demanda qui il était. Elle fut toute heureuse d'apprendre qu'il appartenait à la cour d'Artus et qu'il s'appelait Perceval le Gallois car elle l'aimait beaucoup, et à juste titre, puisque Perceval était son neveu. Elle appelle donc ses gens, leur ordonnant d'ouvrir au chevalier qui attend dehors, de lui donner à manger s'il en a besoin et de le servir de leur mieux car c'est l'homme au monde qu'elle aime le plus. Eux exécutent ses ordres, ouvrent la porte et font entrer le chevalier, le désarment et lui donnent à manger puis, comme Perceval leur demande s'il pourra dès aujourd'hui parler à la recluse.

« Non seigneur, répondent-ils, pas aujourd'hui, mais très certainement demain après la messe ».

Il se coucha donc sans plus insister dans le lit qu'on lui avait préparé et dormit toute la nuit car il était très fatigué.

Le lendemain, Perceval se leva dès qu'il fit jour et écouta la messe que chanta le prêtre de la maison. Une fois armé, il se rendit auprès de la recluse.

« Ma dame, lui dit-il, au nom de Dieu, apprenez-moi ce que vous savez sur le chevalier qui passa par ici hier et à qui vous avez dit que vous aviez de bonnes raisons de le connaître. J'ai très envie en effet de savoir qui il est.

— Mais pourquoi le cherchez-vous ?

— Parce que je n'aurai de cesse de l'avoir retrouvé et de m'être mesuré à lui. Il m'a causé un tel tort que je ne pourrais en effet renoncer à ce combat sans me déshonorer.

— Ha ! Perceval, que dites-vous là ! Vous voulez vous mesurer à lui ? Vous voulez donc mourir comme vos frères que leur démesure a conduits à leur perte (31) ! Pourtant, si vous mourrez ainsi, ce sera un grand malheur et une grande perte pour votre famille. Savez-vous bien ce que vous perdrez si vous combattez ce chevalier ? Voici donc : c'est un fait bien établi que la grande Quête du Saint-Graal est commencée, que vous y participez, à ce qu'il me semble, et que, si Dieu le veut, elle sera bientôt achevée. Mais il est également vrai que votre gloire sera plus grande encore que vous ne le pensez si seulement vous renoncez à combattre ce chevalier, car nous savons bien, ici et ailleurs, qu'en dernier ressort trois chevaliers de très grande valeur raviront la gloire de la Quête à tous les autres : deux seront vierges et le troisième chaste. Des deux chevaliers vierges, l'un est celui que vous cherchez, l'autre, c'est vous, et le troisième, c'est Bohort de Gaunes. Ces trois chevaliers mèneront à bien la Quête. Et puisque Dieu vous a réservé cet honneur, ce serait un bien grand dommage si auparavant vous courriez à votre perte et la précipitiez même en combattant celui que vous poursuivez. Ce qui ne saurait manquer de se produire car il est meilleur chevalier que n'importe lequel d'entre vous.

— Ma dame, dit Perceval, il me semble, d'après ce que vous me dites de mes frères, que vous me connaissez bien.

— C'est bien normal, puisque je suis votre tante (32) et vous, mon neveu. Ce n'est pas parce que vous me trouvez dans un endroit aussi misérable que vous devez en douter. Sachez en effet que je suis celle que l'on appelait jadis la reine de la Terre Gaste. Vous m'avez vue autrefois dans une autre situation car j'étais alors une des plus puissantes dames du monde. Pourtant, jamais cette puissance n'a eu pour moi autant d'attrait que n'en a mon actuel dénuement ».

A ces mots, Perceval se met à pleurer de compassion puis, rappelant ses souvenirs, il reconnaît sa tante. Il s'assied alors en face d'elle et lui demande des nouvelles de sa mère et de sa famille.

« Comment, mon cher neveu, lui dit-elle, n'avez-vous donc eu aucune nouvelle de votre mère ?

— Non, ma dame, et je ne sais si elle est encore vivante. Mais à plusieurs reprises elle m'est apparue en rêve, me répétant qu'elle avait plus sujet de se plaindre de moi que de s'en louer car je l'avais cruellement éprouvée.

— Hélas oui, lui répond-elle avec une infinie tristesse, vous ne pourrez plus voir votre mère qu'en songe car elle est morte dès votre départ pour la cour d'Artus.

— Mais comment cela est-il arrivé ?

— Votre mère a été tellement affligée de ce départ qu'elle est morte le jour même, aussitôt après s'être confessée. (33)

— Que Dieu ait pitié de son âme ! Je suis très triste d'apprendre sa mort mais puisqu'il en est ainsi, il me faut en prendre mon parti car tel est notre sort commun. Pourtant, je n'en avais rien su. Quant à ce chevalier que je recherche, savez-vous au nom de Dieu qui il est, d'où il vient, et si ce n'est pas celui qui arriva à la cour avec une armure vermeille ?

— Oui, c'est bien lui, et je vais même vous expliquer le sens de cette venue, en tous points nécessaire.

« Depuis l'avènement de Jésus-Christ, il y a eu en ce monde, comme vous le savez, trois tables de grande importance (34). La première fut la table de Jésus-Christ où mangèrent les apôtres à plusieurs reprises, celle qui rassasiait les corps et les âmes de la nourriture céleste. Là prirent place les frères unis de cœur et d'esprit sur lesquels David le prophète prononça en son livre cette parole admirable : « C'est une chose très bonne quand des frères vivent sous le même toit, unis en esprit comme en œuvre ». (35) Grâce aux frères qui s'assirent à cette table régnèrent la paix, la concorde et la patience, et l'on vit en eux toutes les bonnes œuvres qui peuvent exister. Cette table fut donc instituée par l'Agneau sans tache qui fut sacrifié pour notre rédemption.

« Ensuite, il y eut une autre table qui fut faite à l'image de la première et en souvenir d'elle : la table du Saint-Graal où, à l'époque de Joseph d'Arimathie, lorsque le christianisme fut apporté dans ce pays, se produisirent maints miracles, et notamment celui-ci, dont tous, croyants et incroyants, devraient également se souvenir. Lorsque Joseph d'Arimathie vint en Grande-Bretagne, il était accompagné d'un grand nombre de gens, — ils étaient bien quatre mille —, et tous étaient dans le plus grand dénuement. A leur arrivée, ils étaient très désemparés car ils craignaient,vu leur nombre, de manquer de vivres. Un jour, ils marchèrent à l'aventure dans une forêt sans trouver à manger et sans rencontrer âme qui vive ; ce qui les remplit d'angoisse car ils n'étaient pas habitués à cela. Ce jour-là donc, ils se passèrent de manger mais, le lendemain, ils fouillèrent toute la région et finirent par trouver une vieille femme qui portait douze pains sortant du four. Ils les lui achetèrent mais, au moment de les partager, une violente querelle les opposa car ils différaient sur la conduite à tenir. On rapporta l'incident à Joseph qui, très irrité, ordonna d'apporter les pains devant lui. Arrivèrent également ceux qui les avaient achetés, qui lui expliquèrent ce qui se passait. Ordonnant alors à tous de s'asseoir comme s'ils étaient à la table de la Cène, il partagea les pains, en répartit les morceaux sur la table, et mit à la place d'honneur le Saint-Graal dont la présence fit si bien se multiplier les douze pains que tout le peuple — les quatre mille personnes — en fut miraculeusement nourri et rassasié (36). Tous alors rendirent grâces à Dieu et Le remercièrent de les avoir si manifestement secourus.

« L'un des sièges de cette table était réservé à Josèphé, le fils de Joseph d'Arimathie, et il était établi que lui seul pouvait s'y asseoir, lui, leur maître et leur pasteur qui avait été sacré et béni de la main même de Jésus-Christ, comme le rapporte l'histoire, et qui avait reçu de lui la charge du peuple chrétien. Notre Seigneur lui-même l'y avait placé et personne n'avait donc assez d'audace pour s'y asseoir. Ce siège avait été fait à l'image de celui où Notre Seigneur prit place, le jour de la Cène, lorsqu'Il s'assit au milieu de ses disciples, comme leur maître et leur pasteur. Or, de même qu'Il était le seigneur et le maître de tous les apôtres, de même Josèphé devait-il guider tous ceux qui prenaient place à la table du Saint-Graal et en être le seigneur et le maître. Mais lorsqu'ils arrivèrent dans ce pays, après avoir longuement erré en terre étrangère, deux frères, qui étaient de la famille de Josèphé, furent jaloux de voir que Notre Seigneur l'avait placé plus haut qu'eux et l'avait désigné comme le meilleur d'entre eux. Ils en discutèrent en secret et décidèrent qu'ils refuseraient de lui obéir, car ils étaient d'une aussi noble famille que lui et n'accepteraient donc pas plus longtemps d'être ses disciples et de le reconnaître comme leur maître. Le lendemain, le peuple monta sur une haute colline où l'on installa les tables. Lorsqu'on pria Josèphé de s'asseoir sur le siège à lui consacré, les deux frères s'y opposèrent et, devant toute l'assistance, l'un d'eux y prit place. Il se produisit alors un miracle stupéfiant : la terre engloutit celui qui s'était assis. La nouvelle de ce miracle se propagea vite dans le pays. Le siège fut désormais appelé le Siège Redouté et, par la suite, nul n'osa s'y asseoir, sauf l'élu de Notre Seigneur. (37)

« Après cette table, il y eut la Table Ronde, instituée selon les conseils de Merlin, et non sans grande signification. Elle est en effet appelée Table Ronde parce qu'elle signifie la rotondité du monde et le cours des planètes et des éléments du firmament dans lequel on peut voir les étoiles et les autres astres. Aussi peut-on à juste titre affirmer que la Table Ronde représente le monde. Au reste, comme vous le savez, là où la chevalerie existe,que ce soit en terre païenne ou chrétienne, ses membres viennent à la Table Ronde et, si Dieu leur accorde la grâce d'y prendre place, ils s'estiment plus comblés que s'ils avaient le monde entier en leur possession, et ils en oublient parents, femmes et enfants. D'ailleurs, vous l'avez bien vu par vous-même, vous qui, depuis que vous avez quitté votre mère et que vous êtes devenu compagnon de la Table Ronde, n'avez jamais éprouvé le désir de revenir en ces parages mais avez été aussitôt séduit par le climat de tendresse et de fraternité qui doit être de règle entre les compagnons.

« Après avoir institué la Table Ronde, Merlin déclara que ce serait grâce à ceux qui y prendraient place qu'on aurait la révélation des secrets du Saint-Graal qui, en ce temps, ne s'était pas encore manifesté. Comme on lui demandait comment on pourrait reconnaître ceux dont les mérites seraient les plus grands, il répondit : « Trois d'entre eux mèneront à bien cette Quête. Deux seront vierges, et le troisième chaste. L'un des trois surpassera son père,comme le lion surpasse le léopard en puissance et en audace, et il devra être reconnu comme le maître et le pasteur de tous les autres. Quant aux compagnons de la Table Ronde, leur Quête du Graal restera vaine jusqu'au jour où Notre Seigneur enverra parmi eux ce chevalier avec une soudaineté qui les surprendra.

— Merlin, poursuivirent ceux qui avaient entendu sa prédiction, puisque ce chevalier sera d'un aussi grand mérite que tu le dis, tu devrais faire pour lui un siège particulier où nul autre ne pourra s'asseoir, et plus élevé que les autres pour qu'on le reconnaisse facilement.

— Je vais le faire », répondit Merlin. Il fit donc un siège de très grande dimension, puis, l'ayant achevé, il y posa ses lèvres et dit qu'il l'avait fait pour l'amour du Bon Chevalier qui y prendrait place.

« Mais, Merlin, qu'adviendra-t-il de ce siège, reprirent-ils ?

— De grands prodiges, car personne ne pourra s'y asseoir sans être tué ou blessé jusqu'au jour où le Vrai Chevalier y prendra place.

— On courrait donc un grand danger à le faire ?

— Sans aucun doute, et à cause des périls auxquels il exposera celui qui voudrait y prendre place, il sera appelé le Siège Périlleux (38).

« Cher neveu, reprit la dame, voici donc pour quelles raisons furent faits la Table Ronde ainsi que le Siège Périlleux où maint chevaliers trouvèrent la mort parce qu'ils n'étaient pas dignes de s'y asseoir. Mais je vais vous expliquer maintenant pourquoi le Bon Chevalier vint à la cour revêtu d'une armure vermeille. Jésus-Christ, vous le savez, apparut à la table de la Cène comme le pasteur et le maître de ses apôtres. De même Joseph donna-t-il sa signification à la table du Saint-Graal et le chevalier dont nous parlons à la Table Ronde. Avant sa Passion, Jésus-Christ promit à ses apôtres qu'Il viendrait les visiter et ils attendirent dans la tristesse et l'anxiété l'accomplissement de sa promesse. Mais le jour de la Pentecôte, alors qu'ils étaient tous réunis dans une maison dont les portes étaient closes, le Saint-Esprit descendit sur eux, semblable à des langues de feu, les réconforta et dissipa leurs craintes. Puis il leur ordonna de se séparer et d'aller par le monde pour prêcher et enseigner le Saint Evangile. Voici donc ce qui arriva aux apôtres en ce jour de la Pentecôte où Notre Seigneur vint les visiter et les réconforter. De la même manière est venu vous réconforter, me semble-t-il, ce chevalier que vous devez considérer comme votre maître et votre pasteur. Comme Notre Seigneur vint sous les apparences du feu, lui aussi apparut en effet vêtu d'une armure vermeille, dont la couleur est semblable à celle du feu. De même que les portes de la maison où se trouvaient les apôtres étaient closes lorsque vint Notre Seigneur, de même les portes de la salle étaient fermées avant l'arrivée du chevalier, et il vint parmi vous d'une manière si soudaine que nul, si sage soit-il, ne put savoir d'où il venait. Ce même jour fut entreprise la Quête du Saint-Graal et de la lance (39), quête qui ne cessera pas avant que la vérité soit révélée, avant que l'on sache le pourquoi de toutes les aventures survenues dans ce pays. Mais si je vous ai appris tout cela sur ce chevalier, c'est pour que vous ne l'attaquiez jamais. Il ne le faut pas en effet, d'une part parce que vous êtes son frère, — vous êtes tous deux compagnons de la Table Ronde —, d'autre part parce que vous ne pourriez lui résister longtemps car il est bien meilleur chevalier que vous.

— Ma dame, répondit Perceval, vous m'en avez tant appris sur son compte que je n'ai plus aucune envie de me battre contre lui mais, au nom de Dieu, indiquez-moi ce que je pourrais faire et comment le retrouver. En effet, si je l'avais comme compagnon, je ne le quitterais plus aussi longtemps que je pourrais le suivre.

— Je vais donc vous conseiller de mon mieux. Pour l'instant, je ne sais vous dire où il est, mais je vous indiquerai au moins comment le retrouver au plus vite. Et quand vous l'aurez rejoint, restez avec lui aussi longtemps que vous le pourrez. Une fois parti d'ici, vous vous rendrez dans un château nommé Got, où habite une de ses cousines germaines et où il a dû s'arrêter hier au soir par amitié pour elle. Si elle peut vous indiquer la route qu'il a prise, suivez-la aussi vite que possible. Si elle ne sait rien vous dire, allez droit à Corbenic où demeure le Roi Méhaignié. Je sais que, si vous ne le trouvez pas là, on vous y donnera tout au moins des informations exactes ».

Perceval et la recluse parlèrent ainsi du chevalier jusqu'à midi.

« Cher neveu, lui dit-elle alors, vous resterez cette nuit avec moi, cela me fera grand plaisir. Voici si longtemps que je ne vous ai vu que votre départ me sera bien pénible !

— Ma dame, j'ai tant à faire qu'il me sera déjà difficile de rester aujourd'hui et je vous demande, au nom de Dieu, de me laisser partir.

— Si vous partez aujourd'hui, ce sera sans ma permission mais je vous l'accorderai bien volontiers demain matin, après la messe ».

Il consentit donc à rester et se fit désarmer. Les gens de la recluse mirent la table et tous mangèrent ce qu'elle avait fait préparer.

Perceval passa ainsi la nuit chez sa tante. Tous deux parlèrent du Bon Chevalier, et de bien d'autres choses encore. Finalement, sa tante lui dit :

« Cher neveu, jusqu'à ce jour, vous avez su préserver votre virginité de toute atteinte et de toute souillure et vous avez tout ignoré de l'union charnelle. Pour votre plus grand bien, car si votre chair avait été profanée par la corruption du péché, vous n'auriez pu être au nombre des élus de la Quête. Vous auriez eu le sort de Lancelot qui, tout brûlé qu'il est de lubricité et de luxure, a perdu depuis longtemps toute chance d'accomplir ce que les autres s'efforcent maintenant de mener à bien. Je vous demande donc instamment de garder votre corps aussi net que lorsque Notre Seigneur vous fit chevalier, afin que vous puissiez arriver devant le Saint-Graal vierge et pur de toute luxure. Au reste, ce sera là un des plus grands exploits que fît jamais chevalier car, de tous ceux de la Table Ronde, il n'y en a pas un seul qui ait su préserver sa virginité sauf vous, et Galaad, le Bon Chevalier dont je vous parle ».

Et Perceval lui répond que, si Dieu le veut, il saura se garder comme il le doit.

Perceval resta toute la journée avec sa tante qui l'exhorta longuement à se bien conduire mais surtout, — ce fut là sa principale recommandation —, elle l'invita à garder son corps aussi pur qu'il le devait. Il le lui promit. Lorsqu'ils eurent longuement parlé du Bon Chevalier et de la cour du roi Artus, Perceval demanda à sa tante pourquoi elle avait abandonné son royaume et s'était retirée en ce lieu si sauvage.

« Par Dieu, dit-elle, j'ai fui jusqu'ici parce que je craignais pour ma vie. Vous n'ignorez pas en effet que lorsque vous êtes parti pour la cour, le roi mon époux était en guerre contre le roi Libran et, lorsque mon mari mourut, moi, pauvre femme éperdue, j'ai eu peur que Libran ne me mette à mort s'il parvenait à s'emparer de moi. J'ai donc immédiatement réuni une grande partie de mes richesses et me suis réfugiée en ce pays si sauvage pour ne pas être retrouvée. J'ai fait alors construire la maison que vous voyez, où j'ai installé mon chapelain et mes gens, et cette cellule où je me suis enfermée et dont je ne sortirai plus que morte, s'il plaît à Dieu. Je veux en effet y passer le reste de mes jours en servant Notre Seigneur.

— Voici, dit Perceval, une extraordinaire aventure. Mais dites-moi ce qu'est devenu votre fils Diabiaus. J'ai grande envie de le savoir.

— Il est allé servir chez le roi Pellés, votre parent, pour obtenir ses armes et j'ai appris par la suite qu'il avait été armé chevalier, mais voici deux ans que je ne l'ai pas vu car il participe à tous les tournois en Grande-Bretagne. Je pense toutefois que vous le trouverez à Corbenic, si vous y allez.

— Ma foi, j'irais bien rien que pour le voir car je désire fort l'avoir comme compagnon.

— Par Dieu, je voudrais bien que vous vous retrouviez car je serais heureuse de vous savoir ensemble ».

Ce jour-là Perceval resta donc avec sa tante et, le lendemain, sitôt après la messe, il s'arma et s'en alla. Il chevaucha toute la journée à travers une forêt extrêmement vaste sans rencontrer âme qui vive. Après vêpres, il entendit une cloche sonner sur sa droite. Il se dirigea donc de ce côté, pensant bien qu'il trouverait là couvent ou ermitage. Il ne tarda guère en effet à apercevoir une abbaye fortifiée et entourée de profonds fossés. Arrivé à la porte, il appella pour se faire ouvrir. Les moines, le voyant armé, comprirent aussitôt que c'était un chevalier errant. Ils le désarmèrent, lui firent un excellent accueil et conduisirent son cheval à l'écurie où ils lui donnèrent foin et avoine en abondance. Enfin un des frères emmena Perceval se reposer dans une chambre. Cette nuit-là, les moines l'hébergèrent de leur mieux. Le lendemain, Perceval ne s'éveilla pas avant prime et s'en fut alors écouter la messe dans l'abbaye.

Une fois dans la chapelle, il vit sur sa droite une grille de fer derrière laquelle un frère, revêtu des armes de Notre Seigneur, s'apprêtait à dire la messe. Perceval s'approche de la grille pour écouter le service et pense pouvoir la franchir mais il se rend compte qu'il n'y parviendra pas car il ne peut trouver de porte. Il renonce donc et s'agenouille à l'extérieur. Regardant derrière le prêtre, il aperçoit alors un lit somptueusement paré de draps de soie et d'autres étoffes, le tout parfaitement blanc. Puis, regardant mieux, il voit qu'y est étendu un homme ou une femme, il ne saurait préciser, car le visage est recouvert d'un fin tissu blanc qui empêche de bien voir. Comprenant qu'il perd son temps, il détourne les yeux et écoute attentivement la messe que le prêtre avait commencée. Or, au moment de l'Elévation, celui qui était étendu dans le lit s'assit et découvrit son visage. C'était un homme très âgé, aux cheveux blancs, qui portait une couronne d'or sur la tête et qui était nu jusqu'au nombril. Perceval s'aperçut alors que tout son corps, ses mains, ses bras et son visage étaient couverts de plaies. Au moment où le prêtre présenta le corps de Notre Seigneur Jésus-Christ, il tendit les mains vers lui en s'écriant :

« Mon doux Seigneur, n'oubliez pas ce que vous m'avez promis », puis, sans se recoucher, il pria longuement, les mains tendues vers son Créateur et la couronne d'or toujours sur sa tête. Perceval regarde longtemps cet homme dont les blessures lui paraissent extrêmement graves. Il lui semble si vieux qu'il a bien, à son estime, trois cents ans ou plus. Tout à son étonnement, il ne peut en détourner les yeux. Enfin, une fois la messe terminée, il voit le prêtre prendre dans ses mains le corps de Notre Seigneur et le porter à l'homme étendu sur le lit. Celui-ci, dès qu'il a communié, ôte la couronne de sa tête et la fait mettre sur l'autel puis se recouche comme précédemment, la tête couverte, disparaissant ainsi aux regards. Le prêtre, sa messe dite, se dévêt aussitôt.

Perceval sortit alors de la chapelle et, revenant dans la pièce où il avait dormi, appela un des moines :

« Seigneur, au nom de Dieu, lui dit-il, répondez à ma question car je pense que vous êtes en mesure de le faire.

— Seigneur chevalier, dites et je répondrai volontiers si j'en suis capable et s'il m'est permis de le faire.

— Voici donc : je viens d'écouter la messe dans cette chapelle et j'ai vu derrière la grille du chœur un homme très âgé, portant une couronne d'or et allongé sur un lit devant l'autel. Quand il s'est assis, j'ai vu qu'il était tout couvert de plaies. Après la messe, le prêtre lui a donné la communion et aussitôt l'homme a enlevé la couronne de sa tête et s'est recouché. Cher seigneur, tout ceci, me semble-t-il, a un sens que je voudrais bien connaître, s'il se peut, et que je vous demande instamment de m'expliquer.

— Bien volontiers », répondit le moine.

« C'est un fait assuré et que bien des gens ont dû vous rapporter que Joseph d'Arimathie, le noble, le vrai chevalier, a été tout d'abord envoyé par le Tout-Puissant en ce pays pour y instaurer et y développer le christianisme avec l'aide de son Créateur. Une fois arrivé, il dut subir nombre de persécutions et d'épreuves que lui suscitèrent les ennemis de la vraie foi, car, en ce temps-là, il n'y avait en ce pays que des païens. Régnait sur cette terre un roi nommé Crudel qui était bien le plus perfide et le plus cruel du monde, dépourvu qu'il était de toute pitié et de toute humilité. Lorsqu'il apprit que les chrétiens étaient venus dans son pays et qu'ils avaient apporté avec eux un vase précieux et pourvu d'un pouvoir si extraordinaire qu'ils vivaient presque uniquement de la grâce qu'il dispensait, il refusa tout d'abord d'y ajouter foi. Mais comme on lui répétait sans cesse que c'était vrai, il déclara qu'il s'en assurerait rapidement. Il fit donc arrêter Josèphé, le fils de Joseph, deux de ses neveux et environ une centaine de ceux que Josèphé avait choisis pour être les maîtres et les pasteurs des chrétiens. Mais, dans la prison où ils les avait mis, ceux-ci avaient conservé avec eux le Saint-Vase grâce auquel ils n'avaient nul souci pour leur nourriture terrestre. Le roi, qui avait interdit à quiconque d'avoir l'audace de s'occuper d'eux, les garda quarante jours en prison sans leur donner ni à boire ni à manger.

« La nouvelle se répandit bientôt dans tous les pays où Josèphé avait passé que le roi Crudel l'avait emprisonné avec de nombreux chrétiens. Tant et si bien que le roi Mordrain, qui vivait près de Jérusalem dans la cité de Sarras et qui avait été converti par les discours et les sermons de Josèphé, l'apprit. Il en fut consterné car c'est grâce à lui qu'il avait conservé son royaume lorsque Tholomer avait voulu s'en emparer. Ce dernier y serait d'ailleurs parvenu sans les conseils de Josèphé et l'aide que lui avait apporté Séraphé, le propre beau-frère de Josèphé.

« Lorsque le roi Mordrain apprit que Josèphé était en prison, il se jura de tout faire pour le délivrer. Il réunit sur le champ une armée aussi importante que possible, embarqua des armes et des chevaux et fit voile jusqu'ici. Une fois arrivé avec ses hommes, il fit savoir au roi Crudel que, s'il refusait de délivrer Josèphé, il lui prendrait sa terre et le déshériterait. Mais celui-ci, dédaignant ses menaces, marcha contre lui. Les chrétiens, telle fut la volonté de Notre Seigneur, remportèrent la bataille et le roi Crudel fut tué avec ses hommes. Le roi Mordrain (qui s'appelait Evalach avant d'être baptisé) avait accompli de tels exploits durant le combat que tous ses hommes en étaient remplis d'étonnement. Or, en le désarmant, ils virent qu'il était si couvert de blessures qu'il aurait dû normalement y succomber. Pourtant, lorsqu'ils lui demandèrent comment il se sentait, il répondit qu'il n'éprouvait aucun mal. Ensuite, il délivra Josèphé, manifestant une joie extrême à le revoir car il lui portait un profond amour. Comme Josèphé lui demandait pourquoi il était venu dans cette région, il lui répondit que c'était pour le délivrer.

« Le lendemain, les chrétiens se rendirent devant la table du Saint-Graal et y firent leurs prières. Or, lorsque Josèphé leur maître, revêtu des armes de Notre Seigneur, s'approcha du Saint-Graal pour dire l'office, le roi Mordrain, qui désirait depuis toujours voir distinctement le Saint-Graal s'il le pouvait, s'avança plus qu'il n'aurait dû. Alors une voix se fit entendre qui lui dit :

« Roi, n'approche pas davantage, tu n'en as pas le droit ».

« Mais Mordrain était déjà allé plus loin que la parole mortelle ne pourrait le dire et l'esprit humain le concevoir (40) et son désir de voir était tel qu'il s'approchait de plus en plus. Alors une nuée descendit soudain devant lui qui l'aveugla et lui enleva presque complètement l'usage de ses membres. Lorsqu'il comprit que Notre Seigneur s'était vengé d'une manière si éclatante parce qu'il avait enfreint ses ordres, il dit devant tout le peuple :

« Jésus-Christ, mon doux Seigneur, vous venez de montrer que c'est folie d'enfreindre vos ordres, mais, de même que j'accepte de grand cœur le châtiment que vous m'avez envoyé, daignez m'accorder, en récompense de mes services, de ne pas mourir avant que ne vienne me visiter le Bon Chevalier, le neuvième descendant de mon lignage, celui qui pourra contempler distinctement les secrets du Saint-Graal et que je voudrais tant serrer dans mes bras et embrasser ».

« Or, quand le roi eut adressé cette requête à Notre Seigneur, la voix lui répondit :

« Roi, n'aies crainte ! Notre Seigneur a entendu ta prière et ton désir sera exaucé : tu ne mourras pas avant que vienne te voir le Bon Chevalier que tu attends. Au moment où il viendra devant toi, la vue te sera rendue, tu pourras le contempler et tes plaies guériront qui, jusque là, ne pourront se refermer ».

« Ainsi parla la voix, annonçant au roi qu'il verrait ce chevalier qu'il avait tant désiré. Prédiction tout à fait véridique, nous semble-t-il, puisque depuis quatre cents ans que cette aventure s'est produite, il n'a plus jamais recouvré la vue ni l'usage de ses membres et que ses plaies ne se sont pas refermées. Mais le Bon Chevalier, dit-on, est déjà en ce pays, lui qui doit achever cette aventure. D'ailleurs, d'après les signes que nous avons déjà vus, nous pensons que le roi retrouvera bientôt la vue et l'usage de ses membres mais il mourra peu après.

« Voici donc ce qui arriva au roi Mordrain, celui-là même que vous avez vu et sachez que, depuis quatre cents ans, il a vécu d'une manière si pieuse et si sainte qu'il n'a pris d'autre nourriture terrestre que celle que le prêtre nous montre lors de l'Elévation, je veux dire le corps de Notre Seigneur Jésus-Christ. Au reste, vous avez pu le voir aujourd'hui : sitôt après la messe, le prêtre a présenté au roi le corps de Notre Seigneur et lui a donné la communion. Ainsi, depuis l'époque de Josèphé, le roi vit dans cette attente qui ne prendra fin qu'au moment où viendra ce chevalier qu'il a tant désiré voir. Tout comme fit le vieillard Siméon qui attendit la venue de Notre Seigneur jusqu'au jour où il fut amené au Temple. Là, le vieil homme l'accueillit et le prit dans ses bras, plein de joie et d'allégresse de voir que sa promesse avait été exaucée, car le Saint-Esprit lui avait dit qu'il ne mourrait pas avant d'avoir vu Jésus-Christ. En le voyant, il chanta le beau psaume que rapporte David le prophète (41). Et tout comme Siméon attendait avec grand désir Jésus-Christ, le fils de Dieu, le Saint Prophète, le Souverain Maître, de même Mordrain attend la venue de Galaad, le bon, le parfait chevalier. Mais maintenant que j'ai répondu sans détours à toutes vos questions, dites-moi, je vous prie, qui vous êtes. »

Le jeune homme lui explique alors qu'il est de la cour du roi Artus et compagnon de la Table Ronde et qu'il s'appelle Perceval le Gallois. Le moine, tout heureux d'apprendre son nom car il avait souvent entendu parler de lui, l'invite à rester tout le jour à l'abbaye où on saura le recevoir comme il le mérite. Mais Perceval répond qu'il a tant à faire qu'il lui faut repartir sans s'attarder et, à sa demande, on lui apporte son armure. Une fois équipé, il monte à cheval, prend congé des moines et chevauche à travers la forêt jusqu'à l'heure de midi.

A midi, il arriva dans une vallée où il rencontra une vingtaine d'hommes en armes qui transportaient sur une litière le corps d'un homme récemment tué. Les hommes lui demandent qui il est mais, lorsqu'il leur dit qu'il est de la cour du roi Artus, ils s'écrient tous ensemble :

« Attaquons-le » !

Aussitôt il fait face du mieux qu'il peut, attaque celui qui chevauchait en tête et le frappe avec une force telle qu'il le jette à terre et son cheval sur lui. Mais alors qu'il pense pouvoir continuer sur sa lancée, sept de ses adversaires et plus le frappent sur son écu tandis que d'autres tuent son cheval sous lui. Il tombe à terre mais se relève aussitôt, en chevalier éprouvé, tire son épée et fait face. Les autres, pourtant, l'attaquent avec tant d'acharnement qu'il ne peut résister. Ils lui donnent de tels coups sur l'écu et sur le heaume qu'il ne peut plus se tenir debout. Il vacille, touchant le sol d'un genou. Eux redoublent leurs assauts et seraient pavenus à le tuer, — ils lui avaient déjà arraché le heaume de la tête et l'avaient blessé —, sans l'intervention du chevalier aux armes vermeilles qui vint par aventure dans ces parages. Lorsqu'il voit le chevalier à pied, tout seul, cerné d'ennemis qui voulait le tuer, il se dirige vers eux de toute la vitesse de son cheval en leur criant :

« Laissez ce chevalier » !

Puis il se jette entre eux, lance en arrêt, et donne un tel coup au premier qu'il l'abat. Une fois sa lance brisée, il tire son épée et attaque de tous côtés ses adversaires avec une force telle qu'il jette à terre tous ceux qu'il rencontre. Il fait preuve d'une telle prouesse, alliant la force des coups à la rapidité des attaques, que bientôt aucun des chevaliers n'a assez d'audace pour l'affronter. Tous s'enfuient en désordre et se jettent dans la forêt qui était très profonde. Tant et si bien qu'il ne reste plus devant lui que trois chevaliers dont l'un avait été abattu et blessé par Perceval et les deux autres par lui-même. Voyant qu'ils se sont enfuis et que Perceval n'a plus rien à craindre, il se jette à son tour au plus épais de la forêt pour échapper à toute recherche.

Perceval, en le voyant s'éloigner si rapidement, lui crie de toutes ses forces :

« Ha ! seigneur chevalier, au nom de Dieu, arrêtez-vous un moment et venez me parler ! »

Mais le Bon Chevalier ne paraît pas entendre ses paroles. Au contraire, il s'éloigne à bride abattue, sans faire mine de vouloir retourner sur ses pas. Perceval, qui n'avait plus de cheval puisque ses assaillants l'avaient tué, le suit à pied aussi vite qu'il peut. Il rencontre bientôt un écuyer monté sur un cheval robuste, agile et rapide et qui menait à main droite un grand destrier noir. Perceval ne sait que faire. Il voudrait avoir ce destrier pour suivre le chevalier et il ferait beaucoup pour cela, mais seulement avec le consentement de l'écuyer car il se refuse à le lui enlever de force, — sauf en cas de nécessité majeure —, de peur de passer pour un chevalier dépourvu de toute courtoisie. Il s'approche donc de l'écuyer et le salue.

« Que Dieu vous bénisse ! lui répond l'autre.

— Mon ami, poursuit Perceval, je te demande comme un grand service, — et en contrepartie je serai à tes ordres dès que tu me le demanderas —, de me prêter ce cheval jusqu'à ce que j'aie pu rejoindre ce chevalier qui vient de partir d'ici.

— Seigneur, je n'en ferai rien. Ce cheval appartient à un homme qui me tuerait si je ne le lui ramenais pas.

— Mon ami, fais ce que je te demande. Jamais je n'ai éprouvé douleur semblable à celle que j'aurai si je perds la trace de ce chevalier faute de cheval.

— Non, répond l'écuyer, je ne changerai pas d'avis et, tant

qu'il sera sous ma garde, vous ne l'aurez pas de mon plein gré, il faudra me l'enlever de force. »

Perceval est si consterné de ce refus qu'il croit bien devenir fou. Il ne veut pas mal agir envers l'écuyer mais, s'il perd la trace du chevalier, il sera à tout jamais désespéré. Cette alternative le plonge dans une si grande douleur qu'incapable de se tenir debout, il se laisse choir au pied d'un arbre. Le cœur lui manque. Il pâlit et s'affaisse comme s'il avait perdu l'usage de ses membres et son désespoir est tel qu'il voudrait mourir. Enlevant alors son heaume, il prend son épée et dit à l'écuyer :

« Mon ami, puisque tu me refuses les moyens d'apaiser cette douleur dont il me faudra mourir, prends cette épée, je t'en prie, et tue-moi sur le champ. Ainsi ma souffrance prendra fin. Et si le Bon Chevalier que je recherchais apprend que je suis mort de la douleur qu'il m'a causée, il aura assez de générosité pour prier Notre Seigneur d'avoir pitié de mon âme.

— Par Dieu, répond l'écuyer, je ne vous tuerai pas, je n'ai aucune raison de le faire ! »

Sur ce il s'en va à vive allure, laissant Perceval en proie à une douleur si profonde qu'il pense en mourir. Ne voyant plus ni l'écuyer ni personne, il éclate en lamentations, proclamant son impuissance et sa détresse :

« Hélas ! malheureux infortuné, s'écrie-t-il, voici donc que tu as échoué dans ta quête puisque le chevalier t'a échappé et jamais tu n'auras meilleure occasion qu'aujourd'hui de le retrouver ! »

Tandis que Perceval se lamente de la sorte, voici qu'il perçoit le galop d'un cheval. Ouvrant les yeux, il voit un chevalier tout armé qui allait par le grand chemin de la forêt, monté sur le cheval que tenait il y a un instant l'écuyer. Perceval reconnaît bien le cheval mais n'imagine pas un instant que son cavalier l'ait pris de force. Lorsque celui-ci a disparu, il recommence à se lamenter mais bientôt il voit l'écuyer qui revient sur son propre cheval en se plaignant amèrement.

« Seigneur, dit-il, en apercevant Perceval, n'avez-vous pas vu passer un chevalier monté sur le cheval que vous m'avez demandé tout à l'heure ?

— Oui, répond Perceval, mais pourquoi ?

— Parce qu'il me l'a pris de force, me vouant ainsi à la mort car mon maître me tuera dès qu'il me retrouvera.

— Et que veux-tu que je fasse ? Je ne peux le lui reprendre puisque je suis à pied ! Pourtant, si j'avais un cheval, je te le ramènerais bientôt.

— Seigneur, prenez le mien et si vous pouvez conquérir le cheval, qu'il soit à vous !

— Et comment retrouveras-tu ton cheval si j'arrive à m'emparer de l'autre ?

— Je vous suivrai à pied. Si vous triomphez du chevalier, je reprendrai mon bien et le destrier sera à vous.

— Bien volontiers », répond Perceval.

Relaçant alors son heaume, il monte en selle, prend son écu et s'en va aussi vite que le lui permet sa monture à la poursuite du chevalier. Il finit par arriver dans une petite prairie, — elles étaient nombreuses dans cette forêt —, et aperçoit devant lui le chevalier qui s'éloigne au grand galop sur son destrier.

« Seigneur chevalier, lui crie-t-il aussitôt, revenez et rendez à l'écuyer le destrier dont vous vous êtes injustement emparé ! »

Mais l'autre, en l'entendant, lui court sus, lance en arrêt. Perceval tire son épée, pensant qu'il va lui falloir se battre mais le chevalier, décidé à abréger le combat, fond sur lui aussi vite qu'il le peut et frappe le cheval de Perceval avec une force telle qu'il le transperce. La bête s'écroule, blessée à mort, et Perceval culbute par dessus l'encolure. Le chevalier, après ce coup, repart au galop et, gagnant la lisière de la forêt, se jette au plus épais. Perceval est si consterné par cette aventure qu'il ne sait plus que faire ni que dire.

« Poltron, lâche, crie-t-il au fuyard, revenez combattre, moi à pied, vous à cheval ! »

Mais l'autre, qui se moque bien de lui, ne répond mot et s'enfonce au plus vite dans la forêt. Lorsqu'il l'a perdu de vue, Perceval, dans sa douleur, jette à terre son écu et son épée, enlève son heaume de sa tête et se lamente encore plus fort qu'avant. Il pleure et se plaint en se répétant qu'il est le plus misérable, le plus infortuné, le plus malchanceux de tous les chevaliers, lui qui n'a rien pu obtenir de ce qu'il désirait.

Perceval passa toute la journée ainsi, plongé dans la douleur et la tristesse sans que personne ne vienne le réconforter. Au soir, il se sentit si fatigué, si épuisé qu'il lui semblait que ses membres se dérobaient sous lui. Puis le sommeil le gagna et il dormit jusqu'à minuit. Se réveillant alors, il aperçut devant lui une femme qui lui dit d'une voix terrible :

« Perceval, que fais-tu ici ? »

Il lui répondit qu'il ne faisait ni bien ni mal et que, s'il avait un cheval, il s'en irait.

« Si tu veux bien me promettre de te soumettre à mes ordres, reprit-elle, je te donnerai un cheval, un bon cheval, qui te conduira où tu voudras ».

Tout heureux, Perceval ne cherche pas à savoir à qui il parle. Il parle avec une femme, pense-t-il, mais c'est en réalité le Diable qui cherche à le tromper et à provoquer la perte de son âme. Mais lui, en entendant cette femme lui promettre ce qu'il désire par dessus tout, se déclare prêt à lui assurer, contre un bon cheval, qu'il fera ce qu'elle lui demandera dans la mesure de ses forces.

« Vous me le promettez sur votre foi de chevalier ?

— Oui, oui, répond-il.

— Alors attendez-moi, je serai bientôt de retour ».

Elle rentre alors dans la forêt et en ramène un grand et beau cheval, d'un noir peu commun.

En le voyant, Perceval est glacé d'effroi. Néanmoins il est assez téméraire pour se mettre en selle sans prendre garde au piège de l'Ennemi et prend son écu et sa lance.

« Perceval, lui dit alors la femme qui se tenait devant lui, vous partez ? Souvenez-vous pourtant que vous me devez une récompense » !

Il lui renouvelle alors sa promesse et se jette dans la forêt à vive allure. La lune brillait. Le cheval va si vite que bientôt Perceval est sorti de la forêt et s'en trouve à plus de trois jours de marche. Il finit par arriver dans une vallée et aperçoit devant lui une rivière large et rapide. Le cheval s'en approche et veut s'y jeter mais, la voyant si large, Perceval redoute de la traverser. De plus, il fait nuit et il ne voit ni pont ni passerelle. Il lève alors la main et fait le signe de croix sur son front. Le Diable, dès qu'il sent sur lui le poids de la croix, fardeau trop pesant et trop pénible pour lui, se secoue et se débarrasse de son cavalier puis se jette dans la rivière en vociférant et en poussant des cris lamentables. Aussitôt des gerbes de flamme jaillissent en plusieurs endroits de la rivière qui semble ainsi toute embrasée.

Perceval, devant ce spectacle, comprend sur le champ que c'est le Diable qui l'a mené jusque là pour le tromper et le damner corps et âme. Il se signe donc en se recommandant à Dieu et le prie de ne pas le laisser succomber à la tentation, ce qui l'empêcherait d'être au nombre des chevaliers célestes. Il tend les mains vers le ciel, remerciant de tout son cœur Notre Seigneur pour l'aide qu'Il lui a procurée en cette circonstance car, une fois dans la rivière, le cheval diabolique y aurait sans doute précipité son cavalier qui se serait noyé et aurait ainsi perdu et son corps et son âme. Perceval s'écarte alors de la rivière, redoutant encore les assauts du démon, puis s'agenouille vers l'Orient et récite les prières qu'il connaissait, attendant avec impatience le jour pour savoir où il se trouve. Il est en effet persuadé que le Diable l'a emporté fort loin de l'abbaye où il a vu hier le roi Mordrain.

Il continue ainsi de prier jusqu'au lever du jour, attendant que le soleil ait accompli sa course dans le ciel et soit revenu éclairer le monde. Lorsqu'il est apparu dans toute sa clarté, dissipant la rosée, Perceval, regardant autour de lui, se retrouve sur une montagne très élevée, désertique, entourée de toutes parts par la mer et très éloignée de toute terre. Il comprend alors qu'il a été transporté dans une île, il voudrait bien savoir laquelle, mais c'est impossssible car il n'y a, semble-t-il, ni château ni forteresse, ni tour, ni maison où puissent habiter des êtres humains. Pourtant il est loin d'être seul. Tout autour de lui se pressent des bêtes sauvages, ours, lions, léopards et serpents ailés. Spectacle qui le remplit d'angoisse et de crainte. Les bêtes sauvages, il le sait bien, ne le laisseront pas en paix mais le tueront s'il ne peut se défendre. Toutefois, si Celui qui sauva Jonas englouti dans le poisson et qui protégea Daniel dans la fosse aux lions veut bien lui servir en cette occasion de bouclier et de rempart, il n'a rien à redouter de ce qu'il voit. Il se fie d'ailleurs plus dans l'aide et le secours divins que dans son épée car il sait bien que ce n'est pas par des exploits à la mesure humaine qu'il pourrait se sauver si Notre Seigneur n'intervient. Parcourant l'île du regard, il voit que le centre en est occupé par un rocher très élevé qu'il pourrait escalader. Il serait ainsi à l'abri des bêtes sauvages. Il s'y dirige donc avec ses armes mais aperçoit alors un serpent qui emporte entre ses dents un lionceau qu'il tient par le cou. Le serpent gagne le sommet du rocher, poursuivi par un lion qui crie et rugit et manifeste un tel désespoir que Perceval croit comprendre qu'il se lamente sur son petit que le serpent emporte.

Perceval grimpe alors aussi vite qu'il peut au sommet mais le lion, plus rapide, l'a devancé et a déjà commencé à se battre contre le serpent. Perceval toutefois décide d'aider le lion parce que c'est une bête de plus noble espèce et de plus haut rang que le serpent (42). Il tire alors son épée, met son écu devant son visage pour se préserver des flammes que lance le serpent et lui assène un grand coup entre les deux oreilles. Mais celui-ci crache des flammes qui viennent brûler l'écu et le devant du haubert du chevalier. Peu s'en faut d'ailleurs qu'il ne soit plus grièvement atteint mais il est si rapide et si agile qu'il ne reçoit guère que des flammèches : les flammes ne l'atteignent pas de plein fouet et lui font moins de mal. Sa frayeur pourtant est grande car il a peur qu'elles ne soient mêlées de poison. Néanmoins il court sus une nouvelle fois au serpent, lui portant des coups aussi rudes que possible, et parvient finalement à l'atteindre là où il lui avait fait une première blessure. Son épée était très bonne et très maniable : elle s'enfonce facilement dans la tête du monstre et, une fois la peau entamée, (ses os n'offraient guère de résistance), le serpent tombe raide mort.

Le lion, voyant que le chevalier l'a délivré du serpent, ne fait pas mine de l'attaquer, bien au contraire : il s'approche de lui et courbe la tête en manifestant sa joie de son mieux. Comprenant qu'il ne lui veut aucun mal Perceval remet son épée au fourreau, abandonne son écu tout brûlé et ôte son heaume pour s'aérer le visage, tout échauffé qu'il est par l'haleine du monstre. Pendant tout ce temps, le lion reste auprès de lui, remuant la queue et montrant sa joie. Devant son attitude, Perceval se met à lui caresser la tête et l'encolure tout en pensant que Notre Seigneur lui a envoyé cette bête comme compagnon et que c'est là une aventure bien remarquable. Le lion, de son côté, manifeste sa joie aussi bien que peut le faire une bête muette à un être humain et reste avec lui une partie de l'après-midi ; mais vers le soir, il redescend du rocher, emportant son lionceau dans son gîte.

Voici donc Perceval tout seul sur le roc escarpé et élevé, plongé dans une angoisse facile à imaginer, et qui aurait été bien plus vive encore sans la parfaite confiance qu'il avait en son Créateur car c'était un des chevaliers du monde dont la foi en Notre Seigneur était la plus profonde. Disposition inhabituelle pourtant en ce pays. A cette époque en effet les habitants du royaume de Galles étaient si violents, si dépourvus de toute mesure que si le fils trouvait son père alité parce qu'il était malade, il le tirait hors du lit par la tête ou par les bras et le tuait sur le champ. Il se serait en effet déshonoré s'il avait laissé son père mourir dans son lit, mais le fils tuait le père ou le père le fils et si toute la famille mourait de mort violente, on disait alors par le pays que c'étaient là gens de noble race. (43)

Perceval passa donc toute la journée sur la montagne

scrutant au loin l'horizon au cas où il verrait passer quelque nef. Mais il a beau regarder et regarder encore, il ne voit rien. Alors il s'arme de tout son courage et s'en remet à Notre Seigneur. Il Le prie de le préserver de toute tentation, qu'elle soit l'œuvre du Diable ou le résultat de mauvaises pensées, et de le garder et de le protéger comme le père doit protéger son fils.

« Doux Seigneur, dit-il en tendant les mains vers le ciel, Vous qui m'avez permis d'entrer dans le très noble ordre de chevalerie, Vous qui, malgré mon indignité, m'avez choisi comme votre serviteur, je Vous en prie, ne souffrez pas que j'abandonne votre service mais faites que je sois semblable au champion fiable et vaillant qui soutient avec efficacité la cause de son seigneur contre celui qui l'attaque injustement. Doux Seigneur, accordez-moi de défendre de la même manière mon âme, l'enjeu de ce débat, l'enjeu qui Vous revient de droit, contre celui qui veut injustement s'en emparer. Doux Père, Vous qui avez dit dans votre Evangile en parlant de Vous-même (44) : « Je suis le Bon Pasteur, et le Bon Pasteur engage son âme pour ses brebis, ce que ne fait pas le mauvais pasteur qui les laisse sans surveillance jusqu'au moment où arrive le loup qui les étrangle et les dévore, Seigneur, soyez mon berger, mon défenseur et mon guide et acceptez que je fasse partie de vos brebis ! Et s'il arrive, doux Seigneur, que je sois la centième brebis, la malheureuse égarée qui abandonna les quatre-vingt-dix-neuf autres et s'en alla errer dans le désert, Seigneur, ayez pitié de moi, ne me laissez pas au désert mais ramenez-moi auprès de Vous, je veux dire dans le sein de l'Eglise et de la vraie foi, là où se trouvent les bonnes brebis, les hommes justes, les bons chrétiens, afin que l'Ennemi qui ne cherche qu'à s'emparer de ce qu'il y a d'essentiel en moi, je veux dire mon âme, ne me prenne pas au dépourvu ».

Perceval voit alors revenir le lion pour lequel il avait combattu. Loin de manifester quelque mauvaise intention, la bête s'approche de lui en montrant sa joie. Perceval l'appelle donc et lui caresse la tête et l'encolure. Et voici que le lion se couche devant lui comme une bête parfaitement apprivoisée. Perceval s'allonge à ses côtés et reste ainsi jusqu'à la nuit noire. Bientôt il s'endort dans cette position sans penser à manger tant il a d'autres soucis.

Une fois endormi, Perceval eut une extraordinaire vision. Deux dames, lui semblait-il, s'approchaient de lui, l'une fort âgée, l'autre jeune et belle. Elles n'étaient pas à pied mais chevauchaient deux bêtes étranges, l'une un serpent, l'autre un lion. Perceval est très étonné de voir les dames capables de maîtriser de telles bêtes. La plus jeune, — elle précédait l'autre —, dit à Perceval :

« Perceval, mon maître te salue et t'ordonne de te préparer le mieux que tu pourras car demain tu devras affronter le plus redoutable adversaire qui soit. Et si tu es vaincu, ce n'est pas en sacrifiant un de tes membres que tu te libèreras mais ta défaite sera définitive et complète.

— Ma dame, lui demande Perceval, qui est donc votre maître ?

— C'est le plus puissant seigneur du monde. Efforce-toi donc d'avoir assez de hardiesse et de fermeté pour pouvoir triompher ! »

Sur ce, elle s'en va si rapidement que Perceval ne sait ce qu'elle est devenue.

L'autre dame, celle qui était montée sur le serpent, s'approchant alors de Perceval lui dit :

« Perceval, j'ai beaucoup à me plaindre de vous. Vous m'avez fait du tort, à moi et aux miens, et je ne l'avais pas mérité.

— Ma dame, répond Perceval profondément surpris par ces paroles, je ne pense pas vous avoir causé le moindre tort, ni à vous ni à quelque dame que ce soit, mais dites-moi, je vous en prie, celui que j'ai commis à votre égard et je le réparerai très volontiers, s'il se peut, selon votre désir.

— Voici donc : j'ai longtemps nourri dans un de mes châteaux, une bête, un serpent qui m'était bien plus utile que vous ne l'imaginez. Hier, cette bête est venue par hasard jusque sur cette montagne et y a trouvé un lionceau qu'elle a apporté ici-même. Or vous l'avez poursuivie avec votre épée et vous l'avez tuée alors qu'elle ne vous avait rien fait. Pourquoi donc l'avoir ainsi tuée et quel tort vous avais-je fait pour que vous agissiez ainsi ? Le lion était-il à vous pour que vous vous soyez cru obligé de vous battre pour lui ? Les animaux de l'air sont-ils si dépourvus de toute protection pour que vous puissiez les tuer sans motif ?

— Ma dame, répond Perceval, à ma connaissance, vous ne m'avez fait aucun tort, le lion n'était pas à moi et les animaux de l'air ne sont pas livrés à ma discrétion. Mais c'est parce que le lion est une bête de plus noble espèce et d'un rang plus élevé que le serpent, c'est parce que j'ai vu hier qu'il était moins malfaisant que lui que j'ai attaqué et tué le serpent. Aussi mon crime envers vous n'est-il pas aussi grave, je pense, que vous le prétendez.

— Perceval, reprit la dame, est-ce là tout ce que j'obtiendrai de vous ?

— Oui, ma dame, que voulez-vous de plus ?

— Je veux qu'en réparation du serpent vous m'apparteniez désormais ».

Mais Perceval refuse.

« Vous refusez, poursuit-elle, et pourtant, jadis, vous m'avez appartenu ! Avant de rendre hommage à votre seigneur, vous étiez à moi et c'est en vertu de ce premier lien que je refuse de vous libérer. Je vous préviens donc que partout où je vous trouverai sans défense, je chercherai à vous reprendre. »

Sur ce, la dame s'en alla. Perceval continua de dormir, très troublé par cette vision. Il dormit toute la nuit sans se réveiller, puis, au matin, alors qu'il faisait grand jour et que le soleil, déjà haut, lui brûlait le visage, il ouvrit les yeux et vit qu'il faisait plein jour. Aussitôt il s'assit, fit sur lui le signe de croix et pria Notre Seigneur de le guider pour le plus grand bien de son âme. De son corps en effet il se soucie moins que d'habitude car il ne pense pas pouvoir désormais quitter ce rocher. Puis il regarde autour de lui mais tout a disparu, le lion qui était resté à ses côtés comme le serpent qu'il avait tué, et il se demande bien ce qu'ils sont devenus.

Sur ces entrefaites, regardant au loin sur la mer, il aperçut une nef qui, toutes voiles dehors, se dirigeait vers le rocher où il attendait que Dieu fît de lui sa volonté. La nef avançait vite, poussée par un vent d'arrière, et se dirigeait tout droit vers le pied du rocher. Perceval, là-haut, est tout heureux de la voir car il est persuadé qu'elle est pleine de monde. Il se lève donc aussitôt et s'arme, puis, une fois équipé, descend de la roche pour savoir qui est à bord. En s'approchant, il s'aperçoit qu'elle est entièrement tendue de soie blanche, à l'intérieur comme à l'extérieur. Il vient près du bord et voit un homme habillé, comme un prêtre, d'un surplis et d'une aube et qui portait sur la tête une couronne de soie blanche de la largeur de deux doigts. Sur cette couronne, une inscription exaltait le divin nom de Notre Seigneur. Perceval, très surpris, s'approche de lui et le salue :

« Seigneur, lui dit-il, soyez le bienvenu !

— Que Dieu vous garde, mon ami, répond l'homme ! Qui êtes-vous ?

— Je suis de la cour du roi Artus.

— Et comment êtes-vous arrivé ici ?

— Seigneur, je l'ignore absolument !

— Et que désirez-vous ?

— Seigneur, si Dieu le veut, sortir d'ici et reprendre avec mes compagnons de la Table Ronde la Quête du Saint-Graal car c'est pour cela seulement que j'ai quitté la cour de monseigneur le roi.

— Vous partirez bien quand Il le voudra et Il vous fera vite sortir d'ici quand Il lui plaira. S'Il vous considérait comme son serviteur et estimait que vous Lui êtes plus utile ailleurs qu'ici, Il aurait tôt fait de vous en sortir ! Mais Il vous a mis ici pour vous mettre à l'épreuve, pour savoir si vous Le servirez aussi fidèlement, aussi loyalement que doit le faire celui qui a reçu l'ordre de chevalerie. Puisque vous avez reçu une telle marque d'honneur, rien en effet ne doit entamer votre courage, ni la peur ni aucun péril terrestre, car le cœur du chevalier doit être si endurci et affermi contre l'ennemi de son maître que rien ne puisse l'ébranler. S'il succombe à la peur, ce n'est pas un vrai chevalier, un vrai soldat, de ceux qui se laisseraient tuer en champ clos plutôt que de ne point faire triompher la cause de leur maître ».

Perceval lui demande alors de quel pays il est.

« Je viens, dit-il, d'un pays lointain.

— Et comment êtes-vous venu dans cette contrée qui me paraît si sauvage, si éloignée ?

— En vérité, je suis venu pour vous voir et vous réconforter et pour que vous me disiez ce qui vous préoccupe. Quel que soit le conseil dont vous ayez besoin, nul mieux que moi ne saurait en effet vous le donner.

— Voilà qui me surprend beaucoup, réplique Perceval. Vous êtes venu pour me conseiller, dites-vous, mais comment se peut-il, puisque personne, sinon Dieu et moi-même, ne savait que j'étais sur ce rocher ? Et même si vous aviez pu l'apprendre, je ne pense pas que vous connaissiez mon nom car jamais, que je sache, vous ne m'avez vu. Voilà pourquoi je suis si surpris de vos paroles.

— Ha ! Perceval, lui répond l'homme, je vous connais beaucoup mieux que vous ne le pensez et voici longtemps que je sais bien mieux que vous-même tout ce que vous faites ! »

Quand Perceval s'entend appeler par son nom, il reste d'abord tout interdit puis il se repent d'avoir ainsi parlé.

« Ha ! Seigneur, dit-il, en implorant sa pitié, au nom de Dieu, pardonnez-moi mes paroles. Je croyais que vous ne me connaissiez pas mais je vois bien maintenant que vous me connaissez mieux que moi-même, que c'est moi le fou et vous le sage. »

Perceval s'accoude alors auprès de l'homme sur le bord de la nef et tous deux parlent de maintes choses. Perceval trouve en lui une telle sagesse qu'il se demande bien qui il peut être. Sa compagnie lui est si agréable, les propos qu'il tient si plaisants et si doux que le jeune homme ne songerait plus ni à boire ni à manger s'il pouvait rester à tout jamais avec lui.

« Seigneur, lui dit-il enfin, après avoir longuement parlé avec lui, expliquez-moi, je vous en prie, un rêve que j'ai fait cette nuit, rêve si étrange, me semble-t-il, que je ne serai pas en paix avant d'en savoir le sens.

— Racontez, dit l'homme, et je vous donnerai tous les éclaircissements que vous souhaitez.

— Voici, dit Perceval. Cette nuit, durant mon sommeil, deux dames sont venues devant moi, l'une montée sur un lion, l'autre sur un serpent. Celle qui chevauchait le lion était jeune, l'autre vieille, et c'est la plus jeune qui me parla en premier. »

Il lui rapporte alors sans rien omettre toutes les paroles qu'il avait entendues dans son sommeil et dont il se souvenait encore parfaitement. Puis, son récit achevé, il demande à son visiteur de lui en expliquer le sens.

« Bien volontiers », lui répond-il.

« Perceval, ce que signifient ces deux dames qui chevauchaient des bêtes si étranges est extrêmement remarquable. Voici. Celle qui était montée sur le lion représente la Nouvelle Loi qui chevauche le lion, je veux dire Jésus-Christ, source et fondement de la loi qui fut par Lui instituée et révélée à toute la chrétienté afin qu'elle soit le miroir et la vraie lumière de tous ceux qui croient en la Trinité. Cette dame est la pierre solide et ferme sur laquelle Jésus-Christ a dit qu'il fonderait notre Sainte Eglise lorsqu'Il prononça ces mots : « Sur cette pierre, je bâtirai mon église ». Cette dame montée sur le lion signifie donc la Nouvelle Loi à qui Notre Seigneur insufle force et puissance comme le fait le père pour son fils. Qu'elle vous ait paru plus jeune que l'autre n'a rien d'étonnant : elle n'a ni le même âge ni la même apparence puisqu'elle est née avec la Passion de Jésus-Christ et sa Résurrection tandis que l'autre régnait depuis longtemps déjà. Elle est venue te parler comme si tu étais son fils, — tous les bons chrétiens sont en effet ses fils —, et elle t'a bien montré qu'elle était ta mère. Elle tremblait tellement pour toi qu'elle est venue t'avertir de ce qui allait t'arriver. Elle est venue te prévenir, au nom de Jésus-Christ son maître, qu'il te faudrait combattre. Sur ma foi, si elle ne t'aimait pas, elle n'en aurait rien fait car elle se serait peu souciée de te voir vaincu mais elle l'a fait aussitôt pour que tu soies mieux préparé au moment de livrer combat. Et contre qui ? Contre le plus terrible adversaire du monde, celui qui emporta au ciel les vénérables Enoch et Elie (45) qui ne reviendront plus sur cette terre avant le jour du Jugement dernier, jour où ils combattront cet ennemi redoutable, le Diable, qui sans cesse s'efforce de faire tomber l'homme dans le péché mortel puis de le mener en enfer. Voici l'adversaire qu'il te faut combattre et, si tu es vaincu, tu ne t'en tireras pas, — cette dame te l'a dit —, en perdant un membre, mais ta défaite sera définitive. D'ailleurs tu peux bien comprendre par toi-même que c'est là la vérité : si le Diable peut triompher de toi, il te damnera corps et âme et te conduira dans la demeure des ténèbres, je veux dire l'Enfer, où tu endureras honte, douleurs et tourments aussi longtemps que durera le règne de Notre Seigneur.

« Ainsi donc, je t'ai dit ce que signifie la dame que tu as vue en songe, celle qui était montée sur le lion. D'après mes explications, tu peux bien comprendre qui est l'autre.

— Seigneur, répond Perceval, me voilà parfaitement éclairé sur cette dame, mais parlez-moi de celle qui chevauchait le serpent car je ne saurais trouver tout seul ce qu'elle signifie.

— Alors, reprend l'homme, écoute-moi. La dame qui chevauchait le serpent, c'est la Synagogue, l'Ancienne Loi, celle qui fut détrônée dès que Jésus-Christ eut apporté la Nouvelle Loi, et le serpent qui la porte signifie l'Ecriture mal révélée et mal interprétée, c'est-à-dire l'hypocrisie, l'hérésie, l'iniquité et le péché mortel, en un mot, le Diable ; c'est le serpent qui fut chassé du Paradis à cause de son orgueil, ce même serpent qui dit à Adam et à sa femme : « Si vous mangez de ce fruit, vous serez semblables à Dieu », paroles par lesquelles s'insinua en eux la convoitise. Aussitôt en effet ils aspirèrent à être plus puissants qu'ils n'étaient, ils crurent les conseils du Diable et commirent le péché qui leur valut d'être chassés du Paradis et jetés en exil. Péché auquel eurent part tous leurs descendants qui en supportent chaque jour les conséquences. Lorsque la dame est venue devant toi, elle t'a accusé d'avoir tué son serpent. Mais quel serpent ? Non pas celui que tu as tué hier mais celui qu'elle chevauche, je veux dire le Diable. Et sais-tu quand tu lui as causé cette peine ? Au moment où l'Ennemi te portait, lorsque tu es venu sur ce rocher et que tu t'es signé. En effet, lorsque tu as fait sur toi ce signe que le Diable ne peut en aucun cas supporter, il a éprouvé une terreur telle qu'il a pensé en mourir et qu'il s'est enfui au plus vite car il ne pouvait plus rester avec toi. C'est ainsi que tu l'as mis à mort, que tu lui as enlevé la force et le pouvoir de te garder sous son emprise, lui qui pourtant croyait bien te tenir. Voici donc la grande souffrance que tu lui as causée.

« Toi, tu as répondu de ton mieux à son accusation, mais en réparation elle t'a demandé de devenir son vassal. Tu as refusé. Elle t'a alors dit qu'autrefois tu l'avais été, avant de faire hommage à ton maître. Aujourd'hui tu as bien médité sur ses paroles et tu devrais en comprendre le sens. En effet, avant de devenir chrétien par le baptême, tu étais au pouvoir de l'Ennemi, mais dès que tu as reçu le sceau de Jésus-Christ, le saint Chrème et la sainte Onction, tu as renié le Diable, tu as échappé à son pouvoir car tu avais fait hommage à ton Créateur. Je t'ai donc expliqué ce que représente l'une et l'autre dame et maintenant je vais partir car j'ai fort à faire. Toi, tu resteras ici, mais pense bien au combat qu'il te faudra livrer car, si tu es vaincu, ton sort sera tel qu'on te l'a prédit.

— Cher seigneur, dit Perceval, pourquoi partir déjà ? Votre conversation, votre présence me sont si agréables que jamais je ne voudrais vous quitter. Au nom de Dieu, restez encore avec moi, s'il se peut, car je suis sûr que tout ce que vous m'avez dit me sera désormais d'un profit extrême.

— Je dois pourtant m'en aller, lui répondit l'homme, car beaucoup de gens m'attendent. Toi, tu resteras ici mais fais bien attention à te prémunir contre ton adversaire. S'il te surprend à l'improviste, tu risquerais fort d'en pâtir. »

Sur ce, il s'en va. Le vent aussitôt gonfle les voiles de la nef qui gagne si rapidement le large que bientôt Perceval ne peut plus l'apercevoir. Lorsqu'il l'a complètement perdue de vue, il remonte sur le rocher, toujours tout armé. Une fois au sommet, il retrouve le lion qui lui avait tenu compagnie la veille et, comme la bête lui fait de très grandes démonstrations d'amitié, il se met à la caresser. Il reste ainsi jusqu'à midi puis, regardant au loin sur la mer, il voit venir une nef qui cingle à vive allure comme poussée par tous les vents du monde et précédée d'un tourbillon d'écume qui soulève la mer, fait jaillir les ondes de toutes parts et, à son grand étonnement, lui en cache même la vue. Pourtant, elle se rapproche tant qu'il voit bien que c'est une nef, toute tendue d'étoffes noires, en soie ou en lin, je ne sais. Comme elle est maintenant toute proche, il descend du rocher pour voir ce qu'il en est. Il voudrait bien y retrouver celui avec qui il vient de parler. Soit intervention divine soit pour toute autre raison, aucune des bêtes sauvages n'a assez d'audace pour l'approcher ou l'attaquer tandis qu'il descend. Une fois sur le rivage, il se dirige vers la nef ausi vite qu'il peut et là il aperçoit, à la proue, une demoiselle d'une extraordinaire beauté et somptueusement vêtue.

Dès qu'elle voit Perceval, elle se lève et lui dit sans le saluer :

« Perceval, que faites-vous ici ? Qui vous a conduit sur ce rocher si éloigné de tout que jamais, sinon par hasard, vous ne serez secouru et où vous mourrez dans la faim et les tourments sans que personne se soucie de vous ?

— Ma demoiselle, si je devais mourir de faim ici, je ne serais pas un serviteur loyal car personne ne sert un maître aussi puissant que le mien, si du moins il le fait avec loyauté et du fond du cœur, sans obtenir ce qu'il demande. Lui-même a dit que sa porte n'est jamais fermée à celui qui y frappe mais que quiconque y frappe peut entrer et que quiconque demande peut recevoir. Et si quelqu'un le cherche, il ne se dérobe pas mais se laisse facilement trouver ».

Lorsque la demoiselle l'entend citer l'Evangile (46), elle ne répond mot mais,abordant un autre sujet,

« Perceval, lui dit-elle, savez-vous d'où je viens ?

— Comment, ma demoiselle, qui vous a appris mon nom ?

— Je le sais bien et je vous connais mieux que vous ne le pensez.

— Et d'où venez-vous ainsi ?

— Sur ma foi, de la Forêt Gaste, où j'ai vu arriver quelque chose de tout à fait extraordinaire au Bon Chevalier.

— Ha ! ma demoiselle, parlez-moi de lui, je vous en conjure par ce que vous avez de plus cher au monde !

— Pourtant je n'en ferai rien si vous ne me jurez auparavant, sur l'ordre de chevalerie que vous avez reçu, de faire tout ce que je vous demanderai, quand je vous le demanderai ».

Il répond aussitôt qu'il le fera s'il le peut.

« Très bien, poursuit-elle. Voici donc en vérité ce qui s'est passé. Je me trouvais récemment au beau milieu de la Forêt Gaste, là où coule cette grande rivière que l'on appelle Marcoise. J'ai vu alors le Bon Chevalier qui pourchassait deux autres chevaliers qu'il voulait tuer. Craignant pour leur vie, ceux-ci se jetèrent dans la rivière et réussirent à la traverser mais lui n'eut pas la même chance. Son cheval se noya et il aurait connu le même sort s'il n'était revenu sur la rive, ce qui le sauva. Tu sais donc ce qui est arrivé au Bon Chevalier mais je veux maintenant que tu me dises ce que tu as fait depuis que tu es arrivé dans cette île lointaine où tu es assuré de périr si personne ne t'en sort. Tu le vois bien, personne ici ne vient à ton secours et tu dois ou partir ou mourir. Si donc tu ne veux pas mourir, il te faut conclure un pacte avec qui te sortira de là. Or moi seule peut le faire. Si tu es raisonnable, tu dois donc tout mettre en œuvre pour que je t'aide à sortir car je ne connais pire lâcheté que de pouvoir se tirer d'affaire et y renoncer.

— Ma demoiselle, si je pensais que c'est la volonté de Notre Seigneur que je parte d'ici,je m'en irais si possible. Autrement, je n'en ferai rien car je ne voudrais rien tenter sans être sûr que cela Lui agrée. J'aurais reçu l'ordre de chevalerie sous de bien mauvais auspices si je m'opposais à sa volonté !

— Alors, n'en parlons plus et dites-moi plutôt si vous avez mangé aujourd'hui.

— De nourriture terrestre, point, mais un homme est venu ici-même me réconforter et m'a dit de si douces paroles qu'il m'a pleinement nourri et rassasié et que je n'aurai nulle envie de boire ni de manger tant que son souvenir restera en moi.

— Mais savez-vous bien qui c'est ? C'est un enchanteur, un beau parleur qui d'un mot en fait cent et ne cherche qu'à mentir. Si vous vous fiez en lui, vous êtes perdu, car jamais vous ne partirez de ce rocher où vous mourrez de faim et serez dévoré par les bêtes sauvages. Au reste, ce que je vous ai dit se confirme déjà. Voici deux nuits et un peu plus de deux jours que vous êtes ici et pas une seule fois celui qui est venu vous y parler ne vous a porté à manger. Il vous a abandonné et vous abandonnera sans plus se soucier de vous. Ce sera pourtant une grande perte et une grande infortune si vous mourez ici. Vous êtes jeune, bon chevalier, et vous pourriez être encore fort utile et aux autres et à moi-même si vous partiez d'ici ; ce que je suis en mesure de faire, je vous le répète, si vous le voulez bien.

— Ma demoiselle, répond Perceval à cette proposition, qui

donc êtes-vous pour vouloir ainsi m'aider à sortir d'ici ?

— Une jeune femme dépouillée de son héritage et qui serais sans cela la plus puissante dame du monde.

— Mais dites-moi, demoiselle déshéritée pour qui j'éprouve une pitié croissante, qui vous a ainsi dépouillée ?

— Je vais vous le dire.

« Jadis, un homme puissant, — c'était le plus puissant roi du monde —, m'installa dans sa demeure pour le servir. Moi, j'étais si belle et si éclatante que personne ne pouvait voir mon extraordinaire beauté sans en être émerveillé. Mais j'en conçus plus d'orgueil qu'il n'aurait fallu et je prononçai une parole qui ne plut pas à mon maître. Sa colère fut telle que, refusant de me garder davantage auprès de lui, il me chassa aussitôt en me laissant pauvre et dépouillée de tout et jamais plus il n'eut la moindre pitié ni pour moi ni pour ceux qui avaient pris mon parti. C'est ainsi que ce puissant maître m'envoya, moi et les miens, dans la solitude et l'exil. Il pensait bien m'avoir brisée, et sans doute y serait-il parvenu si je n'avais eu l'intelligence de lui déclarer aussitôt la guerre. Par la suite, j'ai eu la chance de remporter beaucoup de succès. Je lui ai pris nombre de ses hommes qui l'ont abandonné pour venir à moi en voyant la grande affection que j'ai pour eux : tout ce qu'ils me demandent, je le leur donne, et même au delà. Je guerroie donc jour et nuit celui qui m'a déshéritée. J'ai réuni contre lui chevaliers, soldats et gens de toute sorte et je ne connais au monde nul chevalier, nul homme de valeur à qui je n'offre mes richesses pour qu'il se range de mon côté. Comme je vous sais bon chevalier et homme de grand mérite, je suis venue solliciter votre aide. Vous, vous devez me l'accorder puisque vous êtes compagnon de la Table Ronde et qu'aucun compagnon ne doit refuser d'aider une demoiselle si elle le lui demande. Au reste, vous savez bien que je dis vrai puisque, le jour où le roi Artus vous a reçu à cette table, le premier serment que vous avez fait, ce fut de ne jamais refuser votre aide à la demoiselle qui vous en prierait ».

Et Perceval lui répond qu'il a en effet prononcé ce serment et qu'il l'aidera volontiers puisqu'elle le lui demande. Elle l'en remercie vivement.

Ils avaient parlé si longtemps que midi étai passé et que l'après-midi s'avançait. Le soleil brûlait.

« Perceval, dit alors la demoiselle, il y a dans cette nef la plus belle tente de soie que vous ayez jamais vue. Si vous voulez, je la ferai installer ici pour vous préserver de l'ardeur du soleil. »

Comme Perceval y consent, elle monte ausitôt à bord et ordonne à deux serviteurs de dresser la tente sur le rivage.

« Perceval, lui dit-elle lorsqu'ils ont fini, venez donc vous reposer et vous asseoir en attendant la nuit, éloignez-vous du soleil qui vous brûle trop, me semble-t-il. »

Perceval entre alors sous la tente et s'y endort aussitôt. Auparavant la demoiselle avait eu soin de lui faire enlever son heaume, son haubert et son épée et c'est ainsi dévêtu qu'elle le laisse s'endormir.

Un bon moment après il s'éveille et demande à manger. La demoiselle donne l'ordre de mettre la table sur laquelle Perceval voit apporter une extraordinaire quantité de mets. Il mange avec la demoiselle. Quand il demande à boire, on lui offre le meilleur vin, le plus fort qu'il ait jamais bu. A son grand étonnement car en ce temps-là, en Grande-Bretagne, on ne servait du vin que chez les grands seigneurs et les gens buvaient ordinairement de la cervoise et autres boissons de leur fabrication. A force de boire, Perceval s'échauffe outre mesure. Il regarde la demoiselle qui lui paraît être la plus belle femme qu'il ait jamais vue. Sa parure, ses propos agréables le séduisent et lui plaisent tant qu'il s'enflamme inconsidérement. Il parle avec elle de choses et d'autres puis finit par lui demander son amour en l'assurant du sien. Elle le repousse d'abord aussi longtemps qu'elle le peut car elle cherche à porter à son comble le désir du jeune homme, mais lui ne cesse ses prières. Enfin, lorsqu'elle le voit tout brûlant de désir,

« Perceval, lui dit-elle, sachez que je ne ferai rien de ce que vous voulez si vous ne me jurez d'être à moi désormais, de m'aider contre tous et de n'agir que sur mon ordre ».

Puis, comme il proteste de son obéissance, elle lui demande encore :

« Me le jurez-vous sur votre honneur de chevalier ?

— Oui, répond-il.

— Alors, soit ! J'accepte de faire ce que vous voudrez. Sachez d'ailleurs que je vous ai bien plus désiré que vous ne l'avez fait vous-même et que vous êtes un des chevaliers du monde que j'ai le plus convoités ».

Elle ordonne alors à ses serviteurs de préparer au milieu de la tente un lit aussi somptueux que possible. Ceci fait, ils déchaussent la jeune femme et la couchent tandis que Perceval s'allonge auprès d'elle. Or, comme il voulait se couvrir, il vit par hasard sur le sol son épée que les serviteurs lui avaient ôtée. Il tendit la main pour la prendre et la poser contre le lit et c'est alors qu'il aperçut la croix vermeille qui était gravée sur le pommeau. Aussitôt il reprend ses esprits et fait le signe de croix sur son front. Au même instant la tente s'écroule, une fumée et d'épais nuages aveuglent le jeune homme et il se dégage de partout une telle puanteur qu'il croit bien être en enfer.

« Jésus-Christ, mon doux Seigneur, s'écrie-t-il, ne me laissez pas mourir ainsi ! Secourez-moi de votre grâce sinon je suis perdu » !

Il ouvre alors les yeux mais ne voit plus aucune trace de la tente où il était couché à l'instant même, puis il regarde vers le rivage et là, il revoit la même nef et la demoiselle.

« Perceval, s'écrie-t-elle, vous m'avez trahie ! »

Aussitôt elle gagne le large tandis que s'élève dans son sillage une telle tempête que la nef semble partir à la dérive. Bientôt toute la mer est couverte de flammes comme si l'univers tout entier était embrasé. Plus rapide que le vent, la nef file à grand fracas.

Perceval est si consterné de ce qui lui arrive qu'il pense mourir. Il suit la nef des yeux aussi longtemps qu'il le peut, lui souhaitant toutes les calamités possibles puis, lorsqu'elle a disparu, il s'écrie :

« Hélas !, je suis mort ! » Et réellement, sa peine est si vive qu'il voudrait être mort. Il dégage alors son épée et l'enfonce avec violence dans sa cuisse gauche. Le sang jaillit de tous côtés.

« Doux Seigneur, s'écrie Perceval, ceci est pour réparer ma faute envers vous ! »

Puis, baissant les yeux, il se rend compte qu'il n'a plus sur lui que ses braies (47) et aperçoit ses vêtements d'un côté et ses armes de l'autre.

« Ha ! malheur de moi, s'écrie-t-il, quel misérable j'ai été, moi qui ai été si vite convaincu de commettre l'irréparable, de perdre ma virginité » !

Retirant alors l'épée de la plaie, il la remet au fourreau, plus affligé d'avoir attiré sur lui la colère divine que de s'être blessé. Il passe sa chemise et sa cotte et s'arrange de son mieux puis, étendu sur la pierre, il prie Notre Seigneur de lui dire comment mériter sa pitié et son pardon : il se sent si coupable envers Lui qu'il n'ose espérer qu'en sa miséricorde.

Perceval resta ainsi tout le jour étendu sur le rivage, incapable de bouger à cause de sa blessure. Il supplie Notre Seigneur de l'aider et de le guider pour le plus grand bien de son âme. C'est là tout ce qu'il demande car « plus jamais, dit-il, je ne chercherai, doux Seigneur, à partir d'ici contre votre volonté, que j'y meure ou que je survive. »

Perceval passa ainsi toute la journée allongé sur le roc, perdant beaucoup de sang à cause de sa plaie. Lorsqu'il vit venir la nuit et les ténèbres gagner le monde, il se traîna jusqu'à son haubert, posa la tête dessus et, se signant, demanda à Notre Seigneur d'avoir pitié de lui et de le protéger afin que l'Ennemi ne puisse le faire succomber à la tentation. Sa prière terminée, il se met debout, coupe un pan de sa chemise et en étanche sa plaie pour arrêter un peu le sang puis il récite les diverses prières qu'il connaissait en attendant le jour. Quand il plut à Notre Seigneur de répandre sa lumière sur la terre et quand le soleil vint briller là où était étendu Perceval, le chevalier regarda tout autour de lui et vit d'un côté la mer et de l'autre la montagne. Se souvenant alors de l'Ennemi qui l'a possédé la veille sous les apparences d'une demoiselle, — car il ne doute pas que ce soit l'Ennemi —, il éclate en lamentations, répétant que c'en est fait de lui si la grâce du Saint-Esprit ne le réconforte.

Cependant, comme il regarde au large, vers l'Orient, il voit venir la première des deux nefs, celle qui était tendue de soie blanche et qui avait à son bord l'homme vêtu comme un prêtre. Dès qu'il la reconnaît, il se sent tout réconforté au souvenir des bonnes paroles qu'il lui a dites et de la grande sagesse qu'il a trouvée en lui. Quand la nef a abordé et qu'il aperçoit son passager, il s'assied comme il peut et lui souhaite la bienvenue. L'homme met pied à terre et vient s'asseoir sur la roche.

« Perceval, lui dit-il, comment t'es-tu comporté depuis notre rencontre ?

— Bien mal, seigneur ! Il s'en est fallu de peu qu'une demoiselle ne me fasse commettre un péché mortel. »

Il lui raconte alors ce qui s'est passé.

« Et sais-tu qui c'est, reprend l'homme ?

— Non, seigneur, mais je sais que c'est le Diable qui l'a envoyée auprès de moi pour me tromper et causer ma perte. Et c'en était fait de moi si je ne m'étais signé, ce qui l'obligea à me laisser retrouver raison et mémoire. Il m'a suffi en effet de me signer pour qu'elle disparaisse définitivement. Mais je vous prie, au nom de Dieu, de me dire ce que je dois faire car jamais je n'ai eu autant besoin de conseils.

— Ha ! Perceval, répond l'homme, tu seras toujours aussi innocent ! Tu ne reconnais pas cette demoiselle qui a failli te faire commettre un péché mortel et dont le signe de croix t'a délivré ?

— Non, pas très bien. Aussi je vous prie de me dire qui elle est, d'où elle vient et quel est cet homme puissant qui l'a déshéritée et contre lequel elle demandait mon aide.

— Je vais donc te l'expliquer clairement. Ecoute-moi.

« La demoiselle à qui tu as parlé, c'est le Diable, le maître de l'Enfer, qui a pouvoir sur tous les autres. Jadis, il est vrai, il vivait au ciel avec les autres anges et il était d'une lumineuse beauté mais il conçut trop d'orgueil de cette extrême beauté et voulut devenir l'égal de la Trinité.

« Je monterai au sommet, dit-il, et je serai semblable au Seigneur.»

« Mais à peine avait-il prononcé ces mots que Notre Seigneur qui ne voulait pas que sa demeure fût souillée du poison de l'orgueil, le précipita du trône élevé qu'il occupait et l'envoya dans la maison des ténèbres que l'on appelle Enfer. Lorsqu'il se vit ainsi déchu du trône glorieux qu'il occupait et prisonnier des ténèbres éternelles, il décida de combattre de toutes ses forces celui qui avait causé sa chute mais il ne voyait pas bien comment faire. Finalement, il se lia avec la femme d'Adam, la première femme de la race humaine, qu'il guetta et trompa si bien qu'il lui fit commettre ce même péché mortel pour lequel il avait été exclu et précipité de la gloire des cieux, le péché de convoitise. Il sut si bien l'abuser qu'elle cueillit le fruit mortel de l'arbre qui lui avait été interdit de la bouche même de son Créateur. Lorsqu'elle l'eut cueilli, elle en mangea et en donna à manger à Adam son époux, de telle sorte que tous ses descendants en ressentent encore les mortelles conséquences. Le Diable qui l'avait poussé à agir ainsi, c'était le serpent que chevauchait la vieille dame qui est venue te voir hier au soir. Elle t'a dit la vérité en t'affirmant qu'elle combattait jour et nuit et tu le sais bien par toi-même. Il n'y a point d'heure en effet où elle ne guette les chevaliers de Jésus-Christ, les justes et tous ceux qu'habite le Saint-Esprit.

« Après t'avoir amadoué par ses paroles pleines de fausseté et ses mensonges, elle a fait dresser sa tente pour te recevoir et elle t'a dit :

« Perceval, viens te reposer et t'asseoir jusqu'à la tombée de la nuit. Ne reste pas au soleil, il te brûle trop, me semble-t-il ».

« Paroles lourdes de signification et elle y entendait tout autre chose que ce que tu as compris. La tente, ronde à l'image du monde, représente ce monde qui connaîtra toujours le péché. Et c'est parce que le péché y réside qu'elle ne voulait pas que tu demeures en dehors. Voilà donc pourquoi elle l'a fait dresser. Lorsqu'elle t'appela, elle te dit :

« Perceval, viens te reposer et t'asseoir jusqu'à la tombée de la nuit ».

« Ainsi voulait-elle signifier que tu devais vivre dans l'oisiveté et repaître avec avidité ton corps des nourritures de ce monde. Loin de t'exhorter à travailler ici-bas et à semer la semence que les justes doivent récolter un jour, le jour du Jugement dernier, elle t'a dit de te reposer jusqu'à la nuit, c'est-à-dire jusqu'au moment où la mort te surprendra, cette mort qui peut être à juste titre appelée nuit chaque fois qu'elle s'empare d'un homme en état de péché mortel. Elle t'appela parce qu'elle avait peur que le soleil ne te brûlât. Et sa crainte n'a rien d'étonnant car lorsque le soleil, je veux dire Jésus-Christ, la lumière de vérité, embrase le pécheur du feu du Saint-Esprit, le froid et la glace de l'Ennemi n'ont sur lui qu'un bien faible pouvoir s'il a offert son cœur à la lumière du vrai soleil. Mais je t'en ai suffisamment dit sur cette femme pour que tu comprennes qui elle est et qu'elle est venue te voir pour te nuire et non pour te sauver.

— Seigneur, répond Perceval, je comprends bien à vos paroles que c'est là l'adversaire que je devais affronter.

— Tu dis vrai, mais vois maintenant comment tu t'es battu.

— Bien mal, me semble-t-il, car j'aurais été vaincu si la grâce du Saint- Esprit ne m'avait préservé. Qu'il en soit remercié !

— Quoi qu'il en soit du passé, reprend l'homme, prends garde désormais, car si tu succombes encore, tu ne trouveras pas cette fois si prompt secours ! »

L'homme parla longuement à Perceval, l'exhortant à se bien conduire et lui annonçant que Dieu ne l'oublierait pas mais viendrait bientôt à son secours. Il lui demanda enfin comment allait sa blessure.

« Seigneur, sur ma foi, depuis votre arrivée, je n'ai ressenti aucune douleur, comme si je n'avais jamais été blessé. En ce moment encore, en vous écoutant, je ne sens rien mais j'éprouve à vous entendre et à vous voir une telle douceur, un tel apaisement dans tout mon corps que je ne pense pas que vous soyez de ce monde mais de l'autre. Si vous restiez toujours avec moi, je ne connaîtrais plus, j'en suis sûr, ni la faim ni la soif et, si j'osais, je dirais que vous êtes le Pain Vivant descendu des cieux et dont nul ne mange, s'il en est digne, qui n'accède à la vie éternelle.»

Dès que le chevalier eut prononcé ces mots, l'homme disparut sans que Perceval puisse savoir ce qu'il était devenu. Alors, une voix dit :

« Perceval, tu as vaincu et tu es sauvé. Entre dans cette nef et va où le sort te conduira. Ne crains rien de ce que tu verras car partout où tu iras, c'est Dieu qui te conduira et tu auras bientôt le bonheur de retrouver ceux que tu désires le plus voir, tes compagnons Bohort et Galaad. »

Ces paroles procurent au chevalier une joie incomparable. Il tend les mains vers le ciel, remerciant Notre Seigneur de tant de bienfaits, puis il prend ses armes. Une fois équipé, il entre dans la nef qui gagne le large et s'éloigne du rocher dès que le vent s'est mis dans les voiles. Mais ici le conte ne s'occupe plus de Perceval et revient à Lancelot qui est resté chez l'ermite qui lui avait si clairement révélé le sens des trois paroles entendues dans la chapelle.

*

* *

L'ermite, — ainsi le rapporte le conte — , garda Lancelot avec lui pendant trois jours. Durant tout ce temps, il ne cessa de le sermonner et de l'exhorter à bien se conduire :

« Lancelot, lui dit-il, poursuivre la Quête serait absolument inutile si vous ne prenez la résolution de vous abstenir de tout péché mortel et d'oublier toute préoccupation terrestre et tous les plaisirs de ce monde. Dans cette Quête, sachez-le, votre vaillance ne vous sera en effet d'aucun secours si le Saint-Esprit ne vous aide et ne vous accompagne au cours de vos aventures. Cette Quête, vous le savez bien, est entreprise pour obtenir quelque révélation sur les mystères du Saint-Graal, révélation qu'a promise Notre Seigneur au vrai chevalier, à celui qui dépassera en mérite et en vaillance tous les chevaliers de tous les temps. Ce chevalier, vous l'avez vu le jour de la Pentecôte s'asseoir à la Table Ronde, sur le Siège Périlleux, où personne n'avait pu prendre place sans mourir, comme vous avez pu déjà le constater(48). Ce chevalier, c'est l'être d'élite qui sera de son vivant le modèle de toute chevalerie terrestre. Puis, quand il aura tant fait qu'il n'appartiendra plus à ce monde, il laissera sa dépouille terrestre et entrera dans la chevalerie céleste. Telle fut la prédiction de Merlin qui connaissait si bien l'avenir sur ce chevalier que vous avez déjà vu. Toutefois, bien qu'il soit plus vaillant et plus hardi que quiconque, dites-vous bien que s'il lui arrivait de commettre un péché mortel, — que Notre Seigneur dans sa miséricorde l'en protège ! —, il ne réussirait pas mieux cette Quête qu'un chevalier ordinaire. La tâche que vous avez entreprise ne relève pas en effet de ce monde mais du monde spirituel. Aussi, celui qui veut s'en charger et y obtenir quelque succès doit-il auparavant se débarrasser et se purifier de toutes souillures terrestres afin que l'Ennemi n'ait aucune part en lui ; et ce n'est que lorsqu'il aura renié l'Ennemi et qu'il se sera parfaitement lavé de tout péché mortel qu'il pourra commencer avec assurance cette noble Quête, cette noble tâche. Mais si sa foi est si faible et si fragile qu'il se fie plus en sa prouesse qu'en la grâce de Notre Seigneur, sachez qu'il ne s'en tirera pas sans honte et que finalement toutes ses entreprises échoueront.»

Telles étaient les paroles que durant trois jours, l'ermite adressa à Lancelot. Et Lancelot se félicitait que Dieu l'ait conduit auprès de cet homme qui avait su si bien l'instruire qu'il était convaincu d'en être à tout jamais meilleur.

Le quatrième jour, l'ermite fit demander à son frère de lui envoyer les armes et le cheval d'un chevalier qui avait séjourné chez lui ; ce qu'il fit très volontiers. Le cinquième jour, après avoir entendu la messe, Lancelot s'arma, monta en selle et quitta l'ermite en pleurant et en le suppliant au nom de Dieu de prier Notre Seigneur de ne pas l'abandonner et de ne pas le laisser retomber dans ses erreurs passées. L'ermite lui en fit la promesse et Lancelot s'en fut.

Il chevaucha à travers la forêt jusqu'au début de la matinée puis rencontra un écuyer qui lui demanda :

« Seigneur chevalier, d'où êtes-vous ?

— J'appartiens, lui répondit-il, à la cour du roi Artus.

— Et comment vous appelez-vous, s'il vous plait ?

— Lancelot du Lac.

— Ha ! Lancelot, ce n'est pas vous que je cherchais car vous êtes l'un des plus infortunés chevaliers du monde.

— Mon ami, comment le savez-vous ?

— N'est-ce pas vous qui avez vu le Saint-Graal venir devant vous et accomplir un miracle manifeste et qui pourtant êtes resté parfaitement immobile, tout comme un mécréant ?

— Oui, dit Lancelot, je l'ai vu et suis resté immobile et ma peine en est extrême.

— Ce n'est pas surprenant, reprit le jeune homme, car vous avez fait la preuve que vous n'étiez ni un homme de mérite ni un vrai chevalier mais un être plein de déloyauté et d'impiété. Puisque vous avez refusé d'honorer le Saint-Graal, ne vous étonnez donc pas d'être humilié au cours de cette Quête que vous avez entreprise avec des compagnons de grand mérite. Ah ! misérable, vous pouvez bien avoir de la peine, vous qui étiez considéré comme le meilleur chevalier du monde et qui passez maintenant pour le plus lâche et le plus perfide ! ».

Lancelot ne sait que répondre à ces accusations dont il reconnaît en lui-même le bien-fondé.

« Ami, lui dit-il pourtant, tu peux me dire tout ce que tu veux, je t'écouterai, car nul chevalier ne doit s'irriter des propos d'un écuyer si du moins il ne l'insulte pas avec trop de violence.

— Vous y serez bien obligé car désormais plus rien de bon ne sortira de vous. Pourtant, vous étiez la fleur de la chevalerie terrestre ! Malheureux ! Comme vous voilà le jouet de celle qui n'a pour vous que piètre estime et piètre amour, de celle qui a eu sur vous une influence si néfaste que vous sont désormais interdites la joie céleste et la compagnie des anges et la gloire en ce monde et que vous ne connaîtrez plus qu'humiliations de toute nature ! »

Lancelot n'ose répondre, en proie à une telle douleur qu'il voudrait bien être mort. Le jeune homme continue de l'humilier et de l'abreuver d'injures et de reproches. Lui l'écoute, si confondu qu'il n'ose même pas le regarder. L'écuyer cependant comprenant qu'il n'obtiendra pas de réponse, finit par se lasser et poursuit son chemin. Lancelot part de son côté, sans le regarder, en se lamentant, en gémissant sur lui-même et en demandant à Notre Seigneur de ramener désormais son âme sur une voie salutaire. Il a commis en ce monde tant de péchés, tant de mauvaises actions envers son Créateur qu'il sait bien qu'il ne peut espérer son pardon que de la miséricorde divine. Il en arrive donc à préférer la voie dans laquelle il s'engage désormais à tous les plaisirs d'autrefois.

Continuant sa route, il aperçoit vers midi, un peu à l'écart du chemin, une petite maison vers laquelle il se dirige, voyant bien que c'est un ermitage. De près, il distingue également une petite chapelle. Sur le seuil était assis un homme âgé, vêtu de blanc comme un moine et qui se lamentait en répétant :

« Doux Seigneur, pourquoi avez-vous permis cela ? Il vous avait pourtant longuement servi et au prix de nombreux efforts ! »

Lancelot salue ce vieillard qui pleure si pitoyablement et pour lequel il éprouve une vive compassion.

« Que Dieu vous garde ! lui dit-il.

— Puisse-t-il le faire, seigneur chevalier, répond le vieillard, car s'il ne veille attentivement sur moi, j'ai bien peur que l'Ennemi ne s'empare aisément de moi. Et puisse Dieu vous tirer du péché où vous êtes, vous qui êtes bien le plus infortuné chevalier que je connaisse ! »

En entendant cette réponse, Lancelot met pied à terre, bien décidé à ne pas aller plus avant aujourd'hui mais à demander conseil à ce vieillard qui, d'après ce qu'il vient de lui dire, semble si bien le connaître. Il attache son cheval à un arbre puis s'approche de l'entrée de la chapelle où il découvre le cadavre d'un homme aux cheveux blancs revêtu d'une fine chemise blanche. Il y avait à côté de lui une haire extrêmement rêche et rugueuse. Très surpris de voir ce cadavre, Lancelot s'assied et demande au vieillard comment est mort cet homme.

« Seigneur chevalier, je l'ignore, mais je vois bien qu'il n'était en règle ni avec Dieu ni avec son ordre lorsqu'il est mort car un homme tel que lui ne peut pas mourir dans un vêtement pareil sans enfreindre la règle. Je suis donc sûr que c'est le Diable qui lui a livré cet ultime assaut. Et c'est à mon avis un grand malheur, car voici plus de trente ans qu'il servait Notre Seigneur.

— Assurément, répond Lancelot, c'est, je trouve, un malheur extrême qu'il ait perdu le fruit de ses efforts et qu'il ait succombé à l'Ennemi à un âge aussi avancé ».

L'ermite entre alors dans la chapelle, prend un livre et met une étole à son cou, puis ressort et commence à conjurer l'Ennemi. Après avoir longuement récité les formules de conjuration, il lève les yeux et voit devant lui le Diable sous un aspect si effrayant qu'aucun être humain n'aurait pu le voir sans trembler.

« Tu me tourmentes trop, lui dit le Diable. Me voici en ton pouvoir. Que me veux-tu ?

— Je veux que tu me dises comment mon compagnon que voici est mort et s'il est perdu ou sauvé.

— Il n'est pas perdu mais sauvé, lui répond le Diable d'une voix terrifiante.

— Est-ce bien vrai ? poursuit l'ermite. J'ai l'impression que tu mens car notre ordre interdit absolument de porter une chemise de lin. Quiconque le fait transgresse la règle et mourir en transgressant la règle ne peut être bien, me semble-t-il.

— Je vais te dire, reprend le Diable, ce qui lui est arrivé.

« Il appartenait, comme tu le sais, à une très noble famille et d'ailleurs il a encore des neveux et des nièces dans ce pays. Or, tout récemment, le comte du Val déclara la guerre à Agaran, l'un de ses neveux. Dès le début des hostilités, Agaran, tout désemparé de voir qu'il avait le dessous, vint demander conseil à son oncle que tu vois là et sut le persuader de quitter son ermitage et de venir l'aider dans sa lutte. Il revint donc à son ancien état de chevalier et, à la tête des membres de sa famille, il accomplit de telles prouesses que le comte fut fait prisonnier le troisième jour des combats. Le comte se réconcilia avec Agaran et l'assura qu'il ne l'attaquerait plus jamais.

« La guerre terminée, ton compagnon revint à son ermitage et reprit le service divin comme il le faisait depuis si longtemps. Mais lorsque le comte apprit que c'était par lui qu'il avait été battu, il demanda à deux de ses neveux de le venger. Ceux-ci le lui promirent et se rendirent aussitôt dans ces parages. Seulement, lorsqu'ils mirent pied à terre devant la chapelle, ton compagnon était en train d'y célébrer la messe. Ils n'osèrent donc pas l'attaquer à ce moment-là mais décidèrent d'attendre qu'il sortît et dressèrent une tente là-devant. Lorsque, sa messe finie, il sortit de la chapelle, ils se saisirent de lui en lui disant qu'il était un homme mort et, tirant leurs épées, voulurent sur le champ lui couper la tête. Mais Celui qu'il avait toujours servi fit pour lui un miracle si manifeste qu'aucun de leurs coups ne lui fit le moindre mal. Il n'avait sur lui que sa robe de moine et pourtant leurs épées s'ébréchaient et rebondissaient comme s'ils frappaient sur une enclume. Lorsqu'enfin elles furent brisées sous leurs coups répetés, lorsqu'eux-mêmes furent épuisés de l'avoir si longtemps frappé, pas la moindre goutte de sang ne coulait de son corps.

« Alors, la fureur les saisit. Ils prirent de la pierre à briquet et des mèches et allumèrent un feu ici-même pour l'y brûler vif, persuadés qu'il ne pourrait résister aux flammes. Ils le déshabillèrent entièrement et lui ôtèrent sa haire que vous voyez là. Lui éprouva un tel sentiment de honte à se voir ainsi dévêtu qu'il les supplia de lui donner n'importe quel vêtement pour qu'il ne se vît pas dans cet état d'indignité. Mais ils lui répondirent dans leur cruauté qu'il n'obtiendrait d'eux aucun vêtement et qu'il allait mourir ainsi. A ces mots, il se mit à sourire et leur dit :

« Quoi ? Pensez-vous vraiment que ce feu que vous avez préparé pour moi peut me détruire ?

— Sans aucun doute.

— Certes, si c'est la volonté de Notre Seigneur que je meure, je mourrai bien volontiers mais si je meurs, ce sera par sa volonté et non par ce feu car ce feu sera incapable de brûler un seul de mes cheveux et si je me laissais brûler revêtu de la plus fine chemise que l'on puisse trouver, elle n'en serait nullement abîmée ».

« Les autres se moquèrent d'abord de ses propos puis l'un d'eux déclara qu'il allait bien voir ce qu'il en était et ôta sa chemise. Ils la lui passèrent et le jetèrent sitôt après dans le feu qui était si important qu'il a brûlé depuis hier matin jusqu'à hier soir fort tard. Lorsque le feu s'éteignit, ton compagnon était mort mais son corps, comme vous le voyez d'ailleurs, ne portait aucune trace de brûlure et la chemise n'était absolument pas abîmée. En voyant cela, ils furent si effrayés qu'ils l'enlevèrent du bûcher, l'apportèrent ici-même et déposèrent sa haire à côté de lui avant de s'enfuir. Mais ce miracle qu'a fait pour lui Celui qu'il a si longuement servi te prouve bien qu'il n'est pas perdu mais sauvé. Quant à moi, je vais m'en aller, maintenant que je t'ai bien expliqué ce qui te tourmentait ».

Aussitôt il s'en alla, abattant les arbres devant lui et déchaînant une tempête si épouvantable qu'on aurait cru la forêt envahie par tous les démons de l'Enfer. Le moine cependant, tout heureux de ce qu'il a appris, range le livre et l'étole et vient embrasser le corps de son compagnon en disant à Lancelot :

« Par ma foi, seigneur, c'est un grand miracle que Notre Seigneur a fait pour cet homme que je croyais mort en état de péché mortel ! Il n'en est rien, Dieu merci, et il est sauvé comme vous avez pu l'entendre.

— Seigneur, demanda Lancelot, quel est celui qui vous a si longuement parlé ? Je n'ai pu voir son corps mais j'ai bien entendu sa voix, si horrible, si terrifiante que personne ne pourrait l'entendre sans trembler.

— Seigneur, il y a bien lieu de trembler en effet car personne n'est aussi redoutable. Celui que vous avez entendu n'est autre que celui qui incite l'homme à se perdre corps et âme ».

Lancelot comprend bien alors de qui il parle. L'ermite lui demande ensuite de veiller avec lui le corps et de l'aider à l'enterrer le lendemain et Lancelot accepte bien volontiers, tout heureux que Dieu lui donne la possibilité d'honorer le corps de ce saint homme.

Il enlève ses armes et les dépose dans la chapelle, ôte la selle et le mors de son cheval et revient s'asseoir auprès de l'ermite.

« Seigneur chevalier, lui demande alors ce dernier, n'êtes-vous pas Lancelot du Lac ?

— Oui, dit-il.

— Et que cherchez-vous, armé comme vous l'êtes ?

— Seigneur, je cherche avec mes autres compagnons les aventures du Saint-Graal.

— Vous pouvez les chercher tant que vous voudrez mais il ne vous sera pas donné de les trouver car, si le Saint-Graal se montrait à vous, je ne pense pas que vous pourriez le voir, pas plus qu'un aveugle ne verrait une épée placée devant ses yeux. Cependant beaucoup de gens ont longtemps vécu dans les profondes ténèbres du péché que Notre Seigneur a ensuite rappelés dans sa vraie lumière dès qu'Il a vu qu'ils le désiraient du fond du cœur. Notre Seigneur n'est pas lent à secourir celui qui pèche contre Lui. Dès qu'Il voit que le pécheur se tourne vers Lui en pensée, en action ou en intention, Il vient aussitôt le visiter. Et si le pécheur a préparé sa demeure et l'a nettoyée comme il convient, Notre Seigneur vient et s'installe chez lui et lui n'a plus à craindre qu'Il s'en aille à moins qu'il ne le mette lui-même à la porte de sa demeure. Mais si le pécheur appelle quelque autre visiteur hostile à Notre Seigneur, il Lui faut s'en aller car Il ne peut rester là où est reçu celui qui toujours Lui fait la guerre.

« Lancelot, je t'ai ainsi parlé pour t'éclairer sur la vie que tu as menée depuis ce jour déjà lointain où tu es tombé dans le péché, ce jour où tu as reçu l'ordre de chevalerie. En effet, avant d'être chevalier, tu étais si naturellement doué de toutes les vertus que je ne connais pas d'adolescent qui pût t'être comparé (49). Tu possédais premièrement la virginité, une virginité si parfaite, si naturelle, que tu avais su la préserver car, bien souvent, quand tu considérais le caractère abject du péché de chair par lequel le virginité est irrémédiablement détruite, tu crachais de dégoût, disant que jamais tu ne tomberais dans pareille infortune. Tu affirmais alors qu'il n'y a pas de plus belle prouesse pour un chevalier que d'être vierge, de fuir la luxure et de garder son corps pur de toute souillure.

« Après cette vertu si éminente, tu avais en toi l'humilité. L'humilité marche à pas légers et mesurés, la tête baissée. Elle ne se comporte pas comme le pharisien qui disait lorsqu'il priait au temple :

« Cher Seigneur, je te rends grâces de ce que je ne suis pas aussi mauvais et aussi perfide que mes voisins ».

« Toi, tu n'étais pas ainsi mais tu ressemblais au publicain qui n'osait même pas lever les yeux vers l'image divine de peur que Dieu ne s'irrite contre un pécheur tel que lui mais qui se tenait loin de l'autel et répétait en battant sa coulpe :

« Doux seigneur Jésus-Christ, ayez pitié de ce pécheur ! » (50)

« Ainsi doit se comporter celui qui veut observer l'humilité dans ses œuvres et ainsi faisais-tu dans ton adolescence car tu aimais et craignais par-dessus tout ton Créateur, répétant que l'on ne devait rien redouter en ce monde sinon celui qui peut détruire l'âme et le corps et les jeter en enfer.

« Outre ces deux vertus, tu avais en toi la patience. La patience est pareille à l'émeraude qui reste toujours verte car, quelles que soient les tentations, la patience ne succombe pas mais brille toujours d'un éclat inaltérable et résiste victorieusement à tous les assauts. Rien de plus sûr en effet que la patience pour triompher de l'Ennemi. Au reste, quels que soient les péchés que tu aies commis par ailleurs, tu sais bien que tu possèdais naturellement cette vertu.

« Une autre vertu encore apparaissait comme innée en toi, la justice. Vertu d'une telle force, d'un tel pouvoir qu'elle maintient toutes choses à leur juste place et jamais ne varie mais récompense chacun selon ses mérites et son bon droit. La justice ne donne à personne par amour, n'enlève à personne par haine et jamais elle n'épargnera parent ni ami, mais elle marchera toujours droit sans jamais modifier sa route, quoi qu'il advienne.

« En plus de cette vertu, tu possédais, et à un degré rarement atteint, la charité. Si tu avais eu entre les mains toutes les richesses du monde, tu n'aurais pas hésité en effet à les distribuer pour l'amour de ton Créateur. Tu étais alors si embrasé par le feu du Saint-Esprit que tu brûlais du ferme désir et de la ferme volonté de conserver ce bien que t'avaient prêté ces vertus.

« Tu entras donc dans le noble ordre de chevalerie muni de toutes les grâces et de toutes les vertus que peut posséder un être humain, si bien que le Diable, qui le premier poussa l'homme à pécher et le mena à sa perte, te voyant ainsi fortifié et préservé de tous côtés, eut peur de ne pas trouver le moyen de te séduire. Il comprenait bien qu'il ne pourrait parvenir à ses fins qu'en te faisant renoncer à l'une ou l'autre de ces vertus mais il vit que tu étais voué au service de Notre Seigneur, et d'une manière si éclatante, que jamais tu n'aurais dû condescendre à servir l'Ennemi. Il eut donc peur de t'attaquer de front, persuadé que ses efforts seraient vains, et réfléchit longuement aux moyens de te tromper. Finalement il lui apparut que le plus facile serait de recourir à une femme pour te faire pécher mortellement puisqu'aussi bien notre premier père avait été trompé par une femme tout comme Salomon, le plus sage des hommes, Samson, le plus fort, et Absalon, le fils de David, le plus beau des êtres humains. « Puisque ces hommes ont été trompés et perdus par une femme, je ne pense pas, se dit-il, que cet adolescent puisse résister ».

« Il entra alors dans le cœur de la reine Guenièvre qui, depuis son mariage, n'avait pas fait une bonne confession et la poussa à te regarder avec plaisir tant que tu demeuras dans sa maison, le jour de ton adoubement (51). Toi, tu t'aperçus qu'elle te regardait et tu commença à penser à elle. Aussitôt l'Ennemi te décocha ouvertement l'une de ses flèches, avec tant de violence qu'il te fit chanceler. Je veux dire qu'il te fit abandonner le droit chemin et t'engager sur celui que tu ignorais encore, le chemin de la luxure. Chemin qui corrompt le corps et l'âme à un degré que nul ne peut imaginer avant de s'y être engagé. Dès cet instant, le Diable t'aveugla. Dès que l'ardeur de la luxure échauffa ton regard, tu chassas loin de toi l'humilité et accueillis l'orgueil. Tu te mis à marcher, tête haute, aussi fier qu'un lion, et tu te dis en toi-même que rien d'autre au monde ne devait compter et ne compterait désormais pour toi que de posséder cette femme qui te semblait si belle. Lorsque le Diable, qui entend toutes les paroles dès qu'elles sont prononcées, s'aperçut que tu péchais mortellement en pensée et en intention, il entra en ton cœur et en chassa Celui que tu avais si longtemps gardé en toi.

« Voici donc comment Notre Seigneur te perdit, Lui qui t'avait élevé, fortifié et muni de toutes les vertus et qui t'avait fait l'insigne honneur de te choisir pour son service. Tant et si bien que tu L'as abandonné au moment même où Il croyait que tu allais utiliser à son service les biens qu'Il t'avait prêtés, et que toi, qui aurais dû être le serviteur de Jésus-Christ, tu es devenu celui du Diable. En effet, en lieu et place des vertus divines, tu as laissé entrer en toi les présents du Diable. A la place de la virginité et de la chasteté, tu as laissé entrer la luxure qui les anéantit toutes deux. A la place de l'humilité, tu as laissé entrer l'orgueil, en homme qui se jugeait désormais supérieur à tous. Puis tu as chassé toutes les vertus que je t'ai énumérées et tu les as remplacées par leurs contraires. Pourtant, Notre Seigneur t'avait donné une telle abondance de bien que tout ne pouvait se perdre et c'est avec ce peu que Dieu t'a laissé que tu as accompli de par le monde les extraordinaires prouesses que chacun célèbre. Pense pourtant à ce que tu aurais pu accomplir si tu avais su préserver toutes les vertus dont Notre Seigneur t'avait doué ! Alors tu n'aurais pas échoué à mener à bien les aventures du Saint-Graal, — aventures pour lesquelles tes compagnons sont en ce moment en peine —, mais tu les aurais achevées mieux que quiconque, excepté le Vrai Chevalier, et tu n'aurais pas été aveuglé lorsque Notre Seigneur t'est apparu mais tu L'aurais vu en toute clarté.

« Et si je te dis tout cela c'est parce que je souffre de te savoir si éprouvé et si déshonoré que désormais, partout où tu iras, tous ceux qui auront appris ce qui t'est arrivé durant la Quête t'insulteront au lieu de t'accueillir avec honneur.

« Pourtant, quelles que soient tes fautes, tu peux encore obtenir ton pardon si tu implores du fond du cœur la pitié de Celui qui t'avait accordé tant de grâces et t'avait appelé à son service. Mais si ton repentir n'est pas sincère, je ne te conseille pas de poursuivre la Quête car nul ne sortira sans honte de cette entreprise s'il n'a fait auparavant une confession parfaite. Cette Quête en effet n'a pas pour objet les choses terrestres mais les spirituelles et celui qui prétend entrer au ciel chargé de souillure et d'indignité en est si cruellement précipité qu'il s'en ressent à tout jamais. Ainsi de ceux qui ont entrepris la Quête tout souillés et salis des péchés de ce monde : ils seront incapables de trouver la route à suivre mais ils s'égareront en de lointaines terres. Voici donc que se vérifie la parabole de l'Evangile où il est dit (52) :

« Jadis, un seigneur puissant avait préparé un grand festin de noces et y avait convié ses amis, ses parents et ses voisins.

Lorsque les tables furent mises, il envoya ses messagers dire aux invités de venir car tout était prêt. Mais ceux-ci mirent si peu d'empressement que le seigneur s'en irrita. Puis, quand il comprit qu'ils ne viendraient pas, il dit à ses serviteurs :

« Allez, parcourez les rues et les chemins et dites à tous, familiers ou inconnus, pauvres ou riches, de venir manger car les tables sont mises et tout est prêt. »

« Ceux-ci exécutèrent si bien les ordres de leur maître que la maison fut bientôt remplie. Lorsque les invités furent tous assis, le seigneur, les regardant, vit parmi eux un homme qui ne portait pas de vêtements de noces.

« Mon ami, lui dit-il en s'approchant de lui, qu'êtes-vous venu chercher ici ?

— Seigneur, j'y suis venu comme tous les autres.

— Non pas, répondit le seigneur, car les autres sont venus dans la joie et l'allègresse, et habillés comme on doit l'être pour une noce tandis que rien sur vous n'est signe de réjouissance. »

« Aussitôt il le fit chasser de sa maison puis dit, devant tous les convives, qu'il avait invité à cette fête dix fois plus de gens qu'il n'en était venu. Ce qui signifie bien qu'il y a beaucoup d'appelés et peu d'élus.

« Cette parabole de l'Evangile, nous pouvons bien la retrouver dans cette Quête. Le repas de noces que fit annoncer le seigneur représente la table du Saint-Graal où mangeront les justes, les vrais chevaliers, ceux que Notre Seigneur trouvera revêtus de leur robe de noces, je veux dire des grâces et des vertus que Dieu prête à ceux qui le servent. Mais ceux qui viendront à lui sans s'être préparés et prémunis, faute d'une confession sincère et de bonnes œuvres, Il refusera de les recevoir et les séparera des premiers si bien qu'ils seront aussi accablés d'opprobre et d'humiliation que les autres seront comblés d'honneur ».

L'ermite alors se tait et regarde longuement Lancelot qui pleure avec autant de douleur que s'il voyait morte la personne qu'il aime le plus au monde et qui est si affligé qu'il ne sait que devenir. Puis, au bout d'un long moment, il lui demande s'il s'est confessé depuis le début de la Quête. D'une voix étouffée Lancelot lui répond que oui, lui raconte toute son histoire, lui rapporte enfin les trois paroles qu'on lui avaient expliquées et ce qu'elles signifiaient.

« Lancelot, reprit alors l'ermite, au nom de la foi que tu as reçue et de l'ordre de chevalerie où tu es depuis longtemps entré, dis-moi, je t'en conjure, quelle vie tu préfères, celle que tu as menée autrefois ou celle que tu viens de commencer ?

— Seigneur, je vous jure sur mon Créateur que mon nouvel état me plaît cent fois plus que l'autre et que je n'en voudrais plus changer jusqu'à ma mort, quoi qu'il advienne.

— Alors ne crains rien, dit l'ermite, car si Notre Seigneur voit que ton repentir est sincère, Il t'accordera tant de grâces que tu seras à nouveau digne de Le recevoir et d'être son temple et sa demeure ».

Ils parlèrent ainsi tout le jour puis, la nuit venue, ils mangèrent le pain et burent la cervoise qu'ils trouvèrent dans l'ermitage. Ils s'étendirent ensuite devant le cadavre mais dormirent peu, plus préoccupés par les choses spirituelles que par celles de ce monde. Au matin, le moine enterra le cadavre de son compagnon devant l'autel puis il entra dans l'ermitage en déclarant qu'il y resterait désormais jusqu'à la fin de ses jours pour servir le Seigneur. Enfin, voyant que Lancelot voulait reprendre ses armes, il lui dit :

« Lancelot, je vous ordonne au nom de la Sainte Pénitence de porter désormais la haire de ce saint homme. Cela vous sera si bénéfique que, je vous l'assure, vous ne commettrez plus jamais de péché mortel tant que vous la garderez sur vous, ce qui doit vous donner grande confiance. Je vous demande en outre de ne pas manger de viande et de ne pas boire de vin tant que vous poursuivrez la Quête et d'aller à l'église écouter le service divin tous les jours où vous pourrez le faire ».

Lancelot accepte ces ordres en guise de pénitence. Il se déshabille devant l'ermite et reçoit de bon cœur la discipline puis il revêt la haire qui était extrêmement rêche et rugueuse et remet ses vêtements par-dessus. Il prend ensuite ses armes, monte à cheval et demande à l'ermite la permission de s'en aller. Celui-ci la lui donne bien volontiers tout en le priant instamment de se bien conduire et de ne pas manquer de se confesser chaque semaine afin que le Diable n'ait plus le pouvoir de lui nuire. Lancelot le lui promet et s'en va.

Il chevaucha au travers de la forêt tout l'après-midi sans rencontrer d'aventure digne d'être rapportée. En fin d'après-midi, il rencontra une demoiselle qui venait à vive allure sur un palefroi banc. Dès qu'elle vit Lancelot, elle le salue et lui dit :

« Seigneur chevalier, où allez-vous ?

— Je ne sais, ma demoiselle ; là où mon chemin me conduira car j'ignore où trouver ce que je cherche.

— Je sais bien, reprend-elle, ce que vous cherchez. Jadis, vous avez été plus près de le trouver que vous ne l'êtes maintenant et pourtant vous en êtes maintenant plus près que vous ne l'avez jamais été, si du moins vous vous en tenez à ce que vous avez entrepris.

— Ma demoiselle, ce que vous me dites me semble bien contradictoire.

— Ne vous tourmentez pas. Plus tard, vous verrez cela mieux qu'aujourd'hui et tout ce que je vous ai dit, vous l'entendrez bien encore ».

Sur ce, comme elle s'éloignait, Lancelot lui demanda où il pourrait se loger pour la nuit.

« Pour cette nuit, vous ne trouverez pas de gîte mais demain vous trouverez tout ce qu'il vous faudra et vos craintes actuelles seront dissipées ».

Ils se recommandent alors à Dieu et se séparent. Lancelot poursuit sa chevauchée à travers la forêt et se trouve à la tombée de la nuit au carrefour de deux routes. Là se dressait une croix de bois. Tout heureux de rencontrer cette croix, il déclare que ce sera là son gîte pour la nuit. Il s'incline devant elle, met pied à terre, ôte à son cheval le mors et la selle et le laisse paître. Il enlève également son écu, délace et ôte son heaume puis, à genoux devant la croix, il récite ses prières en demandant au Crucifié dont cette croix rappelle et exalte le sacrifice de le préserver désormais de tout péché mortel car il craint par-dessus tout de succomber de nouveau à la tentation.

Après avoir longuement prié Notre Seigneur, il s'appuya sur une pierre qui se trouvait devant la croix. Il avait grande envie de dormir, épuisé qu'il était par le jeûne et les veilles, et très vite le sommeil le gagna, ainsi appuyé sur la pierre. Une fois endormi, il vit venir devant lui un homme tout environné d'étoiles (53). Il était accompagné de sept rois et de deux chevaliers et portait une couronne d'or sur la tête. Une fois arrivés devant Lancelot, tous s'arrêtaient pour adorer la croix et faire acte de contrition. Après être restés longtemps à genoux, ils s'asseyaient en tendant les mains vers le ciel, disant à haute voix :

« Père qui êtes aux cieux, viens nous visiter, récompense chacun de nous selon ses mérites et accepte-nous dans ta demeure où nous désirons si ardemment entrer ».

Puis ils se taisaient. Lancelot, regardant alors vers le ciel, voyait les nues s'ouvrir et un homme en sortir entouré d'un grand nombre d'anges. L'homme venait jusqu'à ceux qui priaient, donnait à chacun sa bénédiction en les appelant bons et fidèles serviteurs et leur disait :

« Ma maison est prête pour vous accueillir tous : entrez dans la joie qui jamais ne vous manquera ».

Il s'approchait ensuite du plus âgé des deux chevaliers et lui disait :

« Va-t-en d'ici car j'ai perdu tout ce que je t'avais confié. Tu t'es conduit à mon égard comme un fils indigne. Tu n'as pas été mon ami mais mon adversaire et je te préviens que je t'anéantirai si tu ne me rends pas le trésor que je t'ai confié ».

En entendant ces paroles, le chevalier s'écartait des autres et, plein de douleur, sollicitait ardemment son pardon. Et l'homme lui répondait :

« Si tu le veux, je t'aimerai, si tu le veux, je te haïrai ».

Le chevalier quittait alors ses compagnons. Pendant ce temps, l'homme qui était descendu du ciel s'approchait du plus jeune chevalier, le changeait en lion et lui donnait des ailes puis lui disait :

« Cher fils, tu peux maintenant t'en aller par le monde et t'élever au-dessus de tous les chevaliers ».

Le jeune homme prenait alors son essor et ses ailes grandissaient d'une manière si extraordinaire que le monde entier en était recouvert. Puis, après avoir longuement volé sous les regards admiratifs de tous, il s'élevait vers les nues tandis que le ciel s'ouvrait pour le recevoir et il y entrait sans plus s'attarder.

Voici donc la vision qu'eut Lancelot durant son sommeil. Lorsqu'il vit apparaître le jour, il leva la main et se signa puis, se recommandant à Dieu :

« Doux Jésus-Christ, dit-il, Toi le vrai sauveur et le vrai réconfort de tous ceux qui T'implorent du fond du cœur, Seigneur, je T'adore et Te rends grâces de m'avoir accordé aide et secours au moment où j'aurais dû subir les pires humiliations et les pires tourments si Tu ne m'avais témoigné ta miséricorde.

« Seigneur me voici, moi ta créature, à qui Tu as manifesté tant d'amour qu'au moment où mon âme était sur le point d'aller en enfer et de connaître la damnation éternelle, Tu l'en as sauvée dans ta pitié et Tu lui as permis de Te reconnaître et de Te craindre. Seigneur, aies pitié de moi, ne me laisse pas désormais quitter le droit chemin mais veille si bien sur moi que l'Ennemi, qui ne cherche qu'à me surprendre, ne me trouve jamais loin de toi ».

A ces mots, il se relève et va remettre à son cheval la selle et le mors. Il lace son heaume, prend son écu et sa lance et monte en selle puis reprend sa route tout comme la veille, tout préoccupé par la vision qu'il a eue et dont il ignore la signification. Il aimerait pourtant bien la connaître. Il chevaucha jusqu'à midi et commençait à souffrir de la chaleur lorsqu'il rencontra dans la vallée le chevalier qui, peu auparavant, lui avait enlevé ses armes. Dès qu'il l'aperçut, celui-ci lui dit sans le saluer :

« Lancelot, en garde ! Si tu ne te défends pas contre moi, c'en est fait de toi ! »

Et aussitôt il lui court sus, lance en arrêt, et le frappe avec une force telle qu'il lui perce son écu et son haubert sans toutefois l'atteindre au corps. Cependant Lancelot, ramassant toutes ses forces, lui porte à son tour un coup tel qu'il le jette à terre avec son cheval et peu s'en faut que le chevalier ne se brise le cou sous la violence du choc. Lancelot poursuit sur sa lancée puis fait demi-tour et, voyant que le cheval se relevait déjà, il l'attache à un arbre pour que le chevalier le retrouve lorsque lui-même se relèvera. Il reprend ensuite sa route et chevauche jusqu'au soir. Il ressentit bientôt une extrême lassitude. Ni ce jour en effet ni le précédent il n'avait mangé et ces deux journées de chevauchée l'avaient recru de fatigue.

Il arriva finalement devant un ermitage situé au flanc d'une montagne. Devant la porte était assis, à ce qu'il vit, un ermite très âgé. Lancelot le salue, plein de joie, et l'ermite fait de même avec une grande courtoisie.

« Seigneur, dit Lancelot, pourriez-vous donner l'hospitalité à un chevalier errant ?

— Cher seigneur, si vous le désirez, je vous accueillerai aujourd'hui de mon mieux et vous donnerai à manger ce que Dieu m'a accordé ».

Comme Lancelot l'assure qu'il n'en demande pas davantage, l'ermite conduit le cheval dans un appentis qui était devant la maison, lui enlève lui-même la selle et le mors et lui donne de l'herbe qu'il avait en quantité. Prenant ensuite l'écu et la lance de Lancelot, il les dépose dans la maison. Lancelot, lui, avait déjà délacé son heaume et rabattu sa ventaille. Il enlève ensuite son haubert et le porte à l'intérieur. Lorsqu'il est désarmé, l'ermite lui demande s'il a entendu les vêpres et Lancelot lui répond, qu'à part un homme rencontré vers midi, il n'a vu de tout le jour ni être humain ni maison ni abri. L'ermite entre alors dans la chapelle, appelle son clerc et dit les vêpres du jour puis celles de la Vierge. L'office du jour terminé, il ressort de la chapelle et demande à Lancelot qui il est et de quel pays. Lancelot lui raconte alors son histoire sans rien lui cacher de ce qui lui est arrivé lorsqu'il a vu le Saint-Graal. L'ermite est rempli de compassion par son récit car il voit bien que Lancelot s'est mis à pleurer dès qu'il a évoqué cette aventure. Il lui demande alors, au nom de la Sainte Vierge et de la Sainte Foi, de lui faire une confession complète, ce que Lancelot accepte bien volontiers. L'ermite le conduit dans la chapelle où Lancelot lui raconte toute sa vie, comme il l'avait fait précédemment, et le supplie, au nom de Dieu, de le conseiller.

Lorsque l'ermite a entendu en confession le récit de sa vie, il le réconforte et le rassure avec force bonnes paroles. Tout rasséréné, Lancelot lui dit alors :

« Seigneur, dites-moi votre avis, si vous le pouvez, sur ce que je vais vous demander.

— Parlez donc, car je vous conseillerai de mon mieux.

— Seigneur, reprit Lancelot, cette nuit durant mon sommeil j'ai vu venir devant moi un homme tout environné d'étoiles qu'accompagnaient sept rois et deux chavaliers ».

Et il lui rapporte alors en détail tout ce qu'il a vu.

« Ha ! Lancelot, lui dit l'ermite lorsqu'il a fini, tu as pu voir ainsi la noblesse de ton lignage et qui sont tes ancêtres ! Apprends donc que cette vision est bien plus riche de sens que beaucoup ne pourraient le penser. Et maintenant, écoute-moi si tu veux, et je te dirai l'origine de ta race. Mais je remonterai très loin car il doit en être ainsi.

« C'est un fait établi que, quarante-deux ans après la Passion de Jésus-Christ, Joseph d'Arimathie, le noble, le vrai chevalier, quitta Jérusalem sur l'ordre de Notre Seigneur pour prêcher et annoncer la vérité de la Nouvelle Loi et les commandements de l'Evangile. Il arriva à Sarras où un roi païen; — il s'appelait Evalach —, guerroyait contre un de ses puissants voisins. Joseph fit la connaissance du roi et sut si bien le conseiller que celui-ci remporta sur son ennemi une victoire décisive grâce à l'aide que Dieu lui envoya. De retour dans sa cité, il se fit baptiser par Josèphé, le fils de Joseph. Il avait un beau-frère dont le nom païen était Séraphé mais qui, une fois baptisé, prit le nom de Nascien. Ce chevalier, lorsqu'il eut renoncé à sa religion pour devenir chrétien, montra une telle foi, un tel amour de Dieu, qu'il apparut comme un pilier et un fondement de la foi. Ses mérites et sa loyauté furent d'ailleurs manifestes lorsque Notre Seigneur lui laissa contempler les grands secrets et les profonds mystères du Saint-Graal, qu'à part Joseph, les chevaliers de ce temps n'avaient guère pu qu'entrevoir. Il en fut d'ailleurs de même pour leurs descendants qui, tout comme toi, ne virent le Saint-Graal qu'en songe.

« A cette époque, le roi Evalach fit le rêve que voici. Il vit un grand lac sortir du ventre d'un de ses neveux, fils de Nascien. De ce lac coulaient neuf fleuves dont huit étaient également grands et profonds, mais le dernier était beaucoup plus large et beaucoup plus profond que les autres et si rapide et si impétueux que rien n'aurait pu lui résister. A sa source, il était trouble et épais comme de la boue, au milieu clair et pur, à son terme, très différent encore. Là en effet il était cent fois plus beau et plus clair qu'à sa source et son eau était si agréable à boire que nul n'aurait pu s'en lasser. Tel était le neuvième fleuve. Ensuite, le roi Evalach voyait descendre du ciel un homme qui ressemblait en tous points à Notre Seigneur. Une fois près du lac, l'homme y lavait ses mains et ses pieds et faisait de même dans chacun des fleuves mais, dans le neuvième, il lavait non seulement ses mains et ses pieds mais tout son corps.

« Telle fut donc la vision de Mordrain (54) dont voici maintenant la signification. Le neveu de Mordrain d'où sortait le lac, c'était Célidoine, le fils de Nascien, que Notre Seigneur envoya en ce pays pour anéantir et détruire les incroyants. Ce fut un vrai serviteur du Christ, un vrai soldat de Dieu. Il connaissait le cours des étoiles et des planètes et la configuration du firmament autant et plus que les philosophes et c'est parce que ses connaissances et sa science en ce domaine étaient si grandes qu'il vint devant toi tout environné d'étoiles. Ce fut le premier roi chrétien d'Ecosse. Et il fut véritablement source de toute science, lui en qui l'on pouvait puiser toute connaissance sur la personne divine et ses attributs. De ce lac sortirent neuf fleuves, je veux dire neuf êtres humains issus de lui, qui n'étaient pas tous ses fils mais les descendants les uns des autres. Parmi ces neuf, sept furent rois et deux, chevaliers. Le premier descendant de Célidoine s'appela Narpus. Ce fut un homme de haute vertu qui aima beaucoup notre Sainte Eglise. Le second fut appelé Nascien, en souvenir de son ancêtre. Il était si pénétré de l'esprit de Dieu que nul, en son temps, n'eut aussi haute réputation. Le troisième roi fut Elian le Gros qui aurait préféré mourir plutôt que d'offenser son Créateur. Le quatrième s'appela Ysaïe, homme de mérite, plein de loyauté, qui craignit par-dessus tout Notre Seigneur et qui jamais ne L'offensa volontairement. Le cinquième s'appela Jonaan. Ce fut un bon chevalier, plus loyal et plus hardi que quiconque et qui jamais n'agit délibérément contre la volonté de Notre Seigneur. Celui-ci quitta ce pays et se rendit en Gaule. Il y épousa la fille de Maroneus et devint ainsi roi du pays. De lui naquit le roi Lancelot ton aïeul qui quitta à son tour la Gaule et revint en ce pays et qui épousa la fille du roi d'Irlande. Ce fut un homme de haute vertu comme tu l'as appris quand tu découvris près de la source son corps gardé par deux lions (55). De lui naquit le roi Ban ton père, homme de plus haut mérite et de plus grande piété que bien des gens ne le pensèrent. On crut en effet qu'il était mort de la douleur que lui causa la perte de sa terre mais il n'en fut rien. Il avait depuis toujours demandé à Notre Seigneur de le rappeler à Lui le jour où il le Lui demanderait et Notre Seigneur montra bien qu'Il avait écouté sa prière car dès que le roi Ban demanda la mort pour son corps, elle lui fut accordée et son âme reçut la vie (56).

« Ces sept personnes que je viens de t'énumérer et qui sont à l'origine de ton lignage, ce sont les sept rois qui t'apparurent en rêve, sept des fleuves que le roi Mordrain vit en songe sortir du lac et dans lesquels Notre Seigneur a baigné ses mains et ses pieds. Il me faut maintenant te dire qui sont les deux chevaliers qui les accompagnaient. Le plus âgé de ceux qui les suivaient, je veux dire qui est issu d'eux, c'est toi, car tu es le fils du roi Ban qui fut le dernier de ces sept rois. Une fois réunis devant toi, ils disaient :

« Père des cieux, viens nous visiter, récompense chacun selon ses mérites et reçois-nous dans ta demeure ».

« En disant « Père, viens nous visiter », ils t'acceptaient parmi eux et priaient Notre Seigneur de venir te chercher en même temps qu'eux car c'est en eux que tu t'origines. Mais lorsqu'ils disaient : « Récompense chacun selon ses mérites, » tu dois comprendre que seul l'esprit de justice les guidait. Quel que soit en effet l'amour qu'ils te portaient, ils ne voulaient pas implorer indûment Notre Seigneur mais simplement Lui demander de rendre justice à chacun. Tu vis ensuite descendre du ciel un homme environné d'anges qui s'approchait d'eux et les bénissait tour à tour. Et ce que tu as vu en rêve est depuis longtemps accompli car tous vivent désormais dans la compagnie des anges.

« Lorsqu'il eut adressé au plus âgé des deux chevaliers ces paroles dont tu te souviens bien et que tu dois appliquer à toi-même (car c'est toi qu'elles concernent et pour toi qu'elles furent prononcées), il se dirigeait vers le plus jeune chevalier qui est issu de toi car tu l'engendras de la fille du Roi Pêcheur et le changeait en lion. Ce qui veut dire qu'il le mettait ainsi bien au-dessus de toute créature humaine, et que nul ne saurait s'égaler à lui en audace comme en puissance. Il lui donnait des ailes afin que personne ne fût aussi rapide et agile que lui et ne pût le dépasser en prouesse ou autrement puis il disait :

« Cher fils, tu peux maintenant parcourir l'univers et voler au-dessus de toute la chevalerie terrestre ».

« Et lui se mettait alors à voler et ses ailes grandissaient d'une manière si extraordinaire que le monde entier en était recouvert. D'ailleurs, tout ce que tu voyais dans ton rêve est déjà accompli par Galaad, ce chevalier qui est ton fils. La sainteté de sa vie remplit quiconque d'admiration et personne, ni toi ni autrui, ne peut rivaliser de prouesse avec lui. Comme il est monté si haut que nul ne pourrait le rejoindre, nous pouvons bien dire que Notre Seigneur lui a donné des ailes pour voler au-dessus de tous les autres et nous devons voir en lui le neuvième fleuve que vit en songe le roi Mordrain, ce fleuve qui était plus large et plus profond que tous les autres réunis. Voici donc qui étaient les sept rois que tu as vu en rêve, qui était le chevalier qui fut exclus de leur compagnie, qui était enfin ce dernier chevalier à qui Notre Seigneur donnait une si grande grâce qu'il le laissait s'élever au-dessus de tous les autres.

— Seigneur, dit Lancelot, vous me surprenez beaucoup en me disant que le Bon Chevalier est mon fils.

— Tu n'as nulle raison d'être surpris, répondit l'ermite. Tu sais bien et on te l'a souvent rappelé, que tu as connu charnellement la fille du roi Pellès et que tu as ainsi engendré Galaad, ce chevalier qui prit place le jour de la Pentecôte sur le Siège Périlleux. C'est lui, le chevalier que tu poursuis et, si je t'ai parlé de lui, c'est parce que je ne voudrais pas que tu combattes contre lui. S'il causait ta perte, il pourrait en effet pécher mortellement et si tu l'attaquais, c'en serait fait de toi, sache-le, car nul ne l'égale en vaillance.

— Seigneur, reprit Lancelot, vos paroles me réconfortent beaucoup. Puisque Notre Seigneur a permis qu'un tel fruit naisse de moi, ce fils de si haute vertu ne devrait pas supporter, me semble-t-il, que son père, quelles que soient ses fautes, soit damné mais il devrait sans cesse prier Notre Seigneur de m'arracher, dans sa miséricorde, à la vie mauvaise que j'ai si longtemps menée.

— Voici ce qu'il en est, dit l'ermite. Le père porte le poids de ses péchés mortels et le fils, le sien. Le fils n'aura jamais part aux iniquités du père et le père à celles du fils mais chacun sera récompensé selon ses mérites. Tu ne dois donc pas mettre ton espoir en ton fils mais en Dieu seul qui, si tu le lui demandes, te donnera aide et assistance chaque fois que tu en auras besoin.

— Puisque personne d'autre que Jésus-Christ ne peut me venir en aide, reprend Lancelot, je le supplie donc de le faire et de ne pas me laisser tomber aux mains de l'Ennemi. Ainsi pourrai-je lui remettre le trésor qu'il me réclame, je veux dire mon âme, au jour d'épouvante où Il dira aux méchants : « Allez-vous en d'ici, gent maudite, vouée aux flammes éternelles » et où Il dira aux bons la douce parole » « Venez, vous les héritiers et les fils bénis de mon Père et entrez dans la joie éternelle ». (57)

Lancelot et l'ermite continuèrent longtemps de parler. Quand il fut temps de manger, ils sortirent de la chapelle et vinrent s'asseoir dans la maison de l'ermite où ils mangèrent du pain et burent de la cervoise. Puis, le repas terminé, l'ermite invita Lancelot à s'allonger sur l'herbe car il n'avait pas d'autre lit à lui proposer. Lancelot dormit plutôt bien car il était recru de fatigue et se montrait beaucoup moins exigeant pour son confort que par le passé. L'eût-il été, il n'aurait jamais pu dormir tant la terre était dure et tant la haire qu'il portait meurtrissait et déchirait sa chair. Mais désormais l'épreuve de la souffrance et de l'inconfort lui est plus agréable que tout ce qu'il a connu auparavant et rien de ce qu'il endure ne lui coûte.

Cette nuit-là donc, Lancelot dormit et reprit des forces dans la maison de l'ermite. Au lever du jour, il se leva et alla écouter la messe. Le service terminé, Lancelot prit ses armes, monta à cheval et recommanda son hôte à Dieu. L'ermite le pria instamment de persévérer dans la voie qu'il avait choisie et Lancelot l'assura qu'il le ferait, si du moins Dieu lui en donnait la force, et s'en alla. Il chevaucha toute la journée dans la forêt sans suivre route ni sentier car il repensait sans cesse à la manière dont il avait vécu et se repentait des graves péchés qu'il avait commis et qui lui interdisaient désormais de rester avec ceux qu'il avait vus en rêve. Exclusion qui lui causait une douleur telle qu'il redoutait de céder au désespoir. Mais comme il a mis toute sa confiance en Jésus-Christ, il a bon espoir de revenir un jour en ce lieu d'où il a été chassé et de pouvoir rester avec ceux dont il est issu.

A midi, il se trouva dans une vaste clairière et vit devant lui un château fort, solidement assis et tout entouré de murs et de fossés. Dans une prairie devant le château étaient dressées une centaine de tentes en soie de diverses couleurs. Devant elle, cinq cents chevaliers sinon davantage, montés sur de grands destriers, avaient commencé un gigantesque tournoi. Toutes leurs armures sans exception étaient ou blanches ou noires. Ceux qui portaient des armes blanches se tenaient du côté de la forêt, les autres du côté du château. Ce formidable tournoi durait déjà depuis un moment et le nombre des chevaliers abattus était surprenant. Lancelot regarde longuement l'affrontement, tant et si bien qu'il voit que les chevaliers du château ont le dessous et reculent alors qu'ils sont pourtant plus nombreux. Il décide donc de se ranger de leur côté afin de les aider de son mieux. Lance en arrêt, il éperonne son cheval et heurte le premier adversaire qu'il rencontre avec une force telle qu'il le renverse avec sa monture. Il poursuit sur sa lancée, en frappe un autre et brise sa lance mais le jette néanmoins à terre. Il tire alors son épée et parcourt les rangs en portant de terribles coups. Sa prouesse est si manifeste que tous ceux qui le voient le proclament bientôt vainqueur du tournoi. Pourtant, il ne parvient pas à triompher de ses adversaires dont la résistance et l'endurance le surprennent fort. Il les attaque à coups redoublés, comme s'il frappait sur un morceau de bois, mais eux ne paraissent pas sentir les coups qu'il leur donne et, loin de reculer, gagnent sans cesse du terrain sur lui. Ils l'ont bientôt si fatigué qu'il ne peut plus tenir son épée et son épuisement est tel qu'il pense qu'il n'aura plus jamais la force de porter ses armes. Alors ils se saisissent de lui, l'entraînent vers la forêt et l'y laissent. Son départ cause aussitôt la défaite de ses compagnons.

« Lancelot, lui disent alors les chevaliers qui l'emmènent, nous en avons tant fait que vous voici maintenant avec nous, en notre pouvoir et, si vous voulez vous en aller, il faut nous jurer que vous ferez ce que nous voudrons ».

Il le jure et aussitôt, les laissant dans la forêt, il s'en va en empruntant un autre sentier que précédemment.

Une fois bien loin de ceux qui l'avaient pris, il se met à réfléchir à ce qui vient de lui arriver, lui qui n'a jamais participé à un tournoi sans le remporter et qui jamais n'y a été fait prisonnier. A cette pensée, il commence à se lamenter en déclarant qu'il voit bien qu'il est plus grand pécheur que quinconque puisque ses péchés et sa mauvaise fortune lui ont ravi la vue et la force physique. Qu'il ait perdu la vue, il le sait bien puisqu'il n'a pu contempler le Saint-Graal lorsqu'il est venu devant lui ; et de même pour la force physique car jamais par le passé, ses adversaires, même aussi nombreux, n'ont pu parvenir à l'accabler et lui au contraire les mettait tous en fuite, qu'ils le veuillent ou non. Il poursuit sa chevauchée dans cet état de douleur et d'affliction tant et si bien que la nuit le surprend dans une vallée large et profonde. Voyant qu'il ne pourra atteindre la montagne, il descend sous un grand peuplier, ôte à son cheval la selle et le mors, se défait de son heaume et de son haubert et rabat sa ventaille (58) ; puis il se couche sur l'herbe et s'endort sans peine car il était plus épuisé par sa journée qu'il ne l'avait été depuis longtemps.

Une fois endormi, il vit un homme au visage empreint de sagesse qui descendait du ciel et s'approchait de lui en lui disant avec colère :

« Homme de peu de foi (59) et de pauvre croyance, pourquoi t'es-tu si facilement retourné vers ton ennemi mortel ? Si tu ne te gardes, il te fera tomber dans le puits profond dont nul ne ressort ».

Sur ce, il disparaissait si rapidement que Lancelot ne sut ce qu'il était devenu. Bien que tourmenté par ces paroles, le chevalier ne se réveilla pas mais continua de dormir jusqu'au lever du jour. Il se lève alors et fait le signe de croix sur son front en se recommandant à Notre Seigneur puis il regarde tout autour de lui et ne voit plus son cheval. Il finit pourtant par le retrouver, le selle et monte.

Comme il se mettait en route, il aperçut sur sa droite, à une portée d'arc, une chapelle où habitait une recluse que l'on considérait comme l'une des plus saintes dames du pays. Il se dit alors qu'il est bien infortuné et que ses péchés le détournent vraiment de tout bien : n'était-il pas déjà là hier au soir et à une heure où il aurait pu venir demander conseil sur ce qu'il devait faire ? Il se dirige donc vers la chapelle, attache son cheval à un arbre et laisse devant la porte son écu, son heaume et son épée. Une fois à l'intérieur, il voit sur l'autel les ornements sacerdotaux tout prêts et, devant l'autel, un chapelain à genoux, en train de dire ses prières. Peu après, le prêtre revêtit les armes de Notre Seigneur et commença la messe de la glorieuse Mère de Dieu. La messe dite, il se déshabilla et la recluse, qui voyait l'autel par une petite lucarne, appela Lancelot, pensant bien que c'était un chevalier errant qui avait besoin de conseil. Il s'approche et elle lui demande qui il est, de quel pays et ce qu'il cherche. Il répond exactement à toutes ses questions, puis lui raconte ce qui lui est arrivé la veille au tournoi, comment les chevaliers aux armes blanches s'étaient saisis de lui et les paroles qui lui avaient été adressées. Il lui rapporte enfin le rêve qu'il a fait en la priant de le conseiller du mieux qu'elle peut.

« Lancelot, Lancelot, lui dit-elle, tant que vous avez appartenu à la chevalerie terrestre, vous avez été le chevalier le plus avide d'aventures et le plus extraordinaire qui soit. Ne vous étonnez donc pas, maintenant que vous vous êtes consacré à la chevalerie céleste, que vous arrivent des aventures extraordinaires ! Je vais néanmoins vous dire la signification du tournoi que vous avez vu car, n'en doutez pas, tout ce que vous avez vu n'était autre qu'une manifestation de Jésus-Christ. Certes, je puis vous affirmer, —et sur ce point il n'y a aucun doute à avoir—, que tous les participants étaient des êtres humains mais la signification de ce tournoi était plus grande qu'eux-mêmes ne le savaient. Je vous expliquerai d'abord pourquoi ce tournoi a été entrepris et qui étaient les chevaliers. Il fut entrepris pour voir qui avait le plus de chevaliers, Elyezer, le fils du roi Pellès ou Arguste, le fils du roi Herlen. Et, pour qu'on puisse distinguer les deux partis, Elyezer fit mettre à ses chevaliers des housses blanches. Au cours du combat les noirs, pourtant plus nombreux, furent vaincus en dépit de votre aide.

« Je vais maintenant vous expliquer la signification de ce combat. Il y a quelque temps, le jour de la Pentecôte, chevaliers terrestres et chevaliers célestes s'assemblèrent pour un tournoi, je veux dire qu'ils entreprirent de concert la Quête. Les chevaliers terrestres, ce sont ceux qui sont en état de péché mortel, les chevaliers du ciel, ce sont les hommes de haute vertu, les vrais chevaliers qui n'étaient pas souillés par le péché. Tous donc commencèrent la Quête du Saint-Graal, ce fut là leur tournoi. Les chevaliers terrestres dont les yeux et les cœurs étaient remplis de terre, prirent des housses noires, en hommes couverts de noirs et horribles péchés. Les autres, les chevaliers du ciel, revêtirent des housses blanches, la virginité, la chasteté, toutes deux pures de taches et de noirceur. Quand le tournoi, c'est-à-dire la Quête, fut commencé, tu regardas les pécheurs et les bons et il t'apparut que les pécheurs avaient le dessous.

Comme tu étais toi-même du côté des pécheurs, puisque tu étais également en état de péché mortel, tu es allé les soutenir et combattre les bons. C'est ainsi que tu as voulu jouter contre Galaad ton fils ce jour où il a abattu tout à la fois ton cheval et celui de Perceval. Tu participais depuis longtemps au tournoi et

« Tu participais dèpuis longtemps au tounoi et tu succombais à la fatigue lorsque les bons chevaliers te saisirent et t'emmenèrent dans la forêt. Lorsque, il y a quelques jours, tu as entrepris la Quête et que le Saint-Graal t'est apparu, tu t'es senti si vil, si souillé par le péché que tu as pensé ne plus pouvoir jamais porter tes armes. Je veux dire que tu as pensé que Notre Seigneur ne voudrait plus faire de toi son chevalier et son serviteur. Mais très vite les saints hommes, les ermites, les religieux t'ont recueilli, t'ont engagé sur la voie de Notre Seigneur qui est pleine de vie et toute verdoyante comme l'est la forêt et t'ont donné tout conseil profitable à ton âme. Lorsque tu les as quittés, tu n'as pas repris la route que tu avais auparavant suivie, c'est-à-dire tu n'as pas recommencé à commettre comme par le passé des péchés mortels. Pourtant, dès que tu t'es souvenu de la vaine gloire de ce monde et de l'orgueil que tu tirais de tes exploits, tu t'es mis à te lamenter parce que tu n'avais pas pleinement triomphé. Ce qui irrita Notre Seigneur contre toi, comme Il te le rappela durant ton sommeil, lorsqu'Il t'a dit que tu étais un homme de peu de foi et de peu de croyance et lorsqu'Il t'a rappelé que le Diable te ferait tomber dans le puits profond, — c'est l'enfer —, si tu ne te tenais sur tes gardes. Je t'ai donc expliqué la signification du tournoi et de ton rêve afin que tu ne t'éloignes pas de la voie de la vérité en cédant à la vaine gloire ou à quelque autre occasion de péché. Sache en effet que tu as si longtemps désobéi à ton Créateur que, si tu persévères, Il te laissera errer de péché en péché jusqu'à ce que tu tombes dans la peine éternelle, je veux dire en enfer ».

La dame se tait alors.

« Ma dame, reprend Lancelot, vous-même et les ermites avec qui j'ai parlé m'en ont tant dit que si je retombe en état de péché mortel, je suis plus blâmable que tout autre pécheur.

— Que Dieu vous permette dans sa miséricorde de n'y plus retomber, lui répond la dame. Lancelot, poursuit-elle, cette forêt est très grande et il est facile de s'y perdre. On peut bien y chevaucher toute une journée sans trouver ni maison ni abri. Aussi dites-moi si vous avez mangé aujourd'hui, sinon, je vous donnerai la charité que Dieu m'a faite ».

Comme il lui répond qu'il n'a pas mangé ni ce jour ni la

veille, elle fait apporter du pain et de l'eau. Lancelot entre dans la maison du chapelain et reçoit la charité que Dieu lui a envoyée puis, dès qu'il a mangé, il s'en va en recommandant la dame à Dieu et chevauche toute la journée jusqu'au soir.

Il passa cette nuit-là sur un rocher extrêmement élevé, sans autre compagnie que celle de Dieu. Il pria d'abord une grande partie de la nuit puis dormit longtemps. Au matin, lorsque le jour se leva, il fit le signe de croix sur son front, se prosterna sur les coudes et les genoux face à l'orient et pria tout comme la veille. Ensuite, il sella et brida son cheval, monta en selle et reprit sa route comme précédemment. Il finit par arriver dans une large vallée, très belle, qui s'étendait entre deux montagnes extraordinairement élevées. Une fois dans la vallée, il est très embarrassé : devant lui coule la rivière qu'on appelle Marcoise qui coupe en deux la forêt et il ne sait plus que faire. Il lui faut en effet franchir cette rivière, profonde et dangereuse, ce qui l'effraie fort. Pourtant, son espérance et sa confiance en Dieu sont telles qu'il cesse de se préoccuper et se dit qu'il la passera bien avec son aide.

Telles étaient ses réflexions lorsqu'il lui arriva une aventure extraordinaire. Il vit sortir de la rivière un chevalier revêtu d'une armure plus noire que mûre et monté sur un grand cheval noir. Sans mot dire, le chevalier se dirige droit sur Lancelot, lance en arrêt, et frappe son cheval avec un force telle qu'il le tue mais il ne touche pas Lancelot. Il part aussitôt à vive allure et disparaît rapidement à l'horizon. Quand Lancelot voit son cheval abattu sous lui, il se relève, pas trop affligé pourtant puisque telle est la volonté de Notre Seigneur. Il abandonne sans un regard son cheval et s'éloigne avec ses armes. Arrivé à la rivière, et ne voyant pas comment il pourrait la traverser, il s'arrête, enlève son heaume, dépose son écu, son épée et sa lance puis se couche à côté d'un rocher, en se disant qu'il restera là jusqu'à ce que Notre Seigneur le secoure.

Voici donc Lancelot cerné de trois côtés, par la rivière, par les montagnes, par la forêt. Il a beau chercher de ces trois côtés, il n'y voit aucune possibilité de secours terrestre. S'il monte sur la montagne pour apaiser sa faim, il ne trouvera personne qui lui donne à manger, à moins que Notre Seigneur n'intervienne. S'il entre dans cette forêt où il est facile de s'égarer, il pourra se perdre et rester longtemps sans trouver du secours. S'il entre enfin dans la rivière, il ne voit pas comment il pourrait en réchapper car elle est si trouble et si profonde qu'il n'aura pas pied. Pour ces trois raisons, il reste sur la rive, priant Notre Seigneur de venir le visiter, de le réconforter et de le guider afin qu'il ne soit pas tenté par les ruses du Diable et qu'il ne cède pas au désespoir. Mais ici l'histoire cesse de parler de lui et revient à Monseigneur Gauvain.

*
* *

Lorsque monseigneur Gauvain eut quitté ses compagnons, il chevaucha longtemps de tous côtés, — ainsi le relate le conte —, sans rencontrer d'aventure digne d'être rapportée. Il en allait de même pour les autres compagnons qui trouvaient dix fois moins d'aventures que d'habitude. La Quête leur en pesa d'autant plus. Monseigneur Gauvain chevaucha de la Pentecôte jusqu'à la fête de la Madeleine (60), sans rencontrer aucune aventure mémorable. A sa grande surprise, car il s'imaginait qu'il trouverait au cours de cette Quête du Saint-Graal des aventures plus difficiles et plus extraordinaires que partout ailleurs. Un jour, il rencontra Hector des Mares qui chevauchait tout seul. Ils se reconnurent immédiatement et se réjouirent de se retrouver. Monseigneur Gauvain demanda à Hector comment il allait et Hector lui répondit qu'il allait bien mais que depuis longtemps il n'avait rencontré aucune aventure.

« Ma foi, répliqua monseigneur Gauvain, je voulais précisément me plaindre à vous de cela car moi non plus, que Dieu m'assiste !, je n'ai rien trouvé depuis que j'ai quitté Camaaloth. J'en ignore la raison mais ce n'est pas faute d'avoir parcouru les terres étrangères et les pays éloignés et d'avoir chevauché de nuit comme de jour. Je vous affirme d'ailleurs, sur notre compagnonnage, que, rien qu'au hasard de ces chevauchées j'ai tué plus de dix chevaliers dont le moindre n'était pas dépourvu de vaillance, et cela sans trouver aucune aventure. Et dites-moi, poursuivit Gauvain, tandis qu'Hector se signait d'étonnement, avez-vous rencontré quelques uns de nos compagnons ?

— Oui, répondit Hector, depuis quinze jours j'en ai bien rencontré une vingtaine qui chevauchaient chacun de leur côté et tous se plaignirent à moi du manque d'aventures.

— Ma foi, vous me surprenez beaucoup ! Mais avez-vous entendu parler de monseigneur Lancelot ?

— Non en vérité. Je ne rencontre personne qui puisse me donner de ses nouvelles. C'est comme s'il avait été englouti par l'enfer et je suis très inquiet pour lui car j'ai peur qu'il ne soit emprisonné quelque part.

— Mais avez-vous entendu parler de Galaad, de Perceval ou de Bohort ?

— Pas davantage. Ces quatre-là ont si bien disparu que personne ne peut retrouver leur trace.

— Que Dieu les guide où qu'ils soient, reprend monseigneur Gauvain ! S'ils ne réussissent pas les aventures du Saint-Graal, personne d'autre en effet ne les réussira, mais je suis sûr qu'ils y parviendront car ce sont les meilleurs de ceux qui participent à la Quête. »

Lorsqu'ils eurent longuement parlé, Hector dit enfin :

« Seigneur, vous avez longtemps chevauché tout seul, moi de même, et nous n'avons rien trouvé. Chevauchons donc maintenant tous les deux pour voir si, ensemble, nous aurons plus de chance de rencontrer quelque aventure que séparément.

— Ma foi, répond monseigneur Gauvain, vous avez raison, j'accepte. Chevauchons ensemble et que Dieu nous mène là où nous puissions trouver quelque signe de ce que nous cherchons !

— Seigneur, ce ne sera ni dans la contrée d'où je viens ni dans celle dont vous venez.

— Il y a de fortes chances.

— Je suggère donc que nous allions dans une toute autre direction. »

Avec l'accord de Gauvain, Hector prend alors un sentier qui traversait la plaine où ils s'étaient rencontrés et tous deux abandonnent le grand chemin.

Ils chevauchèrent ainsi durant huit jours sans trouver, à leur grand déplaisir, la moindre aventure. Un jour, ils traversèrent une forêt très vaste et très reculée sans rencontrer âme qui vive. Au soir, ils aperçurent sur une montagne entre deux rochers une très vieille chapelle si délabrée que personne, semblait-il, ne pouvait y demeurer. Arrivés à la chapelle, ils mettent pied à terre, déposent leurs écus et leurs lances à l'extérieur contre la paroi et dessellent leurs chevaux qu'ils laissent paître dans la montagne. Ils enlèvent leurs épées qu'ils placent à proximité et, en bons chrétiens, ils vont réciter leurs prières devant l'autel. Ils s'asseyent ensuite sur un banc qui était dans le chœur et discutent de choses et d'autres mais pas de nourriture car ils savent bien qu'il est inutile d'espérer quoi que ce soit et de se lamenter. Il faisait très sombre à l'intérieur de la chapelle que n'éclairaient ni lampe ni cierge. Aussi, après avoir un peu veillé, ils s'endormirent chacun de leur côté.

Une fois endormis, ils firent chacun des songes si extraordinaires qu'on ne peut omettre de les rappeler tant ils sont chargés de signification. Voici d'abord le songe de Gauvain. Monseigneur Gauvain se voyait, dans son rêve, dans un pré tout verdoyant et couvert de fleurs. Il y avait dans ce pré un râtelier où mangeaient cent-cinquante taureaux de fière allure et à la robe tachetée. Trois faisaient exception : l'un d'eux n'était ni tout à fait tacheté ni tout à fait sans tache mais portait quelques traces et les deux autres étaient d'une blancheur et d'une beauté parfaites. Ces trois taureaux étaient liés par un joug très résistant. Tous les taureaux disaient :

« Allons-nous en d'ici pour chercher une meilleure pâture », et tous partaient alors dans la lande et non dans le pré et y restaient très longtemps. Au retour, il en manquait énormément et ceux qui revenaient étaient si maigres, si fatigués qu'ils pouvaient à peine se tenir debout. Des trois taureaux immaculés, un seul revenait. Une fois de retour auprès du râtelier, tous les survivants se disputaient entre eux avec tant d'acharnement que la nourriture leur manquait et qu'il leur fallait se disperser.

Tel fut le rêve de monseigneur Gauvain. Celui que fit Hector fut bien différent. Il voyait en effet Lancelot et lui-même descendre d'un trône et monter sur deux grands chevaux en disant : « Allons en quête de ce que nous ne trouverons pas ». Aussitôt ils partaient et chevauchaient pendant plusieurs jours. Mais voici que Lancelot tombait de cheval, abattu par un homme qui le déshabillait complètement, qui lui passait ensuite un vêtement plein de houx et le faisait monter sur un âne. Il chevauchait ainsi longtemps et arrivait enfin près de la plus belle source qu'il ait jamais vue mais, dès qu'il se penchait pour boire, la source disparaissait à ses yeux. Comprenant qu'il ne parviendrait pas à boire, il revenait alors à son point de départ. Hector, lui, poursuivait sa route au hasard sans jamais descendre de sa monture et finissait par arriver dans la maison d'un homme riche qui donnait une grande fête pour des noces. Hector frappait à la porte et criait : « Ouvrez, ouvrez ! » Le maître de la maison venait à lui et lui disait : « Seigneur chevalier, allez chercher ailleurs l'hospitalité car personne n'entre ici monté sur un aussi haut cheval que le vôtre ». Hector repartait alors, consterné, et revenait s'asseoir sur le trône qu'il avait quitté.

Hector fut si troublé par ce songe qu'il se réveilla plein d'angoisse, se tournant et se retournant en tous sens, incapable de dormir. Monseigneur Gauvain qui ne dormait pas non plus car son rêve l'avait réveillé, entendant Hector bouger lui demanda :

« Seigneur, dormez-vous ?

— Non pas, je viens d'être réveillé par le rêve étrange que j'ai fait.

— Et moi aussi, reprit monseigneur Gauvain. J'ai fait un rêve très étrange qui m'a réveillé et je ne serai pas tranquille tant que je ne saurai pas ce qu'il signifie.

— Moi de même, dit Hector, tant que je ne saurai pas ce qui est arrivé à mon frère, monseigneur Lancelot. »

Tandis qu'ils parlaient ainsi, ils virent venir par la porte de la chapelle une main, visible jusqu'au coude, et recouverte de soie vermeille. La main portait au poignet un mors assez quelconque et tenait un gros cierge qui répandait une vive clarté. Elle passa devant les deux hommes, entra dans le chœur puis disparut sans qu'ils puissent dire comment. Aussitôt ils entendirent une voix qui leur dit :

« Chevaliers de pauvre foi et de mauvaise croyance, il vous manque ces trois choses que vous venez de voir et c'est pourquoi vous ne pouvez participer aux aventures du Saint-Graal ».

Les deux hommes restèrent tout interdits de ces paroles. Enfin Gauvain, rompant le premier un long silence, dit à Hector :

« Avez-vous compris ces paroles ?

— Non seigneur, et pourtant je les ai bien entendues.

— Au nom de Dieu, reprend monseigneur Gauvain, nous avons eu cette nuit tant de visions, en veillant comme en dormant, que le mieux pour nous est d'aller trouver quelque ermite, quelque saint homme qui puisse nous dire la signification de ce que nous avons vu et entendu. Nous agirons ensuite suivant ses conseils. Autrement, nous ne ferions, je pense, que perdre notre temps comme nous l'avons fait jusqu'ici. »

Hector approuva cette décision et les deux compagnons passèrent le reste de la nuit dans la chapelle, sans parvenir à se rendormir car tous deux étaient très préoccupés par le rêve qu'ils avaient fait.

Au matin, ils partirent à la recherche de leurs chevaux. Lorsqu'ils les eurent retrouvés, ils les sellèrent, prirent leurs armes et montèrent à cheval puis quittèrent la montagne. Une fois dans la vallée, ils rencontrèrent un écuyer, tout seul, qui chevauchait un roncin (61).

« Cher ami, lui dit monseigneur Gauvain lorsqu'ils se furent salués, connaîtriez-vous près d'ici un ermitage ou un monastère ?

— Oui, seigneur », leur répond l'écuyer, puis, leur montrant un petit sentier sur leur droite : « Ce sentier vous conduira tout droit à un saint ermitage qui se trouve sur une montagne peu élevée mais si escarpée que vos chevaux ne pourront y monter. Il vous faudra donc y aller à pied. Une fois là-haut, vous trouverez l'ermite le plus vénérable et le plus saint de cette contrée.

— Cher ami, nous te recommandons à Dieu, dit monseigneur Gauvain, car nous te sommes très reconnaissants de nous avoir ainsi renseignés ».

L'écuyer s'en va de son côté. Eux poursuivent leur route et, arrivés dans la vallée, rencontrent un chevalier tout armé qui leur crie dès qu'il les voit :

« En garde !

— Par Dieu, dit monseigneur Gauvain, depuis que j'ai quitté Camaaloth, je n'ai trouvé personne qui me demande de jouter. Si celui-ci veut la joute, il l'aura !

— Seigneur, dit Hector, laissez-moi ce combat, s'il vous plait !

— Non, réplique Gauvain, mais s'il m'abat, je ne vois pas d'inconvénient à ce que vous preniez ma suite ! »

Lance en arrêt, écu au bras, il galope alors vers le chevalier qui se porte à sa rencontre aussi vite qu'il le peut. Ils échangent de si grands coups qu'ils percent leurs écus, trouent leurs hauberts et se font de profondes blessures, de gravité inégale toutefois : monseigneur Gauvain est touché au côté gauche mais assez légèrement ; le chevalier lui, transpercé de part en part par la lance de Gauvain, est mortellement atteint. Tous deux sont désarçonnés si bien que la lance se brise sous le choc et que le chevalier reste enferré et incapable de se relever car il se sent blessé à mort.

Monseigneur Gauvain, dès qu'il a touché le sol, se relève rapidement, tire son épée et, le visage couvert par son écu, s'apprête à montrer toute sa vaillance, en chevalier confirmé. Mais, voyant que le chevalier ne se relève pas, il pense bien qu'il est blessé à mort.

« Seigneur chevalier, lui dit-il, il vous faut combattre ou je vais vous tuer !

— Ha ! seigneur, sachez que je suis blessé à mort. Je vous supplie donc d'exaucer ma prière !

— Bien volontiers, si je le peux.

— Seigneur, je vous prie de m'emporter dans une abbaye qui se trouve près d'ici et de me faire enterrer religieusement, comme on doit le faire pour un chevalier.

— Seigneur, dit Gauvain, je ne connais pas d'abbaye par ici.

— Ha ! seigneur, mettez-moi sur votre cheval et je vous conduirai dans une abbaye assez proche que je connais bien ».

Monseigneur Gauvain le fait alors monter devant lui, donne son propre écu à Hector et met ses bras autour du corps du chevalier pour qu'il ne tombe pas. Le chevalier, lui, conduit le cheval droit vers une abbaye qui se trouvait en effet tout près de là, dans une vallée.

Une fois arrivés, ils appellent jusqu'à ce que les moines les entendent et viennent leur ouvrir la porte. Les frères les accueillent avec empressement, prennent le chevalier blessé et l'étendent avec toutes les précautions possibles. Dès qu'il est couché, il demande qu'on lui apporte son Sauveur. Lorsqu'il le voit approcher, ses larmes jaillissent, il tend les mains vers lui et se confesse publiquement de tous les péchés qu'il pense avoir commis envers son Créateur, implorant sa miséricorde. Lorsqu'il a énuméré tous les péchés dont il se souvient, le prêtre lui donne son Sauveur qu'il reçoit avec une grande piété. Après avoir communié, il prie monseigneur Gauvain de lui retirer le fer de la poitrine. Gauvain lui demande alors qui il est et de quel pays.

« Seigneur, dit-il, je suis de la cour du roi Artus, et compagnon de la Table Ronde. Je m'appelle Yvain l'Avoutre et je suis le fils du roi Urien. J'ai entrepris la Quête du Saint-Graal avec mes compagnons mais voici qu'à cause de mes péchés, ou parce que telle est la volonté de Notre Seigneur, vous m'avez tué. Je vous le pardonne du fond du cœur et que Dieu fasse de même ! »

A ces mots, monseigneur Gauvain s'écrie avec consternation :

« Ha ! Dieu, quel grand malheur ! Ha ! Yvain, comme je suis affligé pour vous !

— Mais seigneur, qui donc êtes-vous ?

— Je suis Gauvain, le neveu du roi Artus.

— Alors peu m'importe de mourir puisque c'est de la main d'un chevalier tel que vous ! Par Dieu, quand vous retournerez à la cour, saluez de ma part ceux de nos compagnons qui seront encore en vie car je sais bien que beaucoup mourront au cours de cette Quête, et demandez-leur, au nom de la fraternité qui existe entre nous, de se souvenir de moi dans leurs prières et de supplier Notre Seigneur d'avoir pitié de mon âme ».

Monseigneur Gauvain et Hector se mettent alors à pleurer puis Gauvain prend le fer qui transperçait la poitrine du chevalier et le retire. Yvain se raidit sous l'intensité de la souffrance, son âme aussitôt abandonne son corps et il expire entre les bras d'Hector. Monseigneur Gauvain et Hector, très affligés par sa mort car tous deux lui avaient vu accomplir de nombreux exploits, le firent dignement ensevelir dans un très beau drap de soie que leur donnèrent les moines lorsqu'ils surent qu'il était fils de roi. Les moines dirent ensuite l'office des morts, enterrèrent le corps devant le maître-autel et lui firent une belle tombe sur laquelle on grava son nom et celui de son meurtrier (62).

Monseigneur Gauvain et Hector quittèrent alors l'abbaye, accablés et consternés par cette cruelle mésaventure, et comprenant bien qu'ils étaient victimes d'un sort contraire. Ils finirent par arriver au bas de la montagne où se trouvait l'ermitage. Là, ils attachent leurs chevaux à deux chênes puis empruntent un sentier étroit qui conduisait au sommet. Ce sentier leur est si rude et si pénible qu'ils sont complètement épuisés avant d'arriver au bout. Une fois en haut, ils aperçoivent l'ermitage. Celui qui l'occupait s'appelait Nascien. Son ermitage se composait d'une pauvre maison et d'une petite chapelle. En s'approchant, les deux chevaliers voient, dans un jardin attenant la chapelle, un vieillard qui ramassait des orties pour son repas car voilà longtemps qu'il ne prenait d'autre nourriture. Les voyant armés, le vieillard pense bien que ce sont des chevaliers errants qui participent à cette Quête du Saint-Graal dont il a entendu parler depuis longtemps. Il interrompt donc sa cueillette et vient les saluer. Ceux-ci s'inclinent devant lui avec déférence et lui rendent son salut.

« Chers seigneurs, leur dit-il, pourquoi êtes-vous venus

ici ?

— Seigneur, répond monseigneur Gauvain, nous sommes venus poussés par l'ardent désir de vous parler, pour être éclairés sur ce qui nous reste obscur et pour être instruits de ce que nous ignorons ».

L'ermite, en l'entendant ainsi parler, le juge très au fait des choses de ce monde et lui répond :

« Seigneur, ni mes conseils ni mon concours ne vous feront défaut », puis il les emmène tous deux dans sa chapelle et leur demande qui ils sont. Une fois amplement renseigné sur leur compte, il les prie de lui dire ce qui les embarrasse ; lui les conseillera de son mieux.

« Seigneur, lui dit aussitôt monseigneur Gauvain, nous avons chevauché toute la journée d'hier dans une forêt, mon compagnon et moi, sans rencontrer âme qui vive. Finalement, nous avons trouvé une chapelle sur une montagne et nous avons mis pied à terre, préférant dormir à l'abri plutôt que dehors. Une fois désarmés, nous sommes entrés dans la chapelle où nous nous sommes endormis chacun de notre côté et, pendant mon sommeil, j'ai fait un rêve extraordinaire ».

Il lui en fait alors le récit et Hector rapporte également le sien. Tous deux parlent ensuite de la main qu'ils ont vue une fois réveillés et des paroles que la voix a prononcées. Leur récit terminé, ils le prient au nom de Dieu de leur donner le sens de cette vision qui ne peut pas ne pas signifier quelque chose.

Sachant maintenant pourquoi ils sont venus le voir, l'ermite dit à Gauvain :

« Cher Seigneur, dans le pré que vous avez vu, il y avait un râtelier. Par le râtelier, nous devons comprendre la Table Ronde car de même que le râtelier est cloisonné par des barreaux, de même à la Table Ronde des colonnes séparent les sièges les uns des autres. Le pré signifie, lui, l'humilité et la patience, vertus toujours drues et vivaces et dont nul ne peut triompher. Aussi est-ce sur elles que fut fondée la Table Ronde dont les membres doivent leur force invincible à la tendresse et à la fraternité qui règnent entre eux. Voici pourquoi on dit qu'elle a été fondée sur l'humilité et la patience.

« Au râtelier mangeaient cent-cinquante taureaux. Au râtelier et non dans le pré. S'ils avaient mangé dans le pré, leurs cœurs seraient en effet restés humbles et patients. Ces taureaux avaient fière allure et tous, sauf trois, avaient une robe tachetée. Dans ces taureaux, tu dois reconnaître les compagnons de la

Table Ronde qui ont si gravement péché par orgueil et par luxure que leurs vices ne peuvent plus être dissimulés en eux mais transparaissent au grand jour si bien qu'ils sont tachetés et bigarrés comme les taureaux, c'est-à-dire pleins de souillure et d'iniquité.

« Trois d'entre eux avaient une robe sans tache, ce qui signifie qu'ils étaient purs de tout péché. Deux étaient parfaitement blancs et beaux et le troisième portait la trace d'une tache. Les deux qui étaient parfaitement unis représentent Galaad et Perceval qui sont plus beaux et plus purs que quiconque. En vérité, ils sont beaux car ils possèdent toutes les vertus et ils sont purs, sans tache ni souillure, ce qui est extrêmement rare pour un être humain. Le troisième, celui qui portait la trace d'une tache, c'est Bohort qui jadis perdit sa virginité (63). Mais sa chasteté a été depuis si exemplaire que ce péché lui est entièrement pardonné.

« Les trois taureaux étaient liés par le cou : l'exigence de virginité est en effet si profondément ancrée dans ces trois chevaliers qu'ils ne peuvent redresser la tête, je veux dire qu'ils ne peuvent donner prise à l'orgueil. Les taureaux disaient tous : « Allons chercher une meilleure pâture ». De même, le jour de la Pentecôte, les chevaliers de la Table Ronde dirent : « Partons pour la Quête du Saint-Graal et nous serons comblés de la gloire de ce monde et des nourritures célestes que le Saint-Esprit dispense à ceux qui siègent à la table du Saint-Graal. Là est la bonne nourriture. Laissons celle-ci et partons ». Ils quittèrent donc la cour mais s'en allèrent dans la lande et non dans le pré. Ils quittèrent en effet la cour sans se confesser comme on doit le faire avant d'entrer au service de Notre Seigneur. Ils ne se mirent pas en route sous le signe de la patience et de l'humilité, vertus représentées par le pré, mais ils partirent dans la lande et dans les terres incultes, sur le chemin où ne poussent ni fleur ni fruit, c'est-à-dire l'enfer, sur la route où tout ce qui ne convient pas périt. Au retour, il en manquait un très grand nombre, ce qui veut dire que tous ne reviendront pas mais qu'une partie mourra. Et ceux qui revenaient étaient si maigres, si épuisés qu'ils pouvaient à peine se tenir debout. Ceci signifie que ceux qui reviendront auront été si aveuglés par le péché qu'ils se seront entretués. Leurs membres se déroberont sous eux, c'est-à-dire qu'ils n'auront aucune des vertus qui maintiennent l'être humain et l'empêchent de tomber en enfer et qu'ils seront entachés de toutes les souillures et de tous les péchés mortels.

« Des trois taureaux sans tache, un seul reviendra (64) ; ce qui veut dire que l'un des trois bons chevaliers reviendra à la cour, non certes pour la nourriture du râtelier mais pour annoncer la bonne nourriture qu'ont perdue ceux qui vivent en état de péché mortel. Les deux autres resteront car la nourriture du Saint-Graal leur paraîtra si suave qu'ils ne sauraient y renoncer après y avoir goûté. De la fin de votre songe, je ne vous dirai rien car il n'en résulterait rien de bon et l'on pourrait vous en détourner à tort (65).

— Seigneur, répondit Gauvain, je m'en accomoderai puisque telle est votre volonté, et d'autant plus que vous m'avez si clairement expliqué ce qui me tourmentait que je comprends maintenant ce que signifie mon rêve ».

S'adressant alors à Hector, l'ermite lui dit :

« Hector, vous vous êtes vus, Lancelot et vous-même, descendre d'un trône. Ce trône signifie le pouvoir et l'autorité. Ce trône dont vous descendiez représente la gloire, le grand respect dont vous étiez entourés à la Table Ronde et ce, jusqu'au moment où vous avez quitté la cour du roi Artus.

« Tous deux, vous êtes alors montés sur deux grands chevaux, les chevaux de l'orgueil et de la pompe, les deux chevaux du Diable. Vous disiez alors : « Allons à la recherche de ce que nous ne trouverons jamais », c'est-à-dire du Saint-Graal, des secrets de Notre Seigneur, qui ne vous seront jamais dévoilés car vous n'êtes pas dignes de les voir.

« Lorsque vous vous êtes séparés, Lancelot chevaucha jusqu'au moment où il tomba de cheval, je veux dire jusqu'au moment où il renonça à l'orgueil et se voua à l'humilité. Et sais-tu qui le fit renoncer à l'orgueil ? Celui même qui chassa l'orgueil du ciel, Jésus-Christ, qui l'humilia et l'obligea à se mettre nu. Il mit à nu tous ses péchés et lui connut alors qu'il était dépouillé de toutes les vertus qu'un chrétien doit posséder et il cria miséricorde. Immédiatement Notre Seigneur le revêtit : il le revêtit de patience et d'humilité en lui présentant ce vêtement hérissé de houx, je veux dire cette haire aussi piquante que le houx. Puis, comme monture, il lui donna un âne, la bête d'humilité, comme il est manifeste depuis ce jour où Notre Seigneur entra en sa cité de Jérusalem sur une telle monture (66). Lui, le Roi des rois, le plus riche seigneur du monde, il ne voulut pas en effet venir sur un destrier ou sur un palefroi mais sur la bête la plus grossière et la plus vile, l'âne, afin de servir d'exemple aux pauvres comme aux riches. Voici la bête que Lancelot chevauchait dans votre rêve.

« Au bout d'un certain temps, il arrivait près de la plus belle source qu'il eût jamais vue et mettait pied à terre pour boire mais, lorsqu'il se penchait, la source disparaissait. Comprenant qu'il ne parviendrait pas à boire, il revenait alors au trône qu'il avait quitté. Cette source où l'on peut boire autant que l'on veut sans l'épuiser jamais, c'est le Saint-Graal, c'est la grâce du Saint-Esprit ; cette source, c'est la douce pluie, la douce parole de l'Evangile qui répand une telle douceur dans le cœur de celui qui éprouve un sincère repentir que, plus il la savoure, plus il en éprouve le désir ; c'est la grâce que dispense le Saint-Graal : plus elle se donne, plus elle est abondante et moins elle s'épuise et c'est pourquoi elle est à juste titre appelée source. Une fois arrivé à la source, Lancelot mettait pied à terre, ce qui signifie que lorsqu'il viendra devant le Saint-Graal, il mettra pied à terre et voudra boire en dépit de ses fautes passées. Mais quand il se penchera, c'est-à-dire quand il s'agenouillera pour boire, pour se nourrir et se rassasier de la sainte grâce, alors la source, le Saint-Graal disparaîtra. Il perdra en effet devant le Saint-Vaisseau l'usage de ses yeux, de ses yeux qu'il a souillés par le spectacle des iniquités de ce monde et il perdra l'usage de son corps avec lequel, si longtemps, il a servi le Diable. Ce châtiment durera vingt-quatre jours pendant lesquels il ne mangera ni ne boira, où il ne pourra ni parler ni bouger mais il vivra tout ce temps dans la béatitude éprouvée au moment où il perdit la vue. Il racontera alors une partie de ce qu'il aura vu puis il quittera le pays et reviendra à Camaaloth.

« Et vous qui continuerez de chevaucher le grand destrier, je veux dire qui serez toujours en état de péché mortel et succomberez à l'orgueil, à l'envie, et à beaucoup d'autres vices, vous ne ferez que vous égarer et vous perdre jusqu'au moment où vous arriverez à la demeure du Riche Roi Pêcheur, là où les justes, les vrais chevaliers seront dans l'allègresse à cause de l'insigne découverte qu'ils auront faite. Lorsque vous penserez entrer, le roi vous dira qu'il n'a que faire d'un homme monté sur un aussi haut cheval, c'est-à-dire d'un homme qui vit dans l'orgueil et le péché mortel. Vous retournerez alors à Camaaloth sans avoir tiré grand profit de cette quête (67).

« Je vous ai donc en partie expliqué ce qui vous arrivera. Mais il faut maintenant que vous sachiez clairement ce qu'était cette main que vous avez vu passer devant vous portant un cierge et un mors, trois choses qui vous manquaient selon la voix que vous avez entendue.

« La main signifie la charité, la soie vermeille, la grâce du Saint-Esprit dont la charité est toujours embrasée, et quiconque a en lui la charité brûle toujours de l'amour de Notre Seigneur céleste, Jésus-Christ. Le mors signifie l'abstinence car, de même que le mors sert au cavalier à guider sa monture comme il veut, de même agit l'abstinence, si fermement ancrée au cœur du chrétien qu'elle l'empêche de succomber au péché mortel et d'agir à sa guise sinon pour faire le bien. Le cierge que portait la main signifie la vérité révélée par l'Evangile : c'est Jésus-Christ qui rend la lumière et la vue à tous ceux qui abandonnent le péché et reviennent vers le Seigneur.

« Lorsque donc charité, abstinence et vérité se présentèrent à toi dans la chapelle, c'est-à-dire lorsque Notre Seigneur vint dans sa demeure, cette chapelle qu'Il n'a pas construite pour qu'y pénètrent les pécheurs pleins de vilenie et d'ordure mais pour que la vérité y soit révélée, et lorsqu'Il vous vit, Il s'en alla car sa demeure était toute souillée par votre présence. En s'en allant, Il vous dit : « Chevaliers de pauvre foi et de mauvaise croyance, charité, abstinence, vérité, voilà ce qui vous manque et voilà pourquoi vous ne pouvez participer aux aventures du Saint-Graal ».

« Telle est donc la signification de vos songes ainsi que celle de la main.

— Et votre explication est si bonne, répond monseigneur Gauvain, que j'y vois clair maintenant. Mais dites-moi, je vous en prie, pourquoi nous ne trouvons pas autant d'aventures que par le passé ?

— En voici la raison. Les aventures qui surviennent maintenant ne sont autres que les signes et les manifestations du Saint-Graal, signes qui n'apparaîtront jamais au méchant, à l'homme enfoncé dans le péché. Vous donc vous ne les verrez pas car vous êtes des pécheurs trop invétérés. Ne vous imaginez pas en effet que les aventures qui se produisent maintenant consistent à massacrer des hommes, à tuer des chevaliers. Non, elles sont bien supérieures et d'une toute autre valeur car elles relèvent du monde spirituel.

— Seigneur, dit monseigneur Gauvain, il ressort donc de vos explications que nous poursuivrions en vain la Quête aussi longtemps que nous serions en état de péché mortel ? Pour ma part, je ne pourrais rien faire qui vaille.

— Vous dites vrai, et il y en a beaucoup qui ne subiront

qu'humiliations.

— Seigneur, dit Hector, si nous suivions vos conseils, nous retournerions donc à Camaaloth ?

— C'est ce que je vous conseille, et j'ajoute que tant que vous serez en état de péché mortel, vous ne ferez rien qui soit à votre honneur ».

Sur ces paroles, ils se séparent. Lorsqu'ils se sont un peu éloignés, l'ermite rappelle monseigneur Gauvain qui revient sur ses pas et il lui dit :

« Gauvain, voici bien longtemps que tu es chevalier et durant tout ce temps tu n'as guère servi ton Créateur. Tu es un vieil arbre qui ne porte plus ni fleur ni fruit. Fais donc en sorte que Notre Seigneur ait au moins de toi l'écorce et la moelle puisque le Diable a eu la fleur et le fruit.

— Seigneur, dit monseigneur Gauvain, je resterais bien volontiers à parler avec vous si j'en avais le temps mais voyez, mon compagnon descend déjà la colline et il me faut m'en aller. Toutefois, soyez-en sûr, dès que j'en aurai la possibilité je reviendrai car j'ai grande envie de vous parler seul à seul ».

Tous deux alors se séparent. Les deux chevaliers descendent la colline, retrouvent leurs chevaux et montent en selle puis chevauchent jusqu'au soir. Ils dormirent cette nuit-là chez un forestier qui fut tout heureux de les recevoir. Le lendemain, ils reprirent leur route et chevauchèrent longtemps sans trouver d'aventure qui mérite d'être rapportée. Mais le conte cesse ici de s'occuper d'eux et revient à monseigneur Bohort de Gaunes.

*
* *

Après avoir quitté Lancelot, ainsi que le conte l'a rapporté (68), Bohort chevaucha jusqu'au début de l'après-midi et rejoignit alors un homme très âgé, vêtu d'un habit de religieux et monté sur un âne. L'homme était tout seul, sans serviteur ni écuyer.

« Seigneur, que Dieu vous guide ! » lui dit Bohort en le saluant. Le vieillard, comprenant à le regarder que c'est un chevalier errant, lui rend son salut et Bohort lui demande d'où il vient, ainsi seul.

« Je viens, répond-il, de visiter un de mes serviteurs qui s'occupait de mes affaires et qui est malade. Mais vous, qui êtes-vous et où allez-vous ?

— Je suis un chevalier errant parti pour une quête où je voudrais bien que Dieu me guide. C'est en effet la plus haute quête qui ait jamais été entreprise, c'est la Quête du Saint-Graal qui donnera à celui qui l'achèvera une gloire telle qu'aucun être humain ne pourrait l'imaginer.

— Vous avez raison. La gloire qu'acquerra ce chevalier sera grande et il n'y aura là rien d'étonnant car il sera le plus sûr et le plus pur de tous ceux qui participeront à cette Quête. Il ne la commencera pas en effet tout souillé d'ordure et de vilénie comme les pécheurs dépourvus de foi qui l'ont entreprise sans amender leur conduite. Et c'est pourtant du service même de Notre Seigneur qu'il s'agit ! Considérez donc leur égarement : ils savent bien, pour l'avoir souvent entendu dire, que personne ne peut venir à son Créateur sans passer par la porte de pureté, je veux dire la confession, puisque nul ne peut être nettoyé et purifié s'il ne fait une confession sincère, celle qui met le Diable en fuite. En effet lorsque le chevalier, ou un homme quel qu'il soit, commet un péché mortel, il reçoit le Diable en lui et le mange et il ne peut plus désormais le chasser : mais, que cet état dure dix ans, vingt ans ou même davantage, s'il vient à se confesser, il le vomit et le rejette hors de lui et reçoit en lui quelqu'un qui lui est autrement profitable, Jésus-Christ.

« Notre Seigneur a longtemps prêté à la chevalerie terrestre la nourriture du corps mais voici que sa générosité et sa mansuétude deviennent plus manifestes encore puisqu'Il a prêté à la chevalerie la nourriture du Saint-Graal, celle qui rassasie l'âme en même temps qu'elle soutient le corps. Cette nourriture, c'est la nourriture pleine de saveur qu'Il lui a généreusement distribuée et dont Il a si longtemps soutenu le peuple d'Israël dans les déserts. Voici donc que sa mansuétude à l'égard de la chevalerie s'est encore accrue puisqu'Il lui promet de l'or au lieu de plomb. Mais, de même que la nourriture terrestre s'est changée en nourriture céleste, de même il convient que ceux qui sont restés jusqu'ici attachés à la terre, je veux dire qui ont jusqu'à ce jour péché, accèdent au monde spirituel, renoncent au péché, aux souillures de toutes sortes, se confessent et se repentent afin de devenir des chevaliers du Christ et de porter son écu qui est de patience et d'humilité. Il n'en porta point d'autre en effet pour affronter l'Ennemi, lorsqu'Il triompha de lui sur la Croix où Il endura la mort pour sauver ses chevaliers de la mort de l'Enfer et de l'esclavage qu'ils subissaient. C'est par cette porte qui est appelée confession, et qui seule permet de venir à Jésus-Christ, que chacun doit entrer en cette Quête et changer radicalement sa conduite tout comme sa nourriture a été changée.

« Mais celui qui voudra entrer par une autre porte, c'est-à-dire celui qui se donnera beaucoup de mal sans se confesser au préalable, ne trouvera rien de ce qu'il cherche mais reviendra sans avoir goûté à la nourriture promise. Mieux encore : comme ces chevaliers se feront passer pour des chevaliers célestes sans l'être réellement, c'est-à-dire comme ils s'imagineront participer à la Quête, mais il n'en sera rien, et qu'ils seront plus souillés et plus mauvais que je ne peux l'imaginer, alors, l'un commettra l'adultère, l'autre cèdera à la luxure et le reste sera homicide. Ainsi seront-ils les jouets dérisoires de leurs péchés et des ruses du Diable si bien qu'ils reviendront à la cour sans rien trouver sinon ce que l'Ennemi donne à ceux qui le servent : la honte, l'humiliation, dont ils seront couverts avant même de revenir. Seigneur chevalier, je vous ai dit tout cela parce que vous avez entrepris la Quête du Saint-Graal. Je ne vous conseillerais pas en effet de poursuivre plus longtemps vos efforts si vous n'êtes pas tel que vous ayez le droit d'y participer.

— Seigneur, dit Bohort, il me semble, d'après vos paroles, qu'il dépend d'eux tous d'y participer : personne assurément ne peut entreprendre une aussi noble tâche que celle-ci, le service même de Jésus-Christ, sans s'être confessé. Celui qui agira autrement, je ne pense pas qu'il puisse réussir et faire si haute découverte comme l'est celle-ci.

— Vous avez raison », répondit l'homme.

Bohort lui demanda alors s'il était prêtre.

« Oui, répondit-il.

— Je vous prie donc, au nom de Sainte Charité, de me conseiller comme le père doit conseiller son fils, c'est-à-dire le pécheur qui vient se confesser, car le prêtre tient la place de Jésus-Christ, père de tous ceux qui croient en Lui. C'est pourquoi je vous prie de me conseiller, pour le profit de mon âme et la gloire de la chevalerie.

— Par Dieu, dit le prêtre, c'est une chose grave que vous me demandez là. Si je m'y refusais et que vous succombiez ensuite au péché mortel et à l'erreur, vous pourriez faire appel contre moi au grand jour d'épouvante devant la face du Seigneur. Je vous conseillerai donc de mon mieux ».

Il lui demande alors comment il s'appelle et Bohort lui répond qu'il se nomme Bohort de Gaunes, fils du roi Bohort et cousin de monseigneur Lancelot du Lac.

« En vérité, Bohort, reprend alors le vieillard, si vous avez su préserver en vous la parole de l'Evangile, vous devriez être un bon, un vrai chevalier. Si en effet, comme l'a dit Notre Seigneur, le bon arbre produit le bon fruit (69), vous devez être nécessairement bon car vous êtes le fruit d'un très bon arbre. Votre père, le roi Bohort, fut un des meilleurs hommes que j'ai connus, plein de piété et d'humilité, et votre mère, la reine Evaine, fut une excellente femme. Tous deux, par le mariage, devinrent un seul arbre, une seule chair, et vous, qui en êtes le fruit, vous devriez être bon puisque les arbres étaient bons.

— Seigneur, dit Bohort, même si l'homme descend d'un arbre mauvais, je veux dire d'un mauvais père et d'une mauvaise mère, l'amertume, en lui, se change en douceur dès qu'il reçoit le Saint Chrême, la Sainte Onction. Aussi me semble-t-il qu'il ne dépend pas du père ou de la mère qu'un être soit bon ou mauvais mais de lui-même. Le cœur de l'homme est semblable à l'aviron qui mène la nef là où il veut, à bon port ou à sa perte.

— L'aviron, réplique le prêtre, est tenu et gouverné par un pilote qui le fait aller comme il veut. Ainsi du cœur de l'homme : ce qu'il fait de bien, il le fait par la grâce et les conseils du Saint-Esprit et ce qu'il fait de mal, il le fait à l'instigation du Diable ».

Ils poursuivirent longuement leur conversation jusqu'au moment où ils arrivèrent devant un ermitage. Le prêtre s'y dirige, invitant Bohort à le suivre : aujourd'hui, il lui donnera l'hospitalité et demain matin, il s'entretiendra avec lui de ce qui le préoccupe. Bohort accepte bien volontiers. Une fois arrivés, ils mettent pied à terre. Un clerc prend soin du cheval de Bohort et le desselle puis aide le chevalier à se désarmer. Le prêtre l'invite alors à écouter les vêpres.

« Volontiers » répond Bohort et tous deux entrent dans la chapelle. L'office terminé, le prêtre fait mettre la table et présente au chevalier de l'eau et du pain en lui disant :

« Voilà la nourriture avec laquelle les chevaliers célestes doivent rassasier leur corps, à l'exclusion de ces nourritures trop riches qui incitent l'homme à la luxure et au péché mortel. D'ailleurs, si j'étais sûr que vous l'exauciez, je vous ferais volontiers une demande.

— De quoi s'agit-il, dit Bohort ?

— De quelque chose qui profitera à votre âme et

soutiendra votre corps ».

Et Bohort lui promet d'y consentir.

« Merci beaucoup, dit le prêtre. Savez-vous ce que vous m'avez accordé ? De ne pas manger d'autre nourriture jusqu'au jour où vous prendrez place à la table du Saint-Graal.

— Et qu'en savez-vous, si j'y prendrai place ?

— Vous y prendrez place, je le sais, avec deux autres compagnons de la Table Ronde.

— Alors je vous promets, sur ma foi de chevalier, de ne prendre que du pain et de l'eau jusqu'au moment où je serai assis à cette table ».

Et le prêtre le remercie de cette pénitence qu'il s'impose pour l'amour du Crucifié.

Cette nuit-là Bohort dormit sur l'herbe verte que le clerc avait cueillie près de la chapelle. Le lendemain il se leva dès l'aube. Le prêtre venant à lui, lui dit :

« Seigneur, voici une tunique blanche que vous porterez en guise de chemise. Elle sera signe de pénitence et aura valeur de mortification ».

Bohort enlève alors ses habits et revêt la tunique dans l'esprit dans lequel elle lui a été donnée puis passe par-dessus un vêtement de soie vermeille. Il se signe, entre dans la chapelle et se confesse au prêtre de tous les péchés dont il se sent coupable envers Notre Seigneur son Créateur. Sa conduite apparaît au prêtre si louable et si pieuse qu'il en est rempli d'étonnement. Il apprend également que Bohort n'a jamais cédé au péché de chair, —ce dont il doit être profondément reconnaissant à Notre Seigneur—, sauf lorsqu'il engendra Elyan le Blanc. Lorsque le prêtre lui a donné l'absolution et lui a prescrit la pénitence qu'il juge appropriée, Bohort lui demande la communion : il se sentira ainsi plus en sécurité, où qu'il aille, car il ne sait s'il mourra au cours de cette Quête ou s'il en sortira vivant. Le prêtre lui demande alors d'entendre d'abord la messe, ce qu'il accepte volontiers.

Le prêtre dit d'abord l'office de matines puis, revêtant les ornements sacerdotaux, commence la messe. Après la bénédiction, prenant le Corpus Domini, il invite Bohort à s'approcher. Celui-ci vient s'agenouiller devant lui.

« Bohort, lui dit alors le prêtre, vois-tu ce que je tiens ?

— Oui seigneur. Je vois que vous tenez mon Seigneur et ma Rédemption sous les apparences du pain. Comme je désirerais Le voir sous une autre apparence ! Mais mes yeux, si prisonniers de ce monde terrestre qu'ils ne peuvent voir les choses spirituelles, ne me Le laissent pas contempler sous une autre forme et m'en dérobent la véritable apparence. Car je ne doute nullement que ce ne soit là la chair du Christ, la personne du Christ, la personne divine, une et trine ».

Les larmes jaillissent alors de ses yeux tandis que le prêtre lui dit :

« Ne serais-tu pas fou si, recevant un présent aussi précieux que tu viens de le dire, tu ne le conservais fidèlement jusqu'à la fin de tes jours ?

— Seigneur, répond Bohort, tant que je vivrai, je resterai son serviteur, sans jamais Lui désobéir ».

Le prêtre lui donne alors le corps du Christ qu'il reçoit avec une grande dévotion et une joie telle que désormais, lui semble-t-il, rien ne pourra le rendre malheureux.

Après avoir communié, Bohort resta à genoux aussi longtemps qu'il le désira puis il vint vers le prêtre, lui disant qu'il voulait partir car il y avait lontemps qu'il était avec lui.

« Tu peux bien partir quand tu voudras, lui répondit le prêtre, car tu es désormais armé comme doit l'être un chevalier céleste et aussi bien protégé que possible contre l'Ennemi ».

Bohort va alors prendre ses armes, puis, une fois équipé, il part en recommandant son hôte à Dieu. Celui-ci lui demande de prier pour lui quand il viendra devant le Saint-Graal et Bohort lui demande également de prier Notre Seigneur de ne pas le laisser succomber aux tentations de l'Ennemi. Le prêtre l'assure qu'il l'aidera autant qu'il le pourra.

Bohort s'en va aussitôt et chevauche jusqu'au début de l'après-midi. Un peu plus tard, levant les yeux vers le ciel, il vit un grand oiseau qui volait au-dessus d'un vieil arbre tout sec, dépourvu de feuilles et de fruits. Après avoir longtemps volé tout autour, l'oiseau se posa sur l'arbre où se trouvaient ses petits qui, tous autant qu'ils étaient, étaient morts. Or, lorsque l'oiseau, en les couvant, s'apercevait qu'ils étaient morts, il se frappait la poitrine de son bec et en faisait jaillir le sang. Et voici que dès qu'ils sentaient le sang chaud, les oisillons reprenaient vie tandis que lui mourait au milieu d'eux. Tant et si bien qu'ils renaissaient du sang du grand oiseau. Bohort reste tout interdit devant cette étrange aventure car il ne voit pas ce qu'elle peut bien signifier mais il sait toutefois qu'elle est riche de signification. Il regarde un long moment pour voir si le grand oiseau se relèvera, mais en vain : il est mort. Il finit donc par reprendre sa route, chevauchant jusqu'à la fin de l'après-midi.

Le soir, sa route le mena au pied d'une haute tour fortifiée où il demanda l'hospitalité. On la lui accorda volontiers. Après l'avoir désarmé, les habitants de la tour le conduisirent dans une salle haute où il vit la maîtresse de la maison. Elle était jeune et belle mais pauvrement vêtue. Dès qu'elle vit entrer Bohort, elle accourut vers lui en lui souhaitant la bienvenue. Lui la salua avec respect. La dame le fit asseoir à ses côtés, montrant sa joie de l'accueillir. Quand vint l'heure de manger, elle fit placer Bohort à table à côté d'elle. Le chevalier, voyant que les gens de la maison disposaient sur la table de copieux plats de viande se dit qu'il n'en mangerait pas et, appelant un serviteur, lui demanda de l'eau qu'il lui apporta dans un hanap d'argent. Bohort, plaçant le hanap devant lui, y trempa trois tranches de pain.

« Seigneur, lui dit la dame en voyant son geste, la nourriture que l'on vous a apportée vous déplaît-elle ?

— Non, ma demoiselle, mais je ne mangerai aujourd'hui rien d'autre que ceci ».

Elle se tut alors, craignant de lui déplaire. Le repas fini et les nappes enlevées, tous se levèrent de table et s'approchèrent des fenêtres de la salle. Bohort, lui, s'assit à côté de la dame.

Tandis qu'ils parlaient, arriva un écuyer qui dit à la dame :

« Ma dame, vos affaires vont mal ! Votre sœur a pris deux de vos châteaux et tous ceux qui les gardaient en votre nom et vous fait savoir qu'elle ne vous laissera pas un pouce de terre si d'ici demain à la première heure vous n'avez trouvé un chevalier pour se battre contre son seigneur, Priadan le Noir ».

A ces mots, la dame se met à se lamenter en disant :

« Ha ! Dieu, pourquoi m'avez-vous donné des terres à gouverner pour m'en déshériter ainsi sans motif ? »

Et, comme Bohort lui demande de quoi il s'agit,

« Seigneur, reprend-elle, c'est la chose la plus extraordinaire du monde.

— Mais encore ?

— Eh bien voici.

« C'est un fait bien établi que le roi Amant, qui gouvernait ce royaume et d'autres terres encore, aima autrefois une dame, ma sœur, qui est beaucoup plus âgée que moi. Il remit entre ses mains sa terre et ses hommes mais elle, aussi longtemps qu'elle resta avec lui, instaura des coutumes mauvaises et détestables qui faisaient régner l'injustice et non le droit, si bien qu'elle causa la mort d'une grande partie de ses sujets. Lorsque le roi vit comment elle agissait, il la chassa de son royaume et me confia tout ce qu'il avait. Mais, dès qu'il mourut, elle me déclara la guerre et, depuis, elle m'a enlevé une grande partie de mon royaume et a soudoyé nombre de mes hommes. Et elle ne s'estime pas encore satisfaite puisqu'elle dit qu'elle me déshéritera complètement. Elle a d'ailleurs toutes chances d'y parvenir puisqu'elle ne m'a laissé que cette tour que je vais perdre si, demain, je ne trouve personne pour se battre en mon nom contre Priadan le Noir, son champion.

— Mais dites-moi, répliqua Bohort, qui est ce Priadan ?

— C'est le chevalier le plus redouté de ce pays et le plus vaillant.

— Et le combat doit avoir lieu demain ?

— Oui vraiment.

— Alors vous pouvez faire dire à votre sœur et à ce Priadan que vous avez trouvé un chevalier qui se battra pour vous, que c'est vous qui devez avoir la terre puisque le roi Amant vous l'a donnée et qu'elle n'a aucun droit sur elle puisque le roi Amant l'en a chassée ».

Ces paroles causent à la dame une joie extrême et de contentement elle s'écrie :

« Ha ! seigneur, comme vous aurez été le bienvenu ! Votre promesse me remplit d'une telle joie ! Que Dieu vous donne la force et le pouvoir de faire triompher ma cause, dans la mesure où c'est une juste cause car, s'il en va autrement, je ne demande rien ».

Et lui la réconforte en lui disant qu'elle ne doit pas avoir peur de perdre ce qui lui revient de droit tant qu'il sera en bonne santé. Elle fait alors dire à sa sœur que son chevalier sera prêt demain, pour faire tout ce que les chevaliers du pays décideront. Ils s'entendirent donc pour fixer la bataille au lendemain.

Ce soir-là, la dame réserva à Bohort un accueil chaleureux et lui fit préparer un lit somptueux. Lorsqu'il fut temps de se coucher, les serviteurs lui enlevèrent ses chausses et l'emmenèrent dans une chambre vaste et belle. Mais lorsqu'il vit le lit qu'ils lui avaient préparé, il leur donna l'ordre de partir, puis, une fois seul, il éteignit aussitôt les cierges et, se couchant à même le sol avec un coffre sous sa tête, il pria Dieu de l'aider dans sa miséricorde contre ce chevalier qu'il doit combattre, s'il est vrai qu'il se bat pour faire triompher la justice et la loyauté et briser le règne de la violence.

Ses prières terminées, il s'endormit. Aussitôt, il vit venir devant lui deux oiseaux. L'un ressemblait à un cygne par la taille et la blancheur. L'autre, très noir et plus petit, lui paraissait ressembler à une corneille qui, bien que noire, était très belle. L'oiseau blanc s'approchait de lui en lui disant : « Si tu voulais me servir, je te donnerais toutes les richesses du monde et je te rendrais aussi beau et aussi blanc que moi ». Et comme Bohort lui demandait qui il était, l'oiseau répondait : « Ne le vois-tu donc pas ? Et je suis encore plus blanc et plus beau que tu ne penses ». Mais Bohort ne répondait mot et l'oiseau s'envolait. L'oiseau noir prenait alors sa place et disait au chevalier : « Il te faudra demain te mettre à mon service et ne me méprise pas parce que je suis noir. Mieux vaut, sache-le, être noir comme moi que blanc comme d'autres le sont (70) ». Sur ce, il s'en allait, comme le premier.

Bohort fit ensuite un second rêve, très extraordinaire. Il arrivait dans une grande et belle demeure semblable à une chapelle où il trouvait un homme assis sur un trône. A gauche de cet homme, et loin de lui, il y avait un morceau de bois tout pourri, plein de vermine et prêt à s'effondrer ; à sa droite poussaient deux fleurs de lys. L'une des deux se penchait vers l'autre et cherchait à faire tomber ses blancs pétales mais l'homme les séparait et, peu après, de chaque fleur naissait un arbre qui portait grande abondance de fruits. Quand tout était accompli, l'homme disait à Bohort :

« Bohort, ne serait-il pas fou celui qui laisserait périr ces fleurs pour empêcher ce bois pourri de s'effondrer ?

— Assurément seigneur, car ce tronc ne pourrait plus servir à rien tandis que ces fleurs sont encore plus extraordinaires que je ne pensais.

— Alors, reprenait l'homme, fais bien attention, si tu vois pareille aventure arriver, à ne pas laisser périr les fleurs pour secourir le bois pourri car si un souffle trop ardent vient à les embraser, elles risquent de succomber rapidement ».

Et lui l'assura qu'il s'en souviendrait le cas échéant.

Voici donc les deux rêves que fit Bohort et qui le déroutèrent beaucoup car il n'arrivait pas à en voir le sens. Il en fut si tourmenté qu'il se réveilla. Après s'être signé et recommandé à Dieu, il attendit le lever du jour. Lorsqu'il fit grand jour, il entra dans le lit et le défit pour qu'on ne pût s'apercevoir qu'il n'y avait pas dormi. La dame du château vint alors lui dire bonjour. Lui la recommanda à Dieu et la suivit dans la chapelle où il entendit les matines et l'office du jour.

Tôt dans la matinée, il sortit de la chapelle et se rendit dans la salle escorté des nombreux chevaliers et hommes d'armes que la dame avait fait venir pour assister au combat. Elle l'invita à manger avant de s'armer : ainsi se sentirait-il mieux pour se battre. Mais Bohort lui répondit qu'il ne mangerait pas avant d'avoir mené à bien le combat.

« Alors, dirent les gens du pays, vous n'avez plus qu'à prendre vos armes et vous préparer car nous pensons que Priadan est déjà tout armé sur le champ de bataille ».

Bohort demande donc son armure. Une fois bien équipé, il monte à cheval et prie la dame de monter elle aussi avec ses hommes et de le conduire là où doit avoir lieu le combat. Ainsi fait-elle aussitôt et tous chevauchent vers une prairie qui était au fond d'une vallée. Il y avait là une grande quantité de gens qui attendaient la dame et son champion. Bohort et son escorte descendirent la colline. Une fois sur le champ de bataille, lorsque les deux dames s'aperçurent, elles s'approchèrent l'une de l'autre.

« Dame, dit alors la plus jeune, celle pour qui Bohort devait combattre, j'en appelle contre vous, et à bon droit, car vous m'avez enlevé l'héritage et les droits que m'avait donnés le roi Amant alors que vous n'y pouvez rien prétendre puisque vous avez été déshéritée de sa propre bouche ».

Mais l'autre réplique qu'elle n'a pas été déshéritée et qu'elle est prête à le prouver si sa sœur ose soutenir le contraire. Voyant qu'elle n'a plus d'autre recours, la cadette dit alors à Bohort :

« Seigneur, que pensez-vous de la cause de cette demoiselle ?

— Il me semble qu'elle vous attaque de manière injuste et déloyale et que tous ceux qui la soutiennent sont également déloyaux. J'en ai tant appris, et par vous et par les autres, que je sais bien que le droit est de votre côté, l'injustice du sien. Et si un chevalier soutient qu'elle est dans son droit, je suis prêt, aujourd'hui même, à le réduire à merci ».

Le champion de l'aînée bondit alors en disant qu'il ne fait aucun cas de telles menaces mais qu'il est prêt à défendre la cause de la dame.

« Je suis prêt, moi aussi, réplique Bohort, à me battre contre vous pour cette dame qui m'a amené ici et à soutenir que la terre doit être sienne puisque le roi la lui a remise, que l'autre dame doit donc en toute justice la perdre ».

L'assistance se regroupe alors de part et d'autre, laissant vide la place où doit se dérouler le combat. Les deux chevaliers s'éloignent d'abord puis lancent leurs chevaux l'un vers l'autre et se heurtent de plein fouet si violemment qu'ils percent leurs écus et rompent leurs hauberts : si leurs lances n'avaient volé en éclats, ils se seraient entretués. Le choc des corps et des écus est tel qu'ils volent tous deux par-dessus leurs montures mais, très vite, ils se relèvent en chevaliers éprouvés, mettent leurs écus sur leurs têtes et tirent leurs épées, cherchant à se faire le plus de mal possible. Ils mettent leurs écus en pièces et en font voler à terre de grands morceaux. Ils rompent leurs hauberts au niveau des bras et des hanches, se font de profondes blessures et font jaillir le sang de leurs corps avec leurs épées claires et bien aiguisées. Bohort trouve le chevalier plus résistant qu'il ne l'imaginait. Pourtant il sait bien, —et cela le réconforte—, que la cause qu'il défend est juste et légitime. Se couvrant donc de son écu, il laisse le chevalier s'épuiser à le frapper à coups redoublés, puis, après avoir longtemps encaissé les coups et sentant que l'adversaire commence à s'essoufler, il passe à son tour à l'attaque, aussi rapide, aussi dispos que s'il n'avait pas encore combattu. Il lui assène de grands coups d'épée et bientôt il l'a si fatigué que l'autre ne peut plus se défendre tant il a reçu de coups et perdu de sang. Lorsque Bohort le sent complètement épuisé, il redouble ses attaques et son adversaire, en cherchant à parer les coups, tombe à la renverse. Bohort saisit alors le heaume du chevalier et tire avec tant de force qu'il le lui arrache de la tête et le jette au loin. Il le frappe à la tête du pommeau de l'épée, si bien qu'il en fait jaillir le sang et y enfonce les mailles du haubert, puis, l'assurant qu'il le tuera s'il ne s'avoue vaincu, il fait mine de vouloir lui couper la tête. L'autre, voyant l'épée au-dessus de lui a peur de mourir et, implorant la pitié de Bohort, lui crie :

« Ha ! noble chevalier, au nom de Dieu, aies pitié de moi et épargne-moi ! Je te donne ma parole que jamais, ma vie durant, je ne combattrai la jeune dame mais que je me tiendrai tranquille ».

Aussitôt Bohort le laisse. Quant à la sœur ainée, voyant que son champion est vaincu, elle quitte la place au plus vite, craignant des représailles. S'approchant alors de ses vassaux, Bohort les menace de les tuer s'ils persistent à lui faire hommage. Beaucoup d'entre eux vinrent faire hommage à la sœur cadette et ceux qui refusèrent furent tués, déshérités ou exilés. Ainsi, grâce à la vaillance de Bohort, la dame retrouva la dignité que lui avait conférée le roi. Toutefois, sa sœur continua jusqu'à sa mort à lui faire la guerre car elle ne put s'empêcher de lui porter envie.

Après avoir ainsi pacifié le pays et soumis les ennemis de la sœur cadette, Bohort s'en alla. Il chevaucha à travers la forêt, toujours préoccupé par ses rêves, et son plus grand désir était que Dieu le menât là où il pût en apprendre la signification. Le premier soir, il dormit chez une veuve qui lui fit très bon accueil et se réjouit fort de l'avoir chez elle lorsqu'elle sut qui il était.

Le lendemain, dès le lever du jour, il s'en alla en suivant le grand chemin de la forêt. Il chevaucha jusqu'à midi. A ce moment-là, il lui arriva une extraordinaire aventure : il rencontra au carrefour de deux chemins deux chevaliers qui emmenaient avec eux son frère, Lionel. Celui-ci, qui n'avait plus sur lui que ses braies, était monté sur un robuste roncin, les mains liées sur la poitrine, et les deux chevaliers, qui tenaient chacun une pleine poignée d'épines, l'en frappaient si violemment que son dos n'était plus qu'une plaie et qu'il était tout ensanglanté et devant et derrière. Lui se taisait bravement et supportait les coups comme s'ils ne l'atteignaient pas. Comme il voulait se porter à son secours, Bohort, regardant de l'autre côté, vit un chevalier en armes qui emportait de vive force une belle demoiselle et cherchait à s'enfoncer avec elle au plus profond de la forêt pour la cacher aux regards de ceux qui, le cas échéant, viendraient à son secours. Celle-ci, tout effrayée, criait de toutes ses forces :

« Sainte Marie, secourez votre enfant ! »

Puis, apercevant Bohort chevaucher seul, elle s'avise que c'est un des chevaliers errants qui participent à la Quête. Se tournant donc vers lui, elle lui crie aussi fort qu'elle peut :

« Ha ! chevalier, sur la foi que tu portes à Celui dont tu es l'homme lige (71) et le serviteur, je te supplie de venir à mon secours et de ne pas me laisser déshonorer par ce chevalier qui m'enlève de force ! »

Entendant la jeune fille le conjurer au nom de Celui dont il se reconnaît l'homme lige, Bohort est si déchiré qu'il ne sait que faire : s'il laisse son frère entre les mains de ses ravisseurs, il n'a aucune chance, pense-t-il, de le revoir jamais sain et sauf, et s'il ne secourt la jeune fille, elle va être violée et déshonorée parce qu'il lui aura refusé son aide. Alors, levant les yeux au ciel, il dit tout en pleurs :

« Jésus-Christ, doux Seigneur dont je suis l'homme lige, empêche ces chevaliers de tuer mon frère, et moi, par pitié pour Vous et par miséricorde, je préserverai cette jeune fille des violences que veut, semble-t-il, lui faire subir ce chevalier ».

Bohort se met alors à la poursuite du ravisseur, donnant à son cheval de tels coups d'éperon que le sang jaillit des flancs de la bête.

« Seigneur chevalier, lui crie-t-il quand il l'a rejoint, laissez cette jeune fille ou vous êtes mort ! »

A ces mots, le chevalier qui, bien qu'armé, n'avait pas de lance, met la jeune fille à terre, puis, prenant son écu, dégaine son épée et se lance contre Bohort mais celui-ci le frappe si violemment de sa lance qu'il l'atteint au corps à travers écu et haubert. Le chevalier s'évanouit sous la douleur.

« Ma demoiselle, dit alors Bohort en s'approchant de la jeune fille, vous voilà délivrée, je pense, de ce chevalier. Que dois-je faire encore pour vous ?

— Seigneur, maintenant que vous m'avez sauvée du déshonneur, je vous demande de me reconduire là où ce chevalier m'a enlevée ».

Bohort accepte et, prenant le cheval du blessé, y monte la demoiselle et s'en va avec elle comme elle le lui demande.

« Seigneur, reprend-elle au bout d'un moment, vous avez encore mieux agi que vous ne pensez en venant à mon secours. Si ce chevalier m'avait ôté ma virginité, cinq cents hommes en seraient morts qui désormais seront sauvés.

— Qui est-il donc ?

— Mon cousin germain, que l'Ennemi a su si bien exciter par je ne sais quelle ruse diabolique qu'il m'a secrètement enlevée de chez mon père et m'a emmenée dans cette forêt pour me violer. S'il y était parvenu, il aurait été mis à mort et damné et moi, à tout jamais déshonorée ».

Sur ce arrivent douze chevaliers tout armés qui cherchaient la jeune fille dans la forêt et qui montrent une joie très vive de la retrouver. Mais elle leur demande de remercier surtout le chevalier et de l'emmener avec eux car, sans lui et sans l'aide de Dieu, elle aurait été déshonorée.

« Seigneur, disent-ils à Bohort en prenant son cheval par le mors, il vous faut venir avec nous, nous vous le demandons instamment. Vous nous avez rendu un si grand service que nous aurons bien du mal à nous acquitter envers vous.

— Pourtant, chers seigneurs, je n'irai pas. J'ai tant à faire ailleurs que je ne saurais m'attarder. Ne m'en veuillez donc pas, je vous en prie. Je vous suivrais bien volontiers si je pouvais, mais m'attarder aurait, en la circonstance présente, des conséquences si funestes que Dieu seul pourrait les prévenir ».

Comprenant qu'il lui faut à tout prix partir, les chevaliers n'osent insister davantage et le recommandent à Dieu tandis que la jeune fille le prie instamment de venir la voir dès que possible, lui indiquant où il pourra la trouver. Et Bohort répond que si son chemin le mène en ces parages, il s'en souviendra. Sur ce, il les quitte et eux emmènent la jeune fille en lieu sûr.

Bohort se met aussitôt à la recherche de son frère. Arrivé à l'endroit où il l'avait vu disparaître, il regarde de tous côtés, aussi loin que le permet la forêt. Il écoute, tend l'oreille, guettant le moindre bruit mais, comme il n'entend rien qui puisse lui donner quelque espoir de retrouver son frère, il s'engage dans le chemin qu'il lui a vu prendre. Après avoir longtemps chevauché, il rejoint un homme vêtu d'un habit de religion et monté sur un cheval plus noir que mûre. L'homme, s'apercevant que Bohort le suit, lui dit :

« Chevalier, que cherchez-vous ?

— Seigneur, je recherche mon frère que je viens de voir emmener par deux chevaliers qui le battaient.

— Ha ! Bohort, si je n'avais pas peur de trop vous affliger et de vous plonger dans le désespoir, je vous dirais ce que j'en sais et je vous ferais voir ce qui lui est arrivé ».

Persuadé par ces paroles que les deux chevaliers ont tué son frère, Bohort éclate en lamentations.

« Seigneur, dit-il enfin, lorsqu'il retrouve la force de parler, s'il est mort, indiquez-moi où est son corps : je le ferai enterrer avec les honneurs dus à un fils de roi car il fut le fils d'un homme et d'une femme de haut rang.

— Alors regarde, dit l'homme et tu le verras ».

Et Bohort regarde autour de lui et voit, étendu sur le sol, le cadavre tout sanglant d'un homme récemment tué. A l'examiner, il croit reconnaître son frère et sa douleur est telle qu'incapable de se tenir debout, il tombe à terre où il reste longtemps évanoui.

« Ha ! cher seigneur, dit-il lorsqu'il se relève, qui vous a fait cela ? Certes, toute joie m'est désormais refusée si Celui qui vient visiter les pécheurs au milieu de leurs tribulations et de leurs tourments ne me réconforte ! Mais puisqu'il est ainsi, frère bien-aimé, que nous sommes à tout jamais séparés, que Celui que j'ai pris comme compagnon et comme maître me conduise et me préserve au milieu des dangers ! Seul désormais le salut de mon âme doit m'importer puisque vous êtes mort ».

A ces mots, il prend le corps, —qui ne pèse rien, lui semble-t-il—, et le pose en travers de sa selle.

« Seigneur, dit-il à l'homme, au nom de Dieu, dites-moi s'il y a près d'ici une église ou une chapelle où je puisse enterrer ce chevalier.

— Oui, il y a près d'ici une chapelle, devant une tour, où on pourra l'enterrer.

— Seigneur, au nom de Dieu, veuillez m'y conduire.

— Bien volontiers. Suivez-moi donc ».

Bohort saute alors en selle, portant devant lui, à ce qu'il lui semble, le cadavre de son frère. Peu après, les deux hommes voient devant eux une haute tour fortifiée et, devant, une vieille maison en ruines qui semblait être une chapelle. Ils mettent pied à terre devant la porte et viennent déposer le corps dans une grande tombe en marbre qui se trouvait en plein milieu. Bohort regarde de tous côtés mais il n'aperçoit rien, ni eau bénite, ni croix, ni le moindre signe de la présence de Jésus-Christ.

« Laissons le corps ici, lui dit l'homme, et allons nous loger dans cette tour jusqu'à demain ; je reviendrai alors dire l'office pour votre frère.

— Eh quoi, vous êtes donc prêtre ?

— Assurément.

— Alors je vous prie de m'expliquer le sens d'un rêve que j'ai fait la nuit dernière et d'autres choses encore qui me préoccupent.

— Racontez, dit l'autre ».

Bohort lui parle donc des deux oiseaux, du blanc et du noir, puis du bois pourri et des fleurs blanches.

« Je vais, dit l'homme, t'expliquer aujourd'hui une partie de tes rêves et j'achèverai demain.

« L'oiseau qui ressemblait à un cygne signifie une demoiselle qui t'aime depuis fort longtemps et qui viendra bientôt te demander de la prendre pour amie. Toi, dans ton rêve, tu restais silencieux. Ce qui signifie que tu repousseras son amour et qu'elle mourra de douleur après t'avoir quitté. L'oiseau noir signifie le grand péché qui t'incitera à la repousser. Ce n'est pas en effet par crainte de Dieu et par l'effet de ta vertu que tu agiras ainsi mais pour te faire passer pour chaste et pour obtenir en ce monde louanges et vaine gloire. Chasteté qui sera source de si grands maux qu'elle causera la mort de Lancelot ton cousin que la famille de la demoiselle tuera tandis qu'elle-même mourra d'avoir été repoussée. On dira donc à juste titre que tu es responsable de cette double mort comme tu l'es de celle de ton frère, toi qui aurais pu si facilement le sauver, si tu l'avais voulu, et qui l'a abandonné pour secourir une jeune fille qui n'était pas de ton sang. Considère pourtant ce qui est le plus grave : qu'elle ait perdu sa virginité ou que ton frère, l'un des bons chevaliers du monde, ait été tué. Assurément, mieux vaudrait que toutes les jeunes filles du monde perdent leur virginité et que ton frère soit encore en vie. »

Lorsqu'il entend que cet homme qui mène, croit-il, une vie exemplaire, le blâme d'avoir sauvé la jeune fille, Bohort ne sait que répondre. Et l'autre lui demande :

« As-tu saisi maintenant le sens de ton rêve ?

— Oui, seigneur.

— Le sort de ton cousin Lancelot dépend donc de toi. A toi de choisir : tu pourras soit empêcher sa mort soit en être responsable. Il en sera selon ce que tu décideras.

— Assurément, répond Bohort, je ferai tout au monde pour empêcher cela.

— Nous verrons bientôt », réplique l'homme.

Il conduit alors Bohort dans la tour où tous les habitants, chevaliers, dames et demoiselles souhaitent la bienvenue au chevalier. Ils le font tout d'abord se désarmer dans une pièce puis, lorsqu'il est déshabillé, ils lui mettent sur les épaules un magnifique manteau fourré d'hermine, le font asseoir sur un lit tout blanc et s'empressent autour de lui pour le réconforter et le divertir, tant et si bien qu'il en oublie un peu sa peine. Tandis qu'ils s'efforçaient de le consoler, survint la plus belle, la plus gracieuse demoiselle que l'on pût imaginer ici-bas, aussi magnifiquement vêtue que si elle avait eu à sa disposition toutes les parures de ce monde.

« Seigneur, dit un chevalier, voici notre dame, la plus belle, la plus puissante du monde et celle qui vous a le plus aimé. Voici longtemps qu'elle vous attend car elle ne voulait pas d'autre chevalier que vous pour ami ».

Très surpris par ces paroles, Bohort salue la dame qui en fait de même et qui vient s'asseoir à côté de lui. Ils parlent de choses et d'autres jusqu'au moment où elle lui demande de devenir son ami car elle l'aime, dit-elle, plus que tout homme au monde, et s'il veut bien l'aimer, elle fera de lui l'homme le plus puissant de son lignage.

Cette proposition embarrasse beaucoup Bohort qui ne sait que répondre car il ne voudrait en aucune manière renoncer à sa chasteté.

« Bohort, poursuit la jeune femme devant son silence, ne céderez-vous pas à ma prière ?

— Ma dame, je ne cèderai sur ce point à aucune dame au monde, aussi puissante soit-elle. Au reste, on ne devrait pas me faire une telle demande dans l'état où je suis actuellement, alors que mon frère, tué aujourd'hui même, je ne sais comment, gît tout près d'ici.

— Ha ! Bohort, ne vous préoccupez pas de cela ! Vous devez faire ce que je vous demande. Dites-vous bien que si je ne vous aimais plus qu'aucune femme n'aimât jamais un homme, je ne vous aurais rien demandé car il n'est ni convenable ni courant qu'une femme prie d'amour un homme la première, même si elle l'aime beaucoup. Mais le grand désir que j'ai toujours éprouvé pour vous me contraint d'agir ainsi et de vous dire ce que j'ai toujours tu. C'est pourquoi je vous demande, doux ami, de céder à ma prière et de coucher avec moi cette nuit ».

Mais lui refuse catégoriquement. La dame manifeste alors toutes les apparences de la douleur. Il semble bien à Bohort qu'elle pleure et se lamente mais il n'en modifie nullement son attitude.

Lorsqu'elle comprend qu'elle n'a aucune chance de vaincre sa résistance,

« Bohort, lui dit-elle, à cause de votre refus, il me faut mourir ici même sous vos yeux ».

Le conduisant alors par la main jusqu'à la porte de la salle, elle ajoute :

« Restez ici et vous verrez comment je mourrai à cause de l'amour que je vous porte.

— Non, dit-il, je m'y refuse ».

Ordonnant alors à ses gens de le retenir de force, elle monte en haut de la tour, sur les créneaux, avec douze jeunes filles. Lorsqu'elles sont en haut, l'une d'entre elles, (et non la dame), dit à Bohort :

« Ha ! Bohort, aies pitié de nous, cède au désir de notre maîtresse. Si tu refuses, nous allons toutes nous laisser tomber de cette tour avant elle car nous ne pourrions supporter de la voir mourir. Assurément, si tu nous laisses mourir pour si peu de chose, jamais chevalier ne commit un aussi grand crime ! »

Bohort les regarde, persuadé que ce sont de nobles femmes de haute naissance et il est plein de compassion pour elles, mais pas au point toutefois de choisir de perdre son âme pour sauver les leurs. Il leur répond donc qu'il ne cèdera pas, quoi qu'elles fassent, et aussitôt elles se précipitent du haut de la tour. Frappé de stupeur, Bohort se signe. Immédiatement retentissent autour de lui de telles clameurs, de telles plaintes qu'il se croit environné de tous les diables de l'enfer (au reste, il y en avait là un certain nombre !). Il regarde tout autour de lui mais il ne voit plus aucune trace de ce qui s'y trouvait auparavant : plus de tour, plus de dame lui demandant son amour ; il ne reste que les armes qu'il a apportées et la maison où se trouve, croit-il, le cadavre de son frère.

Aussitôt il comprend que c'est le Diable qui a fomenté ce piège pour le tuer et le damner, mais la puissance divine lui a permis de s'en préserver.

« Doux Jésus-Christ, dit-il alors en tendant les mains vers le ciel, sois béni, Toi qui m'as donné la force et la puissance de lutter contre le Diable et qui m'as accordé de triompher en ce combat ! »

Puis il va là où il croit avoir laissé le cadavre de son frère mais il ne voit rien. A son plus grand soulagement car il est bien persuadé qu'il n'est pas mort et qu'il n'a vu qu'un fantôme. Il reprend donc ses armes, s'équipe et monte en selle puis s'éloigne de cet endroit où, dit-il, il ne veut pas s'attarder plus longtemps car c'est le Diable qui y demeure.

Après un temps de chevauchée, il perçoit, sur sa gauche, une sonnerie de cloches. Marchant avec joie dans cette direction, il distingue peu après une abbaye fortifiée qui appartenait à des moines blancs. Il frappe à la porte jusqu'à ce qu'on lui ouvre. Les moines, le voyant armé, pensent aussitôt qu'il participe à la Quête. Ils l'aident à descendre de cheval, le mènent dans une pièce pour le désarmer et le reçoivent de leur mieux. Avisant alors un moine qui lui paraît bien être un prêtre, Bohort lui dit :

« Seigneur, conduisez-moi, je vous prie, auprès de celui d'entre vous que vous considérez comme le plus sage. Il m'est en effet arrivé aujourd'hui une aventure extraordinaire sur laquelle je voudrais bien être éclairé et par Dieu et par lui.

— Seigneur chevalier, nous vous conseillons donc d'aller

trouver notre abbé car c'est le plus sage, le plus pieux de nous tous.

— Seigneur, au nom de Dieu, conduisez-moi auprès de lui.

— Volontiers », répond le moine qui, le menant dans une chapelle où se trouvait l'abbé, le lui montre et s'en va. Bohort vient saluer l'abbé qui en fait de même et lui demande qui il est.

« Un chevalier errant », répond Bohort, qui lui raconte alors tout ce qui lui arrivé en ce jour. Son récit achevé, l'abbé lui dit :

« Seigneur chevalier, je ne sais qui vous êtes mais vraiment je ne pensais pas qu'un chevalier de votre âge puisse être aussi pénétré de la grâce de Notre Seigneur que vous. Je ne pourrais m'entretenir avec vous aujourd'hui même de ce qui vous est arrivé autant que je le voudrais, —il est trop tard—, mais allez vous reposer et, demain matin, je vous conseillerai de mon mieux ».

Bohort s'en va donc en recommandant l'abbé à Dieu. Ce dernier reste dans la chapelle, pensant longuement à ce que le chevalier lui a dit puis ordonne au moine de réserver à Bohort le meilleur accueil car son mérite est encore plus grand qu'il n'y paraît. Ce soir-là, Bohort fut reçu et servi avec plus de faste qu'il ne l'aurait désiré. On lui prépara de la viande et du poisson mais il n'en mangea pas, se rassasiant de pain et d'eau sans rien prendre d'autre car il ne voulait en aucune manière enfreindre la pénitence qui lui avait été imposée, pour la nourriture comme pour le coucher. Au matin, sitôt après l'office de matines et la messe, l'abbé, qui ne l'avait pas oublié, vint au nom de Dieu lui souhaiter une bonne journée et Bohort fit de même. Puis, l'emmenant à l'écart, près d'un autel, il le pria de lui raconter ce qui lui était arrivé au cours de la Quête. Bohort lui conte donc par le détail tout ce qu'il a vu et entendu, en veillant comme en dormant, et le prie de lui en expliquer le sens. L'abbé accepte et, après un moment de réflexion, commence ainsi.

« Bohort, après avoir reçu notre saint Maître, notre saint Guide, c'est-à-dire après avoir reçu le corps de Notre Seigneur, vous vous êtes mis en route pour savoir s'Il vous permettrait de faire la grande découverte promise aux chevaliers de Jésus-Christ, aux vrais héros de cette Quête. Peu après, Notre Seigneur vous est apparu sous la forme d'un oiseau et vous a montré la douleur et les tourments qu'Il a endurés pour nous. De la manière que voici : lorsque l'oiseau s'est posé sur l'arbre qui n'avait ni feuilles ni fruits et s'est aperçu qu'aucun de ses oisillons n'était vivant, il est aussitôt venu parmi eux et s'est frappé la poitrine de son bec si bien que le sang en a jailli ; lui est mort mais ses petits, comme vous l'avez vu, ont repris vie grâce à son sang. Or voici ce que cela signifie :

« L'oiseau représente notre Créateur, qui forma l'homme à son image. Lorsque celui-ci fut chassé du Paradis par son péché, il vint sur la terre qu'il trouva dépourvue de vie. L'arbre sans feuilles et sans fruits représente clairement le monde où régnaient alors sans partage l'infortune, la pauvreté et la souffrance. Les oisillons représentent les hommes de ce temps qui étaient tous voués à l'Enfer et à la damnation, les bons comme les mauvais, sans considération de leur mérite. Lorsque le fils de Dieu vit cela,il monta sur l'arbre, c'est-à-dire sur la croix, et il fut frappé du bec, je veux dire de la pointe de la lance, au côté droit d'où jaillit le sang. Ceux des oisillons qui avaient vécu selon sa loi ressuscitèrent alors grâce à ce sang car il les tira de l'Enfer où règnait et règne toujours la mort éternelle. Ce don que Dieu fit à l'humanité, à moi, à vous, à tous les autres pécheurs, Il vint vous le signifier sous la forme d'un oiseau afin que vous n'hésitiez pas à mourir pour Lui comme Il l'a fait pour vous.

« Il vous conduisit ensuite chez la dame à qui le roi Amant avait confié son royaume. Le roi Amant, sache-le, c'est Jésus-Christ, le plus aimant des rois, plus doux et plus pitoyable que quiconque en ce monde. L'autre dame, celle qui avait été déshéritée, combattait contre sa sœur de toutes ses forces. Vous, vous avez livré bataille et vous avez vaincu. Et voici ce que cela signifie :

« Notre Seigneur vous avait montré comment Il avait répandu son sang pour vous et vous, vous avez aussitôt combattu pour Lui. Vous combattiez pour Lui en effet quand vous avez livré bataille pour la dame car cette dame représente sainte Eglise qui maintient la chrétienté dans la vraie foi et la vraie croyance, qui maintient donc le royaume et l'héritage même de Jésus-Christ. L'autre dame, celle qui a été déshéritée et qui la combattait, représente l'ancienne loi, l'Ennemi qui sans cesse s'oppose à sainte Eglise et à ses sujets. Lorsque la jeune dame vous eut dit pourquoi sa sœur la combattait, vous avez livré la bataille comme vous deviez le faire, vous, le chevalier de Jésus-Christ et qui, à ce titre, deviez défendre sainte Eglise. La nuit, sainte Eglise vint vous voir sous l'apparence d'une femme pleine de tristesse et d'affliction et injustement déshéritée. Elle vint vous voir non dans un vêtement de fête mais dans un vêtement de douleur, un vêtement noir, et vous apparut triste et sombre sous l'effet du tourment que lui causent ses fils, je veux dire les chrétiens pécheurs, fils dénaturés qui, loin de la respecter comme leur mère, l'affligent nuit et jour. Et c'est afin d'exciter davantage votre pitié qu'elle est venue vous voir ainsi, sous l'apparence d'une femme pleine de tristesse et d'affliction.

« L'oiseau noir qui vint vous voir représente sainte Eglise qui dit : « Je suis noire mais je suis belle et mon teint sombre vaut mieux que l'éclat des autres ». L'oiseau blanc pareil au cygne représente le Diable. Voici pourquoi : le cygne est blanc au dehors mais noir à l'intérieur, pareil à l'hypocrite au teint jaune et pâle qui ressemble bien par son apparence extérieure à un serviteur de Jésus-Christ mais qui est à l'intérieur si noir, si souillé de péché et d'ordure qu'il trompe trop cruellement le monde (72). Cet oiseau est venu te voir en songe mais aussi lorsque tu étais éveillé. Sais-tu à quel moment ? Lorsque le Diable t'est apparu sous les traits d'un moine qui t'a dit que tu avais laissé tuer ton frère. Pur mensonge : ton frère est toujours en vie. Mais il voulait ainsi t'égarer et t'inciter au désespoir et à la luxure. Ainsi t'aurait-il mis en état de péché mortel, ce qui t'aurait empêché de mener à bien les aventures de Saint-Graal. Je t'ai donc expliqué ce qu'était l'oiseau blanc et l'oiseau noir, la dame pour qui tu t'es battu et quel fut ton ennemi.

« Il me faut maintenant t'expliquer ce que signifient le bois pourri et les fleurs. Le bois privé de force et de sève représente ton frère Lionel qui n'a en lui aucune des grâces divines qui lui permettraient de se tenir droit. La pourriture représente la masse des péchés mortels qu'il a, chaque jour davantage, accumulés en lui. C'est pourquoi on doit l'appeler bois pourri et plein de vermine. Les deux fleurs de droite représentent deux êtres vierges. L'un est le chevalier que vous avez blessé hier et l'autre, la jeune fille que vous avez sauvée. L'une des fleurs s'approchait de l'autre, (c'est le chevalier qui voulait prendre de force la jeune fille, lui ravir sa virginité, lui enlever sa pureté). Mais l'homme les séparait. Ce qui signifie que Notre Seigneur, qui ne voulait pas que la pureté de la jeune fille lui soit ravie, vous conduisit près d'elle et vous, vous les avez séparés, préservant leur pureté à tous les deux. L'homme vous disait : « Bohort, il serait insensé celui qui laisserait périr ces fleurs pour secourir ce bois pourri. Veille donc, si pareille aventure t'arrive, à ne pas laisser périr les fleurs pour sauver le bois ».

« Tel fut son ordre, tu lui as obéi et il t'en est très reconnaissant. En effet, vous avez vu en même temps votre frère emmené par deux chevaliers et la jeune fille que son ravisseur emportait. Elle vous a imploré avec tant de douceur, qu'ému de pitié, vous avez fait passer l'amour de Jésus-Christ avant les sentiments naturels et vous êtes allé à son secours en laissant votre frère dans le danger. Mais Celui que vous serviez s'est substitué à vous et, pour l'amour que vous avez témoigné au Roi des Cieux, a fait un miracle si éclatant que les chevaliers qui emmenaient votre frère sont tombés morts sur-le-champ. Lui a défait ses liens, a pris les armes et le cheval de l'un deux et a repris la Quête à la suite des autres compagnons. Au reste, vous saurez bientôt tout ce qui s'est passé.

« Les feuilles et les fruits que vous avez vus naître des fleurs signifient que du chevalier naîtra bientôt un noble lignage, riche en chevaliers de haut mérite, —on doit bien les considérer comme des fruits—, et il en sera de même pour la jeune fille. Mais si elle avait perdu sa virginité par ce péché immonde, Notre Seigneur en aurait conçu une telle colère que tous deux seraient morts de mort soudaine et auraient été ainsi damnés corps et âmes. Voilà ce que vous avez empêché et c'est pourquoi l'on doit vous considérer comme un bon et fidèle serviteur de Jésus-Christ. Mais, —que Dieu m'assiste ! —, si vous étiez totalement de ce monde, jamais vous n'auriez eu cette faveur extraordinaire de délivrer des chrétiens, de préserver leurs corps des périls terrestres et leurs âmes des tourments de l'enfer. Voici donc la signification des aventures que vous avez rencontrées au cours de la Quête du Saint-Graal.

— Seigneur, répondit Bohort, vous me les avez si clairement expliquées que désormais j'en vaudrai mieux et pour toujours.

— Je vous demande donc, de prier pour moi car, —que Dieu m'aide ! — je pense qu'Il écoutera plus facilement vos prières que les miennes ».

Bohort se tait, tout gêné de voir que l'abbé le tient en si haute estime.

Après avoir longtemps parlé avec lui, Bohort quitta l'abbé en le recommandant à Dieu. Une fois armé, il reprit sa route jusqu'au soir. Il coucha chez une veuve qui le reçut fort bien. Au matin, il reprit sa chevauchée jusqu'à un château nommé Tubèle qui se trouvait dans une vallée. Près du château, il rencontra un écuyer qui se dirigeait à vive allure vers une forêt.

Bohort s'approche de lui et lui demande s'il sait ce qui se passe dans le château.

« Oui vraiment, répond l'écuyer. Il y aura là demain un magnifique tournoi.

— Entre qui ?

— Entre le comte des Plains et la veuve qui habite ce château ».

Bohort décide aussitôt de rester : impossible qu'il ne rencontre là, demain, quelques chevaliers participant à la Quête et peut-être l'un d'entre eux pourra-t-il lui donner des nouvelles de son frère ; peut-être même l'y rencontrera-t-il s'il est dans les parages et en bonne santé. Il se dirige donc vers un ermitage qui était à la lisière d'une forêt et là, il trouve Lionel qui était assis, désarmé, devant la chapelle. Il s'était logé là pour participer le lendemain au tournoi. Quand Bohort voit son frère, il ressent une joie inexprimable. Il saute à terre et lui dit :

« Cher frère, quand êtes-vous venu ici ? »

Lionel le reconnaît aussitôt mais il ne bouge pas et lui dit :

« Bohort, Bohort, ce n'est pas votre faute si je n'ai pas été tué l'autre jour par les deux chevaliers qui m'emmenaient en me rouant de coups ! Vous m'avez laissé emmener sans intervenir et vous êtes allé secourir la jeune fille que le chevalier emportait, en me laissant en danger de mort ! Jamais un frère n'a commis une aussi grande perfidie. Vous mourrez pour ce crime, je vous l'assure, et vous l'aurez bien mérité ! Gardez-vous donc de moi car sachez que je chercherai à vous tuer, où que ce soit, dès que je serai armé ».

Consterné de voir son frère ainsi irrité contre lui, Bohort s'agenouille devant lui et, mains jointes, implore sa pitié, lui demandant de lui pardonner au nom de Dieu. Mais Lionel refuse, déclarant qu'avec l'aide de Dieu il le tuera s'il peut triompher de lui. Puis, sans vouloir l'écouter davantage, il rentre dans l'ermitage où il avait laissé ses armes et s'équipe rapidement. Une fois armé, il monte à cheval et crie à Bohort :

« Gardez-vous de moi car, avec l'aide de Dieu, si je peux triompher de vous, je vous traiterai comme on doit traiter un être plein de cruauté et de perfidie ! Jamais chevalier plus cruel et plus perfide ne naquit d'un homme d'aussi grand mérite que le fut le roi Bohort notre père ! Montez à cheval ! Cela vaudra mieux pour vous ! Mais si vous refusez, je vous tuerai ainsi, à pied. La honte sera pour moi, le dommage pour vous, mais cette honte-là m'importe peu : je préfère perdre un peu de mon honneur plutôt que de ne pas vous punir comme vous le méritez ».

Comprenant qu'il va lui falloir se battre, bien qu'il n'en ait nullement l'intention, Bohort ne sait que faire. Il montera à cheval pour se sentir plus sûr mais auparavant, il fera une dernière tentative pour obtenir, s'il se peut, son pardon. Il s'agenouille donc devant le cheval de Lionel et dit en pleurant d'une manière pitoyable :

« Au nom de Dieu, cher frère, pitié ! Pardonnez-moi ce crime et ne me tuez pas mais souvenez-vous du grand amour qui doit régner entre nous ».

Lionel, pourtant, ne tient aucun compte de ce que lui dit Bohort tant le Diable avait excité en lui un furieux désir de tuer son frère. Et Bohort reste toujours à genoux devant lui, mains jointes, implorant sa pitié. Voyant qu'il persiste dans cette attitude et qu'il ne se relèvera pas, Lionel galope alors sur lui et le frappe du poitrail de son cheval avec une force telle qu'il le renverse à terre. La chute meurtrit cruellement Bohort que Lionel foule aux pieds de son cheval en lui brisant les os. Bohort s'évanouit sous la douleur, persuadé qu'il va mourir sans s'être confessé et Lionel, le voyant incapable de se relever, met pied à terre avec l'intention de lui couper la tête.

Mais comme il s'approchait pour lui arracher son heaume, l'ermite vint grand courant, —c'était pourtant un homme très âgé—, car il avait bien entendu les paroles qu'avaient échangées les deux hommes. Voyant que Lionel veut couper la tête de son frère, il se laisse tomber sur Bohort en disant :

« Ha ! noble chevalier, au nom de Dieu, aies pitié de toi et de ton frère ! Si tu le tues, tu commettras un péché mortel et sa mort sera une très grande perte car c'est l'un des meilleurs chevaliers du monde et des plus vertueux.

— Par Dieu, seigneur, réplique Lionel, si vous ne laissez pas mon frère, je vous tuerai et il n'en sera pas quitte pour autant !

— Mais je préfère, dit l'ermite que tu me tues, moi plutôt que lui ; ma mort sera une moins grande perte que la sienne ! Je veux donc qu'il en soit ainsi ».

Il s'étend alors de tout son long sur Bohort, le tenant serré par les épaules. Lionel aussitôt tire son épée et frappe si violemment l'ermite qu'il lui brise la nuque. Le vieillard se raidit dans les spasmes de l'agonie.

Cet acte pourtant n'abat pas la fureur de Lionel : il saisit son frère par le heaume et le délace pour lui couper la tête. C'en était fait de Bohort lorsque survint, —telle fut la volonté de Notre Seigneur—, Calogrenant, un chevalier de la cour d'Artus, compagnon de la Table Ronde. A la vue du cadavre de l'ermite, il reste stupéfait puis, regardant autour de lui, il aperçoit Lionel prêt à tuer son frère dont il avait déjà délacé le heaume. Il reconnaît alors Bohort qu'il aimait beaucoup. Aussitôt il met pied à terre, saisit Lionel par les épaules et le tire en arrière avec tant de force qu'il le sépare de son frère.

« Qu'est-ce que cela signifie, Lionel, lui dit-il ? Etes-vous devenu fou pour vouloir tuer votre frère, l'un des meilleurs chevaliers que l'on connaisse ? Par Dieu, aucun chevalier digne de ce nom ne pourrait supporter cela !

— Comment, répond Lionel, vous voulez venir à son aide ? Si vous persistez, je le laisserai et m'en prendrai à vous ».

Calogrenant, tout interdit devant cette réponse, examine Lionel et lui dit :

« Comment, Lionel ? Est-ce vrai que vous voulez le tuer ?

— Sans aucun doute, et je le ferai en dépit de vous ou de qui que ce soit. Il a commis un tel crime à mon égard qu'il a bien mérité la mort ».

Il se précipite donc de nouveau sur Bohort et cherche à le frapper à la tête mais Calogrenant se jette entre eux deux, déclarant que si Lionel a assez d'audace pour toucher son frère, il doit d'abord se battre avec lui.

A ces mots, Lionel prend son écu et demande à Calogrenant qui il est. Calogrenant se nomme. Lorsque Lionel sait à qui il a affaire, il le défie et l'attaque à l'épée, le frappant de toutes ses forces. Ainsi attaqué, Calogrenant saisit à la hâte son écu et tire son épée. C'était un bon chevalier et de grande force et il se défend avec acharnement. Tandis qu'ils se battent, Bohort parvient à s'asseoir mais il souffre tant qu'il ne pense pas recouvrer ses forces d'ici plusieurs mois si Notre Seigneur ne vient à son secours. Il est très affligé de voir Calogrenant se battre contre son frère : si Calogrenant tue son frère sous ses yeux, il sera à tout jamais désespéré et si Lionel tue Calogrenant, il en sera déshonoré car c'est pour lui, il le sait bien, que Calogrenant a entrepris le combat. Aussi, s'il pouvait, il irait de grand cœur les séparer mais il souffre tant qu'il ne peut ni se défendre ni attaquer. Au bout d'un moment il se rend compte que Calogrenant perd l'avantage. Lionel était en effet un chevalier plein de prouesse et d'audace et il avait déjà mis en pièces l'écu et le heaume de son adversaire qui se voyait près de mourir : il avait déjà tant perdu de sang qu'il était étonnant qu'il puisse encore tenir debout. Se voyant vaincu, et affolé à l'idée de mourir, Calogrenant regarde autour de lui et aperçoit Bohort qui s'était assis.

« Ha ! Bohort, lui crie-t-il, venez à mon aide car je risque de mourir ici pour avoir voulu vous sauver, vous qui étiez plus menacé encore que je ne le suis maintenant ! Sans aucun doute, si je meurs ainsi, tout le monde devra vous blâmer.

— Rien n'y fera, réplique Lionel. Votre intervention vous coûtera la vie et personne ne saurait empêcher que je vous tue tous deux de cette épée ».

Bohort est très ému par cette réponse. Il sait bien que si Calogrenant est tué, lui-même risque de perdre la vie. Péniblement il se relève, prend son heaume et le met sur sa tête. Puis il aperçoit le cadavre de l'ermite. Très affligé, il prie Dieu d'avoir pitié du mort car jamais homme d'un tel mérite ne fut tué pour si mince motif. Mais Calogrenant lui crie :

« Ha ! Bohort, me laisserez-vous mourir ? Pourtant, si telle est votre volonté, j'y consens volontiers car je ne pourrais sacrifier ma vie pour sauver meilleur que vous ! »

Puis, comme Lionel le frappe de son épée et lui fait voler le heaume de la tête, Calogrenant, se rendant compte qu'il est nu-tête et qu'il ne peut plus échapper à la mort, s'écrie :

« Ha ! doux Jésus-Christ, Vous qui avez accepté que je sois votre serviteur en dépit de mon indignité, ayez pitié de mon âme ! Puisse cette souffrance que mon corps va endurer parce que j'ai voulu faire le bien et me montrer charitable me tenir lieu de pénitence et d'indulgence pour le salut de mon âme ! »

Tandis qu'il parlait ainsi, Lionel le frappe si violemment qu'il le jette à terre mort et son corps se raidit dans les spasmes de l'agonie.

Non content d'avoir tué Calogrenant, Lionel se rue de nouveau sur son frère et lui donne un coup tel qu'il le fait se plier en avant. Mais lui, tout pénétré d'humilité, prie Notre Seigneur de mettre un terme à ce combat car, dit-il à Lionel, si je vous tue ou si vous me tuez, nous commettrons un péché mortel.

« Que Dieu m'abandonne, dit Lionel, si j'ai jamais pitié de vous et si je ne vous tue si j'y parviens ! Ce n'est pas de votre faute si je n'ai pas été tué moi-même ! »

Bohort tire alors son épée :

« Doux Jésus-Christ, dit-il tout en pleurs, si je défends ma vie contre mon frère, ne me l'imputez pas à péché ! »

Puis il brandit son épée mais, au moment de frapper, il entend une voix qui lui dit :

« Fuis, Bohort, ne le touche pas car tu le tuerais aussitôt ».

Et voici qu'entre eux deux descendit du ciel, pareil à la foudre, un tison enflammé d'où jaillit une flamme si vive et si violente que leurs deux écus furent brûlés. Dans leur effroi tous deux tombèrent à terre et restèrent longtemps évanouis. Quand ils se relevèrent enfin, ils se regardèrent longuement puis virent la terre entre eux deux toute brûlée par le feu. Enfin, lorsque Bohort s'aperçut que son frère n'avait rien, il tendit les mains au ciel en remerciant Dieu de tout son cœur. Il entendit alors une voix qui lui dit :

« Bohort, relève-toi et pars. Laisse ton frère et dirige-toi vers la mer sans t'arrêter en chemin car Perceval t'y attend ».

En entendant la voix, Bohort s'agenouille et tend les mains vers le ciel.

« Père des cieux, s'écrie-t-il, sois béni pour m'avoir appelé à ton service », puis il s'approche de Lionel qui était encore tout assommé et lui dit :

« Cher frère, vous avez mal agi en tuant ce chevalier, notre compagnon, et cet ermite. Ne partez pas d'ici, au nom de Dieu, avant d'avoir enterré leurs corps et leur avoir rendu les honneurs qui conviennent.

— Et vous, qu'allez vous faire, dit Lionel ? Resterez-vous ici jusqu'à ce qu'ils soient enterrés ?

— Non, dit Bohort, j'irai vers la mer où m'attend Perceval, comme me l'a révélé la voix divine ».

Aussitôt il s'en va en direction de la mer. Il chevaucha plusieurs jours avant d'arriver dans une abbaye qui était au bord de la mer et où il s'arrêta pour la nuit. Une fois endormi, il entendit une voix qui lui dit :

« Bohort, lève-toi, va droit vers la mer : Perceval t'attend sur le rivage ».

A ces mots, Bohort se lève rapidement et se signe en priant Notre Seigneur de le guider puis il va rechercher ses armes, s'équipe et harnache son cheval. Une fois prêt, comme il ne veut pas que les moines sachent qu'il s'en va à pareille heure, il cherche comment sortir et finit par trouver dans la muraille un trou par où passer. Il monte à cheval et franchit la muraille par la brèche.

Il part ainsi à l'insu de tous et chevauche jusqu'à la mer. Sur le rivage, il trouve une nef toute tendue de soie blanche. Il met pied à terre et s'embarque en se recommandant à Jésus-Christ. Dès qu'il est dans la nef, celle-ci s'éloigne de la rive. Le vent gonfle ses voiles et l'emmène à si vive allure qu'elle semble voler sur les flots. Bohort ne s'attarde pas à regretter son cheval qu'il n'a pas eu le temps d'embarquer mais examine l'intérieur de la nef, sans rien pouvoir distinguer toutefois, car la nuit est extrêmement noire. Il vient alors s'accouder sur le bord de la nef, priant Jésus-Christ de le conduire là où il puisse sauver son âme. Après avoir ainsi prié, il s'endort jusqu'au jour. Une fois réveillé, il regarde de nouveau dans la nef et voit devant lui un chevalier, tout armé à l'exception de son heaume, dans lequel il reconnaît bientôt Perceval le Gallois. Tout joyeux, il court le prendre dans ses bras. Perceval très surpris de voir ce chevalier devant lui, —il ne sait comment il est arrivé là—, lui demande qui il est.

« Comment, dit Bohort, vous ne me reconnaissez pas ?

— Non, répond Perceval et je me demande bien comment vous êtes venu ici si Notre Seigneur lui-même ne vous y a amené ».

Bohort sourit de cette réponse et ôte son heaume. Perceval le reconnaît aussitôt. La joie qu'ils éprouvent à ces retrouvailles serait bien difficile à décrire ! Bohort, enfin, raconte sur l'ordre de qui et comment il est venu sur la nef puis Perceval lui rapporte les aventures qui lui sont arrivées sur le rocher, là où le Diable lui était apparu sous l'apparence d'une femme et avait failli lui faire commettre un péché mortel. Voici donc les deux amis réunis par la volonté de Notre Seigneur et attendant les aventures qu'Il lui plaira de leur envoyer. Ils voguent sur la mer, changeant de direction au gré des vents et parlent longuement en se réconfortant l'un l'autre.

Perceval dit alors qu'il ne manque plus que Galaad pour que soit accomplie la promesse qui lui a été faite et explique à Bohort quelle elle fut (73). Mais le conte cesse ici de parler d'eux et revient au Bon Chevalier.

LA NEF DE SALOMON

Lorsque le Bon Chevalier eut quitté Perceval après l'avoir sauvé des mains des vingt chevaliers qui l'avaient attaqué, il chevaucha, —ainsi le rapporte le conte—, par le grand chemin de la Forêt Gaste et la parcourut en tous sens, au hasard de sa route, pendant de nombreuses journées. Il y trouva maintes aventures qu'il mena à bien mais dont le conte ne parle pas car il eût été trop long de toutes les raconter en détail. Après avoir longtemps parcouru le royaume de Logres à la recherche de toutes les aventures dont il entendait parler, le Bon Chevalier quitta ce pays et décida d'aller vers la mer. Chemin faisant, il passa devant un château où se livrait un très grand tournoi. Les assaillants avaient fait preuve de tant de vaillance que déjà les gens du château étaient en déroute. Leurs adversaires, plus nombreux, étaient aussi meilleurs chevaliers.

Lorsque Galaad vit que les gens du château étaient en difficulté et que les autres les tuaient sous leurs remparts, il décida de leur venir en aide. Lance en arrêt, il éperonne son cheval et frappe le premier adversaire qu'il rencontre avec une force telle qu'il le jette à terre. Sa lance se brise. Il tire alors son épée dont il sait si bien se servir et se jette au plus épais de la mêlée. Il abat chevaliers et chevaux et fait de telles prouesses qu'il emporte l'estime générale. Or, monseigneur Gauvain et Hector participaient au tournoi du côté des assiégeants. Dès qu'ils virent l'écu blanc avec la croix vermeille, ils se dirent l'un à l'autre :

« Regardez ! Voici le Bon Chevalier ! Bien fou qui restera

sur sa route car aucune armure ne résiste à ses coups d'épée ».

Mais voici que Galaad galope sur Gauvain au hasard de la mêlée et qu'il le frappe avec une telle violence qu'il lui fend son heaume et sa coiffe de fer. Monseigneur Gauvain, persuadé qu'il est frappé à mort, est désarçonné et Galaad, incapable d'arrêter son élan, atteint le cheval devant l'arçon, lui tranche l'encolure et l'abat mort sous son cavalier.

Hector, voyant Gauvain à pied, recule. Ce serait folie en effet que de vouloir résister à qui peut frapper de tels coups ; au reste, Galaad est son neveu et il doit l'aimer et l'épargner. Galaad, lui, galope en tous sens et fait tant d'exploits que bientôt les gens du château, déconfits peu auparavant, reprennent l'avantage. Ils ne cessent de frapper et d'abattre leurs adversaires qui, définitivement battus, s'enfuient pour se protéger. Galaad les poursuit longuement. Puis, voyant qu'ils n'ont plus aucune envie de revenir, il s'en va si discrètement que personne ne sait par où il est parti mais les deux camps s'accordent pour lui donner le prix du tournoi. Monseigneur Gauvain souffre si cruellement du coup qu'il a reçu qu'il pense en mourir.

« Sur ma tête, dit-il à Hector qu'il voit devant lui, voici que se vérifie la prédiction qui me fut faite il y a peu, le jour de la Pentecôte, à propos du bloc de marbre et de l'épée dont j'avais approché ma main ! Je devais en recevoir dans l'année même un coup tel que je donnerais bien alors le montant d'un château pour y échapper. Or, c'est de cette épée que le chevalier vient de me frapper et je peux donc dire que la prédiction s'est vérifiée.

— Seigneur, le chevalier vous a-t-il aussi grièvement blessé que vous le dites ?

— Assurément, et je n'en réchapperai que si Dieu vient à mon secours.

— Qu'allons-nous donc faire ?, poursuit Hector. Notre quête, me semble-t-il, est finie puisque vous êtes ainsi blessé.

— Seigneur, ma quête est finie, non la vôtre. Je vous suivrai pourtant tant que Dieu me le permettra ».

Sur ces entrefaites, les chevaliers du château vinrent auprès d'eux. Lorsqu'ils reconnurent monseigneur Gauvain, ils furent très peinés par la gravité de sa blessure car c'était sans aucun doute l'homme le plus aimé en terre étrangère. Ils le font donc transporter au château, le désarment, et le couchent dans une pièce tranquille. Ils font venir un médecin pour examiner la plaie et lui demandent s'il pourra guérir. Il leur affirme que d'ici un mois il sera rétabli et qu'il pourra chevaucher et porter ses armes. Les gens du château l'assurent alors que s'il obtient un tel résultat, ils lui donneront tant d'argent qu'il sera riche jusqu'à la fin de ses jours et le médecin leur répond qu'ils peuvent être sûrs qu'il tiendra sa promesse. Monseigneur Gauvain resta donc au château avec Hector qui ne voulut pas le quitter avant qu'il ne soit guéri.

Une fois parti du tournoi, le Bon Chevalier chevaucha longtemps au hasard de son chemin puis arriva un soir à deux lieues de Corbenic. A la nuit, il se trouvait devant un ermitage. Il descendit donc de cheval et appella à la porte jusqu'à ce que l'ermite lui ouvrît. L'ermite, voyant que c'est un chevalier errant, lui souhaite la bienvenue, s'occupe de son cheval, l'aide à se désarmer et lui offre à manger ce que Notre Seigneur avait bien voulu lui donner. Galaad accepta bien volontiers car il n'avait pas mangé de tout le jour. Après le repas, il s'endormit sur une botte de foin qui se trouvait là.

Comme ils étaient tous deux couchés, une demoiselle vint frapper à la porte en appelant Galaad. L'ermite va à la porte, demandant qui veut entrer à pareille heure.

« Seigneur Ulfin, lui dit-elle, je suis une demoiselle et je veux parler au chevalier qui est là car j'ai extrêmement besoin de lui ».

L'ermite éveille donc Galaad.

« Seigneur, lui dit-il, il y a là dehors une demoiselle qui veut vous parler et qui a, semble-t-il, un grand besoin de vous voir ».

Galaad se lève, va voir la demoiselle et lui demande ce qu'elle veut.

« Galaad, dit-elle, je veux que vous vous armiez, que vous montiez à cheval et que vous me suiviez. Je vous assure que je vous montrerai la plus belle aventure que vît jamais chevalier ».

Galaad aussitôt prend ses armes et s'équipe, harnache son cheval et monte en selle puis, recommandant l'ermite à Dieu, dit à la demoiselle :

« Vous pouvez maintenant aller où il vous plaira, je vous suivrai ».

La demoiselle s'en va alors de toute la vitesse de sa monture et lui la suit. Ils chevauchèrent jusqu'à l'aube. Lorsque le jour se leva, ils entrèrent dans une forêt qui était appelée Célibe et qui s'étendait jusqu'à la mer. Ils poursuivirent leur route toute la journée sans manger ni boire.

Le soir, après vêpres, ils arrivèrent dans une vallée, près

d'un château abondamment garni de tout le nécessaire, entouré par une rivière et ceint d'une muraille fortifiée et élevée et de fossés très profonds. La demoiselle, qui précédait toujours Galaad, entra la première dans le château. Quand les habitants la virent, —c'était en fait leur maîtresse—, ils lui souhaitèrent la bienvenue et l'accueillirent avec une grande joie. Elle les pria alors de bien recevoir ce chevalier, le meilleur de tous les chevaliers. Aussitôt ils l'aident à descendre de cheval et s'empressent de le désarmer.

« Ma dame, dit Galaad à la jeune fille, resterons-nous ici aujourd'hui ?

— Non pas. Dès que nous aurons mangé et un peu dormi, nous partirons ».

Ainsi firent-ils puis, au tout premier somme, la demoiselle vint appeler Galaad.

« Seigneur, levez-vous », lui dit-elle, tandis que les gens du château apportent cierges et chandelles pour qu'il y voit pour s'équiper. Il monte donc en selle, tandis que la demoiselle prend un riche et magnifique écrin qu'elle garda devant elle une fois montée à cheval.

Tous deux s'éloignent alors rapidement du château, chevauchent à vive allure toute la nuit et finissent par arriver à la mer. Là ils retrouvèrent la nef où Bohort et Perceval les attendaient, appuyés sur le rebord. Les deux hommes ne dormaient pas et crièrent de loin à Galaad :

« Seigneur, soyez le bienvenu ! Vous voici enfin avec nous ! Que Dieu en soit remercié ! Montez, car il ne nous reste plus qu'à partir pour la grande aventure que Dieu nous a réservée ».

Galaad leur demande aussitôt qui ils sont et pourquoi ils lui disent qu'ils l'ont tant attendu, puis, se tournant vers la demoiselle, il lui demande si elle veut mettre pied à terre.

« Oui seigneur, lui dit-elle, mais laissez ici votre cheval tout comme je laisserai le mien ».

Galaad met donc pied à terre, desselle son cheval et celui de la demoiselle puis se signe en se recommandant à Dieu et entre dans la nef, suivi par la jeune fille. Les deux compagnons les accueillent avec des transports de joie cependant que la nef gagne le large à vive allure, poussée par un vent violent. Bientôt ils ne peuvent plus rien distinguer de la terre. Au lever du jour, ils se reconnurent et pleurèrent de joie de s'être ainsi retrouvés.

Bohort ôte son heaume. Galaad fait de même et détache

Les trois compagnons et la sœur de Perceval découvrent la Nef de Salomon (Cliché Bibl. Nat.).

Eve portant le rameau détaché de l'Arbre de Vie (Cliché Bibl. Nat.).

reconoistre le fil tot del chenol. et auoec ce
l'auoit en batues riches pierres precieuses
se i auoit .ij. boicles tot riches. Aine apenes
pouret en trouer lor pareilles.:·
Eau seingneur fet ele uez ci les renges
qui i doiuent estre. Saichiez que ge le fis
de la chose de sen moi que ge auoie plus
chiere. ce est de mes cheuous. Et se ge les auo
ie plus chiers nestoit pas merueille. Car au ior
de pentecoste que uos nastes. chr. sire ele aga
lahaz auoie ge encor le plus beau chief que
nule pucele aust. Or es si tost com ge soi qe
ceste auanture mestoit apareilliee. a qui la
me couenoit afornir de mes cheuous si me
fis tondre. et en fis ces renges teles com uos
les poez ueoir. Einsi deu fet boorz pour ce siez
uos la tres bien uenue. que certes de grāt
pene nos auez getez ou nos fussans en
tre se ne fust ceste nouelle.:·
[I]le uient maintenant a le spee et oste les
renges de stopes. et i met celes si bien et
si bel com se le aust fete tot ior. Quāt ele
ot ce fet si demāde as compaingnōs. Sein
gneurs fet ele sauez uos comant ceste
espee a nom. Damoisele font il ne nil uos
la nos deuez nomer. Car si les dient les
letres.:·
[O]r sachiez donc fet ele. que ceste espee i
a nun l'espee as estranges renges. Et
li fuerres a nom memoire de sanc. Car i
nuns qui sen ait ne uerra la lune despu
[illegible] del fuerre qui fu fez de l'arbre de uie.
qui ne li doie souenir del sanc [illegible]
le droiturier.:·

[Q]uant il oirent ceste parole se distrent a
Galahaz. Sire or uos prions nos et
non de nre seingneur ihu crist. et pour ce qe
toute chrestiente en soit plus essauciee chaingniez
l'espee as estranges renges. Qui tant a este
desiree el roiaume de logres. que onqes li
apostre ne desirerent plus nre seingneur.
Car par ceste espee cuident il bien que les
merueilles de ceste terre remaingnent.
Et les auentures perileuses qui lor auie
nent chascun ior. Or me leissiez fere fet il
auant le droit ceste espee. Mes ne la doit
auoir qui le heut ne puet enpuingnier.
Don uos porroiz ueoir que le nest mie moie
se ge i fail. Et il dient que ce est ueritez.
Et il met maintenāt la main au heut.
Se li auint si al enpuingnier. que al en
contre des doiz paissa asez li uns l'autre. Et
quāt li compaingnōs uoient ceste chose se
dient. Sire or sauons nos uerraiemant
que ele uostre [illegible] puet mes auoir [illegible]
que uos ne la chaingiez. Et il la tret main
tenant hors del fuerre si la regarde et la
uoit mult bele et tant cleire que le se pout
mirer. Si la p[illegible] tant quil ne pot onques
nulle rien tant proisier com il fesoit celi.:·
[P]uis la remet el fuerre. Et la damoisele
li oste cele que il auoit chainte et li chai
nt l'autre par les renges. Et quāt ele li a
pendue el coste. se dit [illegible] sire or ne me
chaut il mes quāt ge muire. Car il me sem
ble que ge soie la plus bien auentureuse
pucelle del monde qui et fet li plus preudo
ens del monde. chr. Et bien saichiez qe uos

L'épée aux étranges attaches (Cliché Bibl. Nat.).

son épée mais refuse d'enlever son haubert puis il demande à ses compagnons s'ils savent d'où vient cette nef, si belle à l'intérieur comme à l'extérieur. Bohort, lui, ne sait rien mais Perceval raconte ce qui lui est arrivé sur la montagne et comment l'homme qui lui avait semblé être un prêtre l'y avait fait monter en précisant, ajoute-t-il, que vous viendriez très rapidement m'y rejoindre. En revanche il ne m'a pas parlé de cette demoiselle.

« Ma foi, dit Galaad, je ne serais jamais venu ici si elle ne m'y avait amené et c'est bien grâce à elle que je suis venu dans ce pays que je ne connaissais pas ; quant à vous, mes compagnons, je n'aurais jamais imaginé entendre parler de vous dans une contrée aussi lointaine ».

Ils se mettent alors à rire puis se racontent leurs aventures respectives.

« Seigneur, dit enfin Bohort à Galaad, si monseigneur Lancelot était ici, plus rien ne nous manquerait, me semble-t-il ».

Mais Galaad répond que telle n'est pas la volonté de Notre Seigneur.

Ils voguèrent en parlant ainsi jusqu'au début de l'après-midi. Ils devaient être alors très loin du royaume de Logres car la nef avait cinglé toutes voiles dehors toute la nuit et tout le jour. Ils finirent par accoster entre deux falaises, sur une île sauvage et pratiquement invisible car située au fond d'un golfe. Une fois là, ils aperçurent par delà un rocher accessible seulement à pied, une seconde nef.

« Chers seigneurs, dit la demoiselle, c'est en cette nef qu'est l'aventure pour laquelle Notre Seigneur nous a réunis. Il faut donc laisser notre nef et aller dans l'autre ».

Ils y consentent bien volontiers, aident la jeune fille à débarquer avec eux puis ancrent leur nef pour que le flot ne l'emporte pas. Une fois sur le rocher, ils avancent l'un derrière l'autre en direction de la nef. De près, elle est encore plus belle que la première mais ils s'étonnent de ne voir à bord âme qui vive. Ils s'approchent davantage, à la recherche du moindre indice, et distinguent alors, gravée sur le bord, une inscription en chaldéen, propre à inspirer terreur et épouvante à tous ceux qui auraient tenté de monter à bord. Voici ce qu'elle disait :

« Ecoute, toi, qui que tu sois, qui veux monter à mon bord : Prends garde d'être plein de foi car je suis la foi même. Assure-toi donc, avant d'entrer, d'être pur de tout péché car je suis la foi et la croyance et si tu viens à t'écarter de ta

croyance, je m'écarterai de toi. Tu ne trouveras en moi ni soutien ni aide mais je t'abandonnerai, où que tu sois, dès que tu seras si peu que ce soit convaincu d'impiété ».

Après avoir lu l'inscription, ils se regardèrent, puis la demoiselle dit à Perceval :

« Savez-vous qui je suis ?

— Non, et je ne pense pas vous avoir jamais vue.

— Apprenez donc que je suis votre sœur, la fille du roi Pellehan (74). Mais savez-vous pourquoi je vous révèle mon nom ? Pour que vous soyez pleinement persuadé de la vérité de ce que je vais vous dire. Je vous recommande tout d'abord, au nom de l'amour que je vous porte, de ne pas monter dans cette nef si votre croyance en Notre Seigneur n'est pas parfaite car la nef est si sainte chose que nul homme souillé de péché ne peut y rester sans danger ».

Comme il regarde avec attention la jeune fille, Perceval finit par reconnaître sa sœur.

« Chère sœur, lui dit-il, en lui montrant sa joie de la retrouver, j'entrerai pourtant dans cette nef. Savez-vous pourquoi ? Afin d'y mourir comme un infidèle si ma foi est imparfaite. Afin d'être sauvé si je suis plein de foi, et tel qu'un chevalier doit l'être.

— Entrez donc sans crainte et que Notre Seigneur vous garantisse et vous protège ! »

Cependant Galaad, qui les précédait, se signe et entre dans la nef. Une fois à bord, il regarde de tous côtés tandis que la demoiselle entre à sa suite en se signant. Bohort et Perceval entrent à leur tour sans plus attendre. Lorsqu'ils ont tout bien examiné, ils s'écrient qu'assurément il n'y a pas au monde nef aussi belle, aussi somptueuse que celle-ci. Puis, après en avoir fait le tour, ils aperçoivent, au centre, un lit très beau et très vaste sur lequel un magnifique drap est jeté en guise de couverture. Soulevant un peu le drap, Galaad découvre en dessous la plus belle couche qu'il ait jamais vue, immense et somptueuse. Au chevet était posée une très précieuse couronne d'or et au pied, en travers du lit, une épée étincelante, un peu dégagée de son fourreau.

Cette épée était d'une facture très particulière. Le pommeau était fait d'une seule pierre qui brillait de toutes les couleurs que l'on peut trouver en ce monde. Mais la pierre avait encore une autre singularité, plus extraordinaire encore : chacune des couleurs avait un pouvoir particulier. Le conte rapporte également que la poignée de l'épée était faite de deux côtes qui appartiennent à deux bêtes extraordinaires. La première est une sorte de serpent qui vit surtout en Calédonie et qui est appelé *papaluste* : la vertu de ce serpent est telle que si un homme tient une de ses côtes ou un de ses os, il n'a plus à craindre une chaleur trop vive. Tels étaient la propriété et le pouvoir de cette côte. L'autre appartenait à un poisson de taille médiocre, qui vit exclusivement dans l'Euphrate, et qui s'appelle *ortenaus*. La propriété de ses côtes est telle que si un homme en tient une, il oubliera aussitôt et la joie et la souffrance qu'il a éprouvées et ne se souviendra que de ce qui l'a incité à prendre cette côte ; mais dès qu'il la reposera, il retombera dans ses pensées antérieures comme un homme normal. Telles étaient donc les vertus des deux côtes qui se trouvaient dans la poignée de l'épée. Elles étaient recouvertes d'une somptueuse étoffe de soie rouge où était brodée l'inscription que voici :

« Je suis surprenante à voir et à connaître car jamais personne n'a pu m'empoigner, quelle que soit la taille de sa main, et ne pourra le faire, sauf un seul. Celui-là surpassera en son domaine tous ceux qui l'auront précédé comme tous ceux qui viendront après lui ».

Telle était donc l'inscription. Les compagnons, qui avaient bien su la déchiffrer, se regardèrent :

« Ma foi, dirent-ils, nous voyons ici des choses extraordinaires.

— Par Dieu, poursuivit Perceval, je vais essayer d'empoigner cette épée ».

Il pose donc la main sur elle mais n'y parvient pas.

« Sur ma foi, s'écrie-t-il, je suis sûr maintenant que cette inscription dit vrai ! »

A son tour, Bohort s'essaie, mais sans aucun succès, si bien que les deux chevaliers disent à Galaad :

« Seigneur, essayez, car nous sommes sûrs que vous, vous mènerez à bien cette aventure où nous avons échoué ».

Mais Galaad refuse car, dit-il,

« je vois là des choses plus extraordinaires encore ».

Examinant en effet la lame de l'épée qui sortait légèrement du fourreau comme vous le savez déjà, il voit une autre inscription, en lettres rouges comme le sang, qui disait :

« Que personne ne soit assez hardi pour me tirer du fourreau s'il ne doit pas se montrer plus preux et plus vaillant que quiconque. Celui qui autrement me tirera,

qu'il sache qu'il ne pourra éviter mort ou mutilation. Et tout ceci a déjà été vérifié en une autre circonstance ».

« Ma foi, dit Galaad en lisant l'inscription, je voulais tirer cette épée de son fourreau mais devant une telle mise en garde, je n'y toucherai pas ».

Perceval et Bohort en disent autant.

« Chers seigneurs, dit la demoiselle, apprenez en effet qu'un seul homme au monde a le droit de tirer cette épée et je vais vous dire ce qui s'est produit assez récemment (75).

« C'est un fait bien établi que cette nef arriva au royaume de Logres en un temps où le roi Lambar, le père de celui que l'on appelle le roi Méhaignié, et le roi Varlan qui, païen depuis sa naissance venait de se convertir et était considéré comme l'un des plus vertueux hommes du monde, se faisaient une guerre acharnée. Un jour, le roi Lambar et le roi Varlan livrèrent bataille sur le rivage où avait accosté la nef et le roi Varlan fut battu et ses hommes tués. Craignant alors pour sa vie, il courut vers la nef et monta à bord. Il y trouva cette épée, la tira de son fourreau et ressortit. Il rencontra alors le roi Lambar, un chrétien dont la foi et la croyance en Notre Seigneur étaient très vives et en qui Dieu avait la meilleure part. Aussitôt le roi Varlan brandit l'épée et frappa son adversaire sur le heaume avec une force telle qu'il le fendit en deux jusqu'à terre, lui et son cheval. Tel fut le premier coup qui fut frappé avec cette épée dans le royaume de Logres. Coup qui déchaîna de tels fléaux et de tels ravages dans les deux royaumes que, par la suite, la terre ne rendit plus à ceux qui la travaillaient le fruit de leurs peines : plus de blé ou d'autres plantes dans les champs, plus de fruits sur les arbres, plus de poissons dans les eaux, sauf en très petite quantité (76). Aussi la terre des deux royaumes qui avait été dévastée par ce coup douloureux fut-elle désormais appelée la Terre Gaste.

« Quand le roi Varlan vit que cette épée tranchait si bien, il voulut absolument retourner dans la nef pour prendre le fourreau. Il revint donc à bord et rengaina l'épée mais, sitôt ce geste accompli, il tomba mort devant ce lit. Ainsi fut prouvé que nul ne dégainerait cette épée sans mourir ou être mutilé. Le cadavre du roi resta devant le lit jusqu'au jour où une jeune fille l'en retira. Nul en effet n'avait eu l'audace de pénétrer dans la nef à cause de la mise en garde gravée sur le bord.

— Ma foi, dit Galaad, voici une aventure bien remarquable ! Sans aucun doute, tout a dû se passer comme vous le dites car je suis sûr que cette épée est tout à fait extraordinaire ».

Il s'approche alors pour la dégainer.

« Ha ! Galaad, lui dit la demoiselle, attendez encore un peu, que nous ayons bien vu toutes ses particularités ! »

Il retire donc sa main et tous examinent le fourreau, incapables de dire en quelle matière il est fait, sinon en cuir de serpent. Pourtant, il est aussi vermeil que pétale de rose et il porte une inscription en lettres d'or et d'azur (77). Mais lorsqu'ils examinent le baudrier, leur étonnement s'accroît encore. Ce baudrier en effet ne convenait nullement à une aussi belle épée, fait comme il était d'étoupe de chanvre, un matériau bien vil et bien ordinaire, et il paraissait si peu résistant qu'il n'aurait pu, leur semble-t-il, soutenir le poids de l'épée plus d'une heure sans se rompre. L'inscription gravée sur le fourreau disait :

« Celui qui me portera doit être plus preux et plus sûr de lui que quiconque s'il me porte avec la pureté qui convient car je ne dois en aucun cas me trouver là où règnent la souillure et le péché. Celui qui m'y mettra, qu'il sache bien qu'il s'en repentira tout le premier. Mais s'il me garde avec pureté, il pourra aller partout avec confiance. Celui au côté duquel je pendrai ne peut en effet être vaincu tant qu'il portera le baudrier auquel je serai désormais rattachée. Mais que personne ne soit assez audacieux pour ôter le présent baudrier : nul homme, maintenant ou plus tard, n'en a le droit. Il ne peut être ôté que par la main d'une femme, fille de Roi et de Reine, qui mettra à la place un autre baudrier fait de la part d'elle-même qu'elle préfère. Il faut en outre que la jeune fille soit à tout à jamais vierge en volonté et en œuvre et, s'il lui arrive d'enfreindre sa virginité, qu'elle sache qu'elle mourra de la mort la plus humiliante que femme ait jamais connue. Cette jeune fille nommera cette épée et son baudrier par leurs vrais noms, ce que personne auparavant ne sera capable de faire ».

Lorsque les compagnons eurent lu l'inscription, ils se mirent à rire, disant que c'étaient là choses bien extraordinaires à voir et à entendre.

« Seigneur, dit Perceval, retournez cette épée et voyez ce qu'il y a sur l'autre côté ».

Galaad la retourna donc et ils virent alors que l'autre face était rouge comme sang. Une inscription disait :

« Celui qui m'estimera le plus me trouvera plus à blamer

dans le besoin qu'il ne saurait l'imaginer et je serai la plus cruelle à qui je devrais être la plus bienveillante. Cela ne se produira qu'une fois car il doit en être ainsi de toute nécessité ».

Telle était donc l'inscription gravée sur cette face. Lorsque les compagnons l'eurent lue, ils furent encore plus étonnés qu'avant.

« Par Dieu, dit Perceval à Galaad, je voulais vous inviter à prendre cette épée, mais puisque cette inscription affirme qu'elle fera défaut en cas de besoin, qu'elle sera cruelle au moment où elle devrait être bienveillante, je ne vous le conseillerai pas. Elle pourrait d'un seul coup causer votre perte, ce qui serait un bien grand mal.

— Cher frère, intervint alors la demoiselle, ces deux choses se sont déjà produites et je vais vous dire quand et à qui. Ainsi nul, s'il en est digne, ne devrait désormais hésiter à prendre cette épée.

« Jadis, quarante ans environ après la Passion de Jésus-Christ, Nascien, le beau-frère du roi Mordrain, fut emporté dans une nue à plus de quatorze jours de son pays sur l'ordre de Notre Seigneur. Il se retrouva dans une île d'Occident qui s'appelait l'Ile Tournoyante. Une fois là, il trouva au pied d'un rocher la nef où nous sommes et y entra. Découvrant, comme nous maintenant, ce lit et cette épée, il la contempla longuement, saisi d'une extrême envie de la posséder. Toutefois, il n'eut pas l'audace de la dégainer. Ainsi tourmenté par le désir de la prendre, il resta huit jours dans la nef sans avoir presque rien à manger ni à boire. Le neuvième jour, la nef fut emportée par un vent d'une force prodigieuse qui la poussa de l'Ile Tournoyante dans une île d'Occident très éloignée. La nef accosta au pied d'un rocher. Une fois à terre, Nascien aperçut le plus horrible, le plus grand géant du monde qui menaçait de le tuer.

« Quand il vit ce monstre qui se précipitait sur lui, il eut peur de mourir et, comme il ne voyait rien autour de lui avec quoi il puisse se défendre, il courut vers l'épée, poussé par l'angoisse et la peur de mourir, et la sortit du fourreau. Une fois dégainée, elle lui parut plus précieuse que tout au monde. Aussitôt il la brandit mais, au premier coup qu'il en frappa, elle se brisa par le milieu. Alors il s'écria qu'il avait bien raison de blâmer la chose qu'il avait le plus estimée puisqu'elle lui avait fait défaut dans ce grand péril.

« Il remit donc les morceaux de l'épée sur le lit, sortit de la nef, attaqua le géant et le tua. Puis il remonta à bord. Lorsque le vent vint à souffler dans les voiles, poussant la nef sur la mer, il se remit à errer jusqu'au jour où il rencontra sur une autre nef le roi Mordrain. Celui-ci avait eu à subir de redoutables assauts du Diable sur le rocher du Port Périlleux. Leur joie de se retrouver fut extrême car ils s'aimaient beaucoup. Ils se racontèrent ce qui leur était arrivé puis Nascien ajouta :

« Seigneur, je ne sais ce que vous me direz des aventures de ce monde mais, depuis que nous nous sommes séparés, il m'est arrivé la plus extraordinaire aventure qui jamais arrivât, à ma connaissance, à un être humain ».

« Il lui raconta donc l'aventure de l'épée et comment elle s'était brisée lorsqu'il avait pensé s'en servir pour tuer le géant.

« Ma foi, répondit Mordrain, c'est là une extraordinaire aventure. Et qu'en avez-vous fait ?

— Je l'ai remise où je l'avais prise. Vous pouvez venir la voir si vous voulez : elle est là, dans la nef ».

« Mordrain quitta alors sa nef pour celle de Nascien et s'approcha du lit. Quand il vit l'épée brisée, il l'apprécia plus que tout au monde. Puis il ajouta qu'elle s'était brisée non pas parce qu'elle était mauvaise ou avait quelque défaut mais pour signifier quelque chose ou parce que Nascien avait commis quelque péché. Il prit alors les deux morceaux de l'épée et les rapprocha. Immédiatement, l'épée se ressouda aussi facilement qu'elle s'était brisée.

« Par Dieu, dit Mordrain en souriant, comme est extraordinaire le pouvoir de Jésus-Christ qui soude et brise plus facilement qu'on ne saurait l'imaginer ! »

« Il remit ensuite l'épée au fourreau et la coucha ici-même. Les deux hommes entendirent alors une voix qui leur disait :

« Sortez de cette nef et entrez dans l'autre car, si vous succombez au péché ou si vous êtes en état de péché tant que vous serez ici, vous ne pourrez échapper à la mort ! »

« Ils passèrent donc dans l'autre nef mais, tandis que Nascien montait à bord, une épée le frappa par derrière, à l'épaule, avec une force telle qu'il tomba à la renverse sur le sol de la nef.

« Ha ! Dieu, s'écria-t-il, comme je suis cruellement blessé ! »

« Il entendit alors une voix qui lui disait :

« C'est la punition du crime que tu as commis en tirant

l'épée. Tu ne devais pas la toucher car tu n'en étais pas digne. Prends garde désormais de ne pas désobéir à ton Créateur ! »

« Ainsi s'est vérifiée la prédiction qui est ici inscrite, « Celui qui m'estimera le plus me trouvera le plus à blâmer dans le besoin », car celui qui estima le plus cette épée, ce fut Nascien, et, je vous l'ai raconté, elle lui fit défaut lorsqu'il en eut tant besoin.

— Par Dieu, répondit Galaad, nous voilà bien renseignés, mais dites-moi comment s'est vérifiée l'autre inscription.

— Bien volontiers », dit la demoiselle.

« C'est un fait bien établi que le roi Parlan, que l'on appelle le roi Méhaignié, fit beaucoup, tant qu'il put monter à cheval, pour la religion chrétienne. Il honora les pauvres plus que quiconque et vécut si pieusement que personne, parmi les chrétiens, n'aurait pu lui être comparé. Or, un jour qu'il chassait dans un de ses bois qui s'étendait jusqu'à la mer, il perdit ses chiens, ses veneurs et ses chevaliers, sauf un qui était son cousin germain. Lorsqu'il se vit ainsi seul, il ne sut que faire : il était allé si avant dans cette forêt inconnue de lui qu'il ne savait comment s'en sortir. Il se mit donc en route avec le chevalier et finit par arriver au bord de la mer, en direction de l'Irlande. Là, il aperçut la nef où nous sommes. Il s'approcha du bord et déchiffra l'inscription que nous avons lue sans en être effrayé, persuadé qu'il était d'avoir servi Notre Seigneur de toutes ses forces de chevalier terrestre. Il monta donc à bord, tout seul, car son compagnon n'avait pas osé le suivre. Quand il eut trouvé l'épée, il la tira du fourreau comme vous pouvez le voir, —auparavant, toute la lame était cachée—, et s'apprêtait sans hésiter à la dégager entièrement. Mais voici qu'apparut une lance qui lui transperça les deux cuisses avec une violence telle qu'il en est resté infirme jusqu'à ce jour et qu'il ne pourra pas guérir avant que vous ne veniez le visiter. Son audace fut ainsi à l'origine de son infirmité. Et c'est à cause du châtiment qu'il a subi qu'il est écrit que l'épée lui fut cruelle alors qu'elle aurait dû lui être bienveillante puisqu'il était le meilleur et le plus vaillant chevalier de son temps.

— Par Dieu, ma demoiselle, disent alors les compagnons, nous voyons bien, grâce à vos explications, que ces inscriptions ne doivent pas nous empêcher de prendre l'épée ».

Ils examinent alors le lit et s'aperçoivent qu'il n'y a que le bois et point de garniture. Sur le bord du lit qui se trouvait près d'eux était fixée, toute droite et bien au milieu, une petite pièce de bois semblable à un fuseau. Un autre fuseau était pareillement fixé sur l'autre bord. Tous deux étaient donc distants de la largeur du lit. Enfin, une troisième pièce de bois, assez fine, taillée en carré, était chevillée aux deux autres. Le premier fuseau était plus blanc que neige fraîche, le deuxième, rouge comme des gouttes de sang, le troisième, vert comme l'émeraude. Telles étaient donc les couleurs des trois fuseaux, couleurs naturelles en vérité et non artificielles car elles n'avaient pas été mises par une main humaine. Cependant, comme bien des gens pourraient croire que tout ceci n'est qu'invention si on ne leur expliquait pas comment cela a pu se produire, le conte s'écarte un peu ici du sujet pour expliquer à loisir ce qu'étaient ces trois fuseaux de couleur différente.

L'ARBRE DE VIE

Selon ce que rapporte ici le conte du Saint-Graal, lorsque Eve, la pécheresse, la première femme, eut écouté les conseils de l'ennemi mortel, le Diable, qui dès lors commenca à tromper la race humaine, et lorsqu'il l'eut incitée à commettre le péché de convoitise, péché mortel pour lequel lui-même avait été chassé du Paradis et précipité de la gloire des cieux, il fit si bien qu'il lui inspira le désir impie de cueillir le fruit mortel et, avec lui, le rameau qui portait ce fruit. Il arrive souvent en effet que la branche vient avec le fruit que l'on cueille. Dès qu'Eve eut apporté le fruit à Adam son époux, ce fruit qu'elle lui avait si vivement conseillé de manger, celui-ci le lui prit des mains en le détachant du rameau. Puis il le mangea, pour notre tourment et pour le sien, pour notre perte à tous. Quant au rameau, ainsi dépouillé de son fruit, il resta dans la main de sa femme. Ainsi tient-on parfois quelque chose en main sans même s'en rendre compte... Or, dès qu'Adam et Eve eurent goûté du fruit mortel, —fruit appelé à juste titre mortel puisqu'il causa la mort de ces deux êtres d'abord, de leur descendance ensuite—, tout leur être fut changé. Ils se regardèrent et virent qu'ils étaient nus et faits de chair, eux qui auparavant, tout en ayant un corps, étaient des êtres spirituels. Certes, le conte n'affirme pas qu'ils étaient de purs esprits : une chose formée de matière aussi vile que le limon ne peut en effet être parfaitement pure mais ils étaient presque semblables à des êtres célestes dans la mesure où ils ne devaient pas mourir s'ils s'abstenaient à tout jamais de pécher. Quand ils se regardèrent, ils virent donc qu'ils étaient nus et découvrirent leurs parties honteuses. Ils éprouvèrent de la gêne à se montrer ainsi l'un à l'autre et c'est ainsi qu'ils comprirent qu'ils avaient péché. Chacun d'eux couvrit alors de sa paume les parties honteuses de son corps mais Eve conservait toujours à la main le rameau d'où avait été détaché le fruit.

Quand Celui qui pénètre toutes les pensées et connaît tous les cœurs sut qu'ils avaient péché, Il vint vers eux et appela d'abord Adam. Il était juste en effet qu'il fût considéré comme plus coupable que sa femme, elle qui était de plus faible nature puisque formée de la côte de l'homme. C'est donc elle qui devait lui être soumise et non lui et voici pourquoi Dieu appela d'abord Adam. Mais lorsqu'Il eut prononcé la parole terrible, « Tu mangeras ton pain à la sueur de ton front », Il ne voulut pas que la femme fût quitte pour autant et ne partageât pas le châtiment comme elle avait partagé la faute. Il lui dit donc : « Tu enfanteras dans la souffrance et la tristesse » puis Il les chassa tous deux du Paradis que l'Ecriture appelle le Jardin de Délices. Une fois dehors, Eve qui, jusque là, n'avait pas prêté attention au rameau, s'aperçut qu'elle le tenait toujours à la main et qu'il était tout vert encore puisqu'il venait d'être cueilli. Comprenant alors que l'arbre d'où il avait été détaché était le responsable de son exil et de sa douleur, elle déclara qu'en souvenir de ce qu'elle avait perdu par cet arbre, elle garderait ce rameau aussi longtemps que possible pour qu'il lui rappelle l'étendue de son infortune (78).

Eve s'aperçut alors qu'elle n'avait rien, ni huche ni coffret pour l'y mettre car rien de tel n'existait en ce temps. Elle planta donc le rameau en terre où il resta bien droit, en se disant qu'ainsi elle pourrait venir le voir souvent. Le rameau, —telle fut la volonté du Créateur à qui toutes choses sont soumises—, reprit racine et grandit.

Ce rameau que la première pécheresse apporta du Paradis était chargé de signification. Qu'elle le portât en sa main, signifiait l'allégresse. Comme si elle avait dit à ses descendants (encore à naître puisqu'elle était toujours vierge) : « Ne vous désespérez pas de nous voir ainsi chassés de notre héritage. Cette perte n'est pas définitive et voyez ici le signe qu'un temps viendra où nous le retrouverons. Si d'autre part l'on demandait au livre (79) pourquoi ce ne fut pas l'homme qui emporta le rameau du Paradis, —et l'homme pourtant est supérieur à la femme—, le livre répond que c'est à la femme non à l'homme qu'il revenait de le porter. Que la femme le portât, signifiait en effet que la vie, perdue par une femme, serait redonnée par une femme, que l'héritage perdu en ce temps serait recouvré par la Vierge Marie.

Mais le conte reparle maintenant du rameau planté en terre qui, dit-il, se développa si bien qu'il devint rapidement un grand arbre. Lorsqu'il eut poussé, donnant déjà de l'ombre, son tronc, ses branches, ses feuilles, tout était blanc comme neige. Çeci était signe de virginité, vertu par laquelle le corps reste pur et l'âme toute blanche. Que l'arbre fût parfaitement blanc, signifie donc que celle qui l'avait planté était encore vierge à ce moment. Lorsqu'Adam et Eve furent chassés du Paradis, ils étaient en effet encore vierges et purs de tout péché de luxure. Sachez d'ailleurs que la différence est grande entre la virginité et le pucelage et qu'il n'y a aucune commune mesure de l'un à l'autre. Voici pourquoi : le pucelage est une qualité que possèdent tous ceux et celles qui n'ont eu aucun rapport charnel. La virginité est vertu plus sainte et plus haute car personne, homme ou femme, ne peut la posséder pour peu qu'il ait éprouvé le désir d'un rapport charnel. Or c'est cette vertu que possédait encore Eve lorsqu'elle fut chassée du Paradis et de ses délices et qu'elle planta le rameau. Mais Dieu commanda ensuite à Adam de connaître sa femme c'est-à-dire d'avoir avec elle un rapport charnel comme la nature l'exige entre époux. Eve perdit ainsi sa virginité et dès lors ils se connurent charnellement.

Or, longtemps après avoir ainsi connu sa femme, un jour où ils étaient assis sous l'Arbre, Adam, le contemplant, se mit à se lamenter sur sa souffrance et son exil et tous deux commencèrent à pleurer l'un pour l'autre. Eve dit alors qu'il n'était pas surprenant qu'ils se souviennent en cet endroit de leurs malheurs puisque cet arbre les portait en lui et que personne, aussi heureux soit-il, ne pouvait s'asseoir à son ombre sans en repartir plein de tristesse ; et à juste titre, puisque c'était l'Arbre de mort. A peine avait-elle prononcé ces mots qu'une voix leur dit :

« Ha ! malheureux, pourquoi préjuger de votre mort et vous l'annoncer ainsi l'un à l'autre ? Ne placez plus rien sous le signe du désespoir mais réconfortez-vous l'un l'autre car il y a plus de vie que de mort ».

Ainsi parla la voix aux deux malheureux qui en furent si réconfortés qu'ils appelèrent désormais l'Arbre, Arbre de Vie et, dans leur joie, en plantèrent beaucoup d'autres, tous issus du premier. Dès qu'ils lui enlevaient un rameau, ils le mettaient en terre et aussitôt il reprenait et s'enracinait tout en gardant la couleur du premier arbre.

L'Arbre continua de pousser et de se développer et Adam et Eve s'asseyaient sous ses branches plus volontiers que par le passé. Un jour, un vendredi comme l'affirme la véritable histoire, alors qu'ils étaient restés un long moment assis, ils entendirent une voix qui leur ordonna de s'unir charnellement. Ils en furent si honteux qu'ils se demandaient, l'homme comme la femme, comment ils pourraient se voir en train d'accomplir si laide besogne. D'autre part, ils n'osaient enfreindre les ordres de Notre Seigneur car ils se rappelaient comment Il avait châtié leur première désobéissance. Ils se regardaient donc, pleins de honte, tant et si bien que Notre Seigneur vit leur gêne et en eut pitié. Mais comme son ordre ne pouvait être transgressé, et comme sa volonté était que naisse de ces deux êtres la race humaine afin de restaurer la dixième légion des anges, celle qui avait été précipitée du ciel pour son orgueil (80), Il les aida à surmonter leur honte en les plongeant soudainement dans une si grande obscurité qu'ils ne purent plus se voir. Tout surpris par ces ténèbres subites, ils s'appelèrent et se rejoignirent à tatons. Comme il faut en effet que la volonté de Notre Seigneur soit faite en toutes choses, ainsi leur fallut-il s'unir charnellement comme Notre Père le leur avait ordonné. De leur union naquit une nouvelle race qui allégea quelque peu leur péché car Adam avait engendré et Eve avait conçu Abel le juste qui le premier sut être agréable à son Créateur en lui rendant loyalement la dîme.

Ainsi fut engendré Abel le juste sous l'Arbre de Vie, un vendredi comme vous l'avez appris. Alors, les ténèbres se dissipèrent et eux, en se revoyant comme auparavant, comprirent que Notre Seigneur avait agi ainsi pour qu'ils puissent dissimuler leur honte. Ils en furent heureux. Aussitôt après, il se produisit une chos extraordinaire. L'Arbre, qui était auparavant parfaitement blanc, devint aussi vert que l'herbe des prés et tous les arbres qui naquirent de lui après l'union d'Adam et Eve étaient verts, de tronc, de feuilles et d'écorce.

Ainsi donc l'Arbre devint vert mais ceux qui étaient nés de lui auparavant conservèrent tous leur couleur originelle. Lui en revanche, tout verdoyant, se mit à fleurir et à porter des fruits alors qu'avant il était resté stérile. Qu'il ait perdu sa couleur blanche, signifia que celle qui l'avait planté avait perdu sa virginité. Qu'il soit devenu vert et qu'il ait porté fleurs et fruits, signifia la semence qui avait été semée sous lui et qui serait toujours vivace en Notre Seigneur, c'est-à-dire à tout jamais pénétrée d'amour pour son Créateur. Qu'il ait fleuri, signifia enfin que la créature qui avait été engendrée sous lui serait chaste et préserverait son corps de toute souillure. Qu'il ait fructifié, qu'elle œuvrerait avec ardeur pour témoigner en tous ses actes terrestres de sa piété et de sa bonté.

Cet arbre, comme tous ceux qui étaient ensuite nés de lui, resta vert longtemps, depuis l'union d'Adam et Eve jusqu'au temps où Abel atteignit l'âge d'homme. Abel aimait tellement son Créateur qu'il lui donnait la dîme et les prémices de ses plus belles récoltes. Son frère Caïn n'agissait pas de même mais offrait à son Créateur ce qu'il avait de plus vil et de plus méprisable. Aussi Notre Seigneur donnait-il de beaux présents à celui qui lui offrait ces belles dîmes : lorsqu'Abel montait sur la colline où il avait pris l'habitude de brûler ses offrandes comme Notre Seigneur le lui avait ordonné, la fumée du sacrifice s'en allait tout droit vers le ciel tandis que celle du sacrifice de Caïn se répandait sur les champs, aussi noire et aussi puante que celle d'Abel était blanche et odorante. Lorsque Caïn vit que les sacrifices d'Abel étaient plus agréables à Dieu que les siens, il en fut affligé et conçut contre son frère une haine implacable. Bientôt décidé à se venger de lui, il ne trouva d'autre moyen que de le tuer.

Longtemps Caïn dissimula sa haine dans son cœur sans rien en laisser paraître devant son frère qui, lui, ne pensait pas à mal. Jusqu'au jour où Abel se rendit dans un champ, assez loin de la demeure de son père. L'Arbre, au pied duquel il gardait ses brebis, était lui aussi assez éloigné de cette demeure. La chaleur, ce jour là, était vive et le soleil si brûlant qu'Abel ne put le supporter. Il alla donc s'asseoir sous l'Arbre et eut envie de dormir. Il s'allongea et s'endormit mais son frère, qui méditait depuis longtemps son crime, l'avait épié et suivi et l'avait vu s'allonger sous l'Arbre. Il s'approcha donc par derrière, pensant le tuer avant qu'il ne s'aperçoive de sa présence. Mais Abel, qui l'avait bien entendu venir, regarda autour de lui et, reconnaissant son frère, se leva pour le saluer car il l'aimait tendrement.

« Soyez le bienvenu, cher frère, lui dit-il ».

L'autre lui rendit son salut et l'invita à s'asseoir puis, tirant un couteau recourbé, il l'en frappa sous le sein.

Ainsi fut tué par trahison Abel de la main de son frère et à l'endroit même où il avait été conçu. Et de même qu'il fut conçu un vendredi comme le déclare la parole sainte (81), de même, comme elle l'affirme, il mourut un vendredi. Or, la mort qu'Abel reçut par trahison, en ce temps où il n'y avait encore que trois hommes sur la terre, annonçait la mort du Crucifié. Par Abel fut représenté Jésus-Christ et par Caîn, Judas, par qui Jésus-Christ fut mis à mort. De même que Caîn salua son frère avant de le tuer, de même Judas salua son Seigneur alors qu'il avait médité sa mort. Morts qui se ressemblent donc, non certes en importance mais en signification ; de même, en effet, que Caîn tua Abel un vendredi, de même Judas causa la mort de son Seigneur un vendredi non de sa propre main mais par ses paroles. Caîn en outre préfigura Judas sur bien des points. Judas en effet ne pouvait trouver en Jésus-Christ des motifs de le haîr ou, plus exactement, il avait des motifs sans fondement car il le haîssait non pour le mal qu'il aurait pu trouver en lui mais uniquement à cause de sa perfection. Telle est en effet l'habitude des méchants de se dresser contre les justes et de les envier. Et si Judas, qui était si plein de traîtrise et de perfidie, avait retrouvé ces mêmes défauts en Jésus-Christ, il ne l'aurait point haî mais aimé plus que tout pour l'avoir trouvé semblable à lui. De cette trahison de Caîn envers Abel, Notre Seigneur parle dans le livre des *Psaumes* (82) par la bouche du roi David qui profère ces paroles redoutables dont il ignore pourtant le sens, lorsqu'il déclare, comme s'il s'adressait à Caîn : « Tu méditais de trahir ton frère et tu préparais ta trahison et tes pièges contre le fils de ta mère. Moi, pendant ce temps, je me taisais et tu t'es imaginé que j'étais semblable à toi à cause de mon silence. Mais il n'en est rien et c'est pourquoi je te réprimanderai et te punirai très sévèrement ».

Vengeance qui d'ailleurs a été exercée avant que David ne l'annonçât, au moment où Notre Seigneur vint vers Caîn et lui dit : « Caîn, où est ton frère ? » Et Caîn lui répondit en homme qui se sentait coupable puisqu'il avait déjà recouvert son frère des feuilles mêmes de l'Arbre pour qu'on ne pût le retrouver.

« Seigneur, dit-il donc, je ne sais. Suis-je donc le gardien de mon frère ? »

Mais Notre Seigneur lui dit :

« Qu'as-tu fait ? La voix du sang d'Abel se plaint à moi de là où tu l'as répandu. Pour ton crime, tu seras maudit sur cette terre et cette terre sera maudite en toutes les œuvres que tu feras parce qu'elle a recueilli le sang de ton frère que tu y as répandu par trahison ».(83)

Notre Seigneur maudit ainsi la terre mais non l'Arbre sous lequel Abel avait été tué ni ceux qui étaient issus de lui ou qui furent ensuite créés par sa volonté. Mais il se produisit une chose extraordinaire : dès qu'Abel eut été tué, l'Arbre perdit sa couleur verte et devint tout vermeil en souvenir du sang qui avait été répandu sous lui. En outre, aucun arbre, par la suite, ne naquit de lui et toutes les boutures qu'on en faisait ne donnaient rien et mouraient. Lui pourtant continua à se développer, si bien que c'était le plus bel arbre du monde, le plus agréable à regarder.

L'Arbre vécut ainsi longtemps sans rien perdre de sa beauté et de sa couleur, sans jamais vieillir, se dessécher ou s'abîmer, mais sans jamais porter fleur ou fruit depuis le jour où le sang d'Abel avait été répandu. En revanche, ceux qui descendaient de lui fleurissaient et fructifiaient normalement. Cependant, l'humanité crut et se multiplia mais tous les descendants d'Adam et d'Eve continuèrent de vénérer et de respecter l'Arbre et, de génération en génération, chacun contait à l'autre comment leur mère à tous l'avait planté. Il était source d'apaisement pour les vieux et les jeunes qui venaient y puiser réconfort lorsqu'ils souffraient, parce qu'il était appelé Arbre de Vie et qu'il était pour eux symbole de joie. De la même manière, ceux qui étaient issus de lui, ceux qui étaient tout blancs, ceux qui étaient tout verts, croissaient et embellissaient et personne n'avait assez d'audace pour leur enlever une branche ou une feuille.

Cet Arbre fit encore l'objet d'un autre prodige. Quand Notre Seigneur eut envoyé le déluge pour anéantir le monde qui était si mauvais, ce déluge fut si funeste aux fruits de la terre, aux forêts et aux champs que rien ne retrouva jamais sa bonne saveur d'autrefois. Tout devint amer, sauf les arbres qui étaient issus de l'Arbre de Vie. Ni leur saveur ni leurs fruits ne parurent gâtés, ni leur couleur modifiée.

Ces arbres se perpétuèrent ainsi jusqu'à l'avènement du fils de David, Salomon, qui devint le maître du royaume après son père. La sagesse de Salomon était si grande qu'il possédait en lui toutes les sciences accessibles à l'homme, qu'il connaissait mieux que personne, sauf Dieu, les vertus des pierres précieuses et les propriétés des plantes tout comme le cours du firmament et celui des étoiles. Pourtant, tout son savoir ne lui servit à rien contre la ruse de sa femme qui sut le tromper aussi souvent qu'elle y mit soin. Au reste, il ne faut pas s'en étonner : dès qu'une femme met tous ses efforts à tromper, nulle sagesse humaine ne pourrait lui être opposée, et ceci n'a pas commencé avec nous mais avec notre première mère.

Lorsque Salomon comprit qu'il ne pourrait pas se défendre contre les ruses de sa femme, il en chercha d'abord la raison et en fut très irrité mais il n'osa en faire davantage. Voici donc pourquoi il dit dans son livre des *Paraboles* (84) : « J'ai parcouru le monde et j'ai cherché partout, avec toutes les ressources humaines, mais nulle part dans cette quête, je n'ai pu trouver une femme bonne ». Salomon parla ainsi dans sa colère de ne pouvoir résister à sa femme puis il essaya à plusieurs reprises de la faire changer de dispositions, mais en vain. Enfin, comme il s'interrogeait sur les raisons qui poussaient ainsi la femme à irriter l'homme, une voix lui répondit :

« Salomon, Salomon, si la femme a été et reste une source de tristesse pour l'homme, n'en sois pas en peine car une femme viendra qui apportera aux hommes une joie cent fois plus grande que ton actuelle tristesse, et cette femme naîtra de ton lignage ».

Après avoir entendu cette parole, Salomon pensa qu'il avait été fou de blâmer sa femme puis il se mit à examiner tous les signes qui lui apparaissaient, tant en dormant qu'en veillant, au cas où il pourrait apprendre la vérité sur la fin de son lignage. Il s'interrogea tant et tant que finalement le Saint-Esprit lui montra la venue de la glorieuse Vierge Marie et qu'une voix lui révéla une partie de ce qui devait arriver. Salomon demanda également si sa race s'arrêterait là.

« Non, lui répondit la voix. Le dernier de tes descendants sera un homme vierge qui surpassera autant en vaillance ton beau-frère Josué (85) que la Vierge surpassera ta femme. Te voilà donc pleinement éclairé sur ce qui t'a si longtemps tourmenté ».

Salomon fut tout heureux d'apprendre que le dernier descendant de sa race serait un homme d'un tel mérite et d'une telle prouesse. Puis il chercha comment faire savoir à cet ultime descendant que lui, Salomon, qui avait vécu si longtemps auparavant, avait eu connaissance de sa venue. Il réfléchit et médita longuement, sans trouver aucun moyen de le lui apprendre par delà les siècles qui les séparaient. Sa femme, cependant, s'aperçut bien qu'il cherchait quelque chose qu'il ne parvenait pas à trouver. Elle l'aimait bien, —même si maintes femmes aiment davantage leur mari—, et elle était très maligne. Elle ne le questionna donc pas aussitôt mais attendit une occasion, un soir où il était de bonne humeur et plein de bienveillance à son égard. Elle le pria alors de répondre à ses questions et il y consentit, loin de penser qu'elle l'interrogerait sur ce point précis.

« Seigneur, lui dit-elle aussitôt, cette semaine et les précédentes, vous n'avez cessé de vous absorber dans vos pensées et je me rends bien compte que quelque chose vous préoccupe que vous ne savez comment résoudre. Dites-moi, je vous en prie, ce que c'est, car il n'y a rien au monde que je ne pense pouvoir mener à bien en unissant votre grande sagesse à ma propre subtilité ».

Salomon, s'avisant alors que si un être humain pouvait l'aider ce serait bien sa femme, —elle lui avait donné tant de preuves de son ingéniosité qu'il ne pensait pas que l'on puisse trouver sa pareille en ce monde—, se décida à lui révéler ses préoccupations sans en rien dissimuler.

« Comment, lui répondit-elle après avoir un peu réfléchi, vous ne voyez pas comment faire savoir à ce chevalier que vous avez appris son existence ?

— Oui vraiment, car tant de siècles nous séparent que j'en reste interdit.

— Ma foi, puisque vous ne savez comment faire, je vais vous l'apprendre, mais dites-moi d'abord combien de temps vous sépare de lui.

— Deux mille ans ou plus, à mon avis.

— Voici donc ce que vous ferez. Faites construire une nef dans le meilleur bois qui soit, imputrescible et résistant à toute épreuve.

— Bien volontiers », répondit Salomon.

Le lendemain, le roi convoqua tous les charpentiers de son royaume et leur ordonna de construire dans un bois qui ne pourrirait pas la plus belle nef du monde. Les charpentiers s'y engagèrent. Lorsqu'ils se furent procuré le matériau et le bois de charpente et se furent mis au travail, la femme de Salomon lui dit :

« Seigneur, puisque le chevalier dont vous parlez doit surpasser en prouesse tous ceux qui l'ont précédé ou viendront après lui, il conviendrait, pour l'honorer, de lui préparer une armure qui l'emporte sur toutes les autres, tout comme lui l'emportera sur tous les autres chevaliers ».

Salomon lui répondit qu'il ne savait où trouver pareille armure.

« Je vous le dirai, reprit-elle. Dans le Temple que vous avez construit en l'honneur de votre Dieu (86) se trouve l'épée du roi David votre père, la meilleure épée, la plus tranchante qu'ait jamais tenue main de chevalier. Prenez-là et ôtez-lui le pommeau et la poignée pour ne conserver que la lame. Vous qui connaissez les vertus des pierres et les propriétés des plantes comme de tout ce qui existe, fabriquez un pommeau avec des pierres précieuses si habilement soudées que nul, après vous, ne puisse les distinguer mais reste persuadé qu'il s'agit là d'une seule et même pierre. Fabriquez ensuite une poignée, la plus résistante et la plus belle du monde, et enfin un fourreau en tous points digne de l'épée. Pour ma part, j'y mettrai le baudrier que je voudrai ».

Salomon fit tout ce qu'elle lui avait dit sauf pour le pommeau qu'il fabriqua avec une seule pierre mais qui avait toutes les nuances que l'on puisse imaginer. Puis il y mit une poignée tout à fait extraordinaire comme il est expliqué par ailleurs.

La nef achevée et mise à l'eau, la dame y fit placer un lit, très beau et très grand, qu'elle fit magnifiquement garnir de plusieurs courtepointes. Au chevet, le roi déposa sa couronne et recouvrit le tout d'une étoffe de soie blanche. Il avait donné l'épée à sa femme pour qu'elle y ajustât le baudrier. Or, lorsqu'il la lui redemanda pour la déposer au pied du lit, il s'aperçut qu'elle y avait mis un baudrier en étoupe. Sa colère allait éclater lorsque sa femme lui dit :

« Seigneur, sachez que je n'ai rien d'assez précieux pour y attacher une aussi noble épée.

— Et que pourra-t-on faire ?

— La laisser telle quelle, car ce n'est pas à nous de mettre le baudrier. C'est une jeune fille qui le fera, mais je ne sais quand ce sera ».

Le roi laissa donc l'épée ainsi. Ensuite, ils recouvrirent la nef d'une étoffe de soie qui ne craignait ni l'eau ni quoi que ce soit. Regardant alors le lit, la femme de Salomon déclara qu'il y manquait encore quelque chose.

Elle se rendit alors avec deux charpentiers auprès de l'Arbre sous lequel Abel avait été tué et leur dit :

« Coupez-moi un morceau du bois de cet Arbre, assez grand pour que j'en fasse un fuseau.

— Ma dame, nous n'oserions. Ne savez-vous pas que c'est l'Arbre que planta notre première mère ?

— Obéissez, reprit-elle, sinon je vous ferai mettre à mort ».

Et eux acceptèrent sous la menace, préférant commettre ce crime plutôt que d'être tués. Ils se mirent donc à frapper sur l'Arbre mais bientôt la terreur les saisit car ils virent très nettement couler de l'Arbre des gouttes de sang aussi vermeilles que des roses. Ils voulurent renoncer mais la dame les obligea à continuer jusqu'à ce qu'ils aient détaché du bois un morceau de la taille d'un fuseau. Elle leur ordonna alors de faire de même sur un des arbres de couleur verte puis sur un des blancs.

Une fois en possession de ces trois bois de diverse couleur, ils regagnèrent la nef.

« Je veux, leur dit-elle alors, qu'avec ce bois vous fassiez trois fuseaux (87). Vous en fixerez un sur chaque côté du lit et vous chevillerez le troisième aux deux autres ».

Ainsi firent les charpentiers. Quant aux fuseaux, leur couleur, depuis lors, n'a pas changé. Salomon regarda alors la nef et dit à sa femme :

« Tu as fait là quelque chose de tout à fait remarquable ! Si tous les hommes du monde étaient ici rassemblés, ils ne sauraient expliquer ce que signifie cette nef si Notre Seigneur lui-même ne le leur apprenait et toi, toi qui l'as faite, tu ne sais pas non plus ce qu'elle signifie ! Ainsi donc, en dépit de tous tes efforts, le chevalier ne saura pas que j'ai appris sa venue à moins que Notre Seigneur n'intervienne.

— Laissez-là pourtant telle quelle, lui répondit-elle, car il se produira bientôt des choses que vous n'imaginez pas ».

Salomon passa cette nuit-là dans une tente devant la nef avec peu de compagnons. Or, comme il dormait, il vit un homme tout environné d'anges descendre du ciel et pénétrer dans la nef. Là, l'homme prenait de l'eau que lui présentait l'un des anges dans un seau d'argent, en arrosait toute la nef puis, s'approchant de l'épée, il gravait une inscription sur le pommeau et la poignée et faisait de même sur le bord de la nef. Enfin, il s'allongeait sur le lit mais, à partir de là, Salomon ne savait plus ce que l'homme devenait car il disparaissait ainsi que ceux qui l'accompagnaient.

Le lendemain à l'aube, dès que Salomon fut réveillé, il s'approcha de la nef et lut sur son bord l'inscription suivante :

« Ecoute, toi, qui que tu sois, qui veux monter à mon bord :
Prends garde d'être plein de foi car je suis la foi même.

Assure-toi donc, avant d'entrer, d'être pur de tout péché car je suis la foi et la croyance et si tu viens à t'écarter de ta croyance, je m'écarterai de toi. Tu ne trouveras en moi ni soutien ni aide mais je t'abandonnerai, où que tu sois, dès que tu seras si peu que ce soit convaincu d'impiété ».

Salomon resta si interdit devant cette inscription qu'il n'osa pénétrer dans la nef. Comme il s'en éloignait, elle prit aussitôt le large, voguant à si vive allure que, très vite, il la perdit de vue. Il s'assit sur le rivage, réfléchissant à ce qui était arrivé. Une voix descendit alors qui lui dit :

« Salomon, le dernier chevalier de ton lignage se reposera sur ce lit que tu as construit et saura ainsi ce que tu as fait pour lui ».

Tout joyeux, il réveilla sa femme et ses compagnons pour dire ce qui était arrivé et expliqua à tous, familiers et étrangers, comment sa femme avait mené à bien ce qu'il n'avait pu accomplir lui-même. Voici donc, comme le livre vous l'a expliqué et comme le conte vous l'a rapporté, pourquoi cette nef fut construite et pourquoi les trois fuseaux étaient naturellement blanc, vert et rouge. Mais le conte cesse ici d'en parler et passe à autre chose.

LES TROIS COMPAGNONS ET LA SOEUR DE PERCEVAL

Les trois compagnons, — ainsi le rapporte le conte —, examinèrent longuement le lit et les trois fuseaux et s'aperçurent bien que leur couleur était naturelle. A leur grand étonnement, car ils ne savaient comment pareille chose était possible. Au bout d'un moment, ils soulevèrent l'étoffe de soie et découvrirent la couronne d'or et, sous elle, une aumônière de très riche apparence. Perceval l'ouvrit et y découvrit une lettre qui, dirent ses compagnons, leur apprendra, si Dieu le veut, d'où vient cette nef et par qui elle fut faite. Lisant alors la lettre, Perceval leur révèle l'histoire des trois fuseaux et de la nef comme l'a expliquée le conte. Tous pleuraient en écoutant ce récit car c'était une noble histoire et une noble race qu'évoquait devant eux leur compagnon.

Lorsque Perceval eut terminé, Galaad dit :

« Chers compagnons, il nous faut maintenant trouver la jeune fille qui changera le baudrier de cette épée que personne, auparavant, ne doit enlever d'ici ».

Eux lui répondent qu'ils ne savent où la trouver mais qu'ils sont tout prêts, puisqu'il le faut, à partir à sa recherche. Mais lorsque la jeune fille qui était la sœur de Perceval les entendit se lamenter ainsi, elle leur dit :

« Seigneurs, ne vous tourmentez pas. Si Dieu le veut, le baudrier sera changé avant que nous ne partions d'ici et il sera aussi beau et aussi précieux qu'il convient ».

Elle ouvrit alors un coffret qu'elle portait avec elle et en sortit un baudrier magnifiquement brodé d'or, de fils de soie et de cheveux. Les cheveux brillaient d'un tel éclat qu'on pouvait à peine les distinguer du fil d'or. Le baudrier était en outre incrusté de nombreuses pierres précieuses et terminé par deux boucles d'or d'une incomparable richesse.

« Chers seigneurs, dit-elle, voici le baudrier qui convient. Je l'ai fait, apprenez-le, de ce que j'avais de plus précieux sur moi, mes cheveux. Qu'ils m'aient été si chers ne doit pas vous surprendre car, à la Pentecôte, ce jour où vous, Galaad, vous avez été fait chevalier, j'avais la plus belle chevelure du monde. Mais dès que j'ai su que cette aventure m'était réservée et que je devais donc agir ainsi, je les ai fait immédiatement couper pour les tresser comme vous voyez.

— Par Dieu, reprit Bohort, soyez la très bienvenue, ma demoiselle, car vous nous épargnez ainsi bien du souci ! »

S'approchant alors de l'épée, elle remplaça le baudrier d'étoupe par le sien avec autant d'habileté que si elle avait fait cela toute sa vie.

« Savez-vous, dit-elle ensuite aux chevaliers, le nom de cette épée ?

— Non, ma demoiselle, mais c'est à vous de la nommer, comme le dit l'inscription.

— Apprenez donc que cette épée s'appelle l'Epée aux étranges attaches (88) et le fourreau, Mémoire de sang, car tout être doué de raison ne pourra voir la partie du fourreau qui a été faite avec l'Arbre de Vie sans se souvenir du sang d'Abel.

— Seigneur, disent alors les compagnons à Galaad, nous vous prions, au nom de Notre Seigneur Jésus-Christ et pour la plus grande gloire de l'ordre de chevalerie, de ceindre l'Epée aux étranges attaches, cette épée plus ardemment désirée dans tout le royaume de Logres que ne le fut Notre Seigneur par ses apôtres. Tous, en ce royaume, sont en effet persuadés que grâce à elle prendront fin les manifestations du Saint-Graal comme les aventures cruelles qu'ils rencontrent chaque jour.(89)

— Laissez-moi d'abord, dit Galaad, me soumettre à l'épreuve. Vous savez bien que seul peut prendre cette épée celui qui peut l'empoigner. Si j'échoue, vous saurez ainsi qu'elle ne m'était pas destinée ».

Avec leur approbation, il met alors la main sur la poignée de l'épée et voici que ses doigts se referment largement sur elle.

« Seigneur, lui disent ses compagnons, nous sommes sûrs maintenant que cette épée vous est destinée. Rien ne doit, désormais vous empêcher de la ceindre ».

Il retire alors du fourreau la lame, si belle et si claire que l'on aurait pu s'y mirer, puis l'y replace après avoir contemplé cet inestimable trésor. La jeune fille cependant lui détache son ancienne épée et lui ceint la nouvelle par le baudrier.

« Peu m'importe désormais l'heure de ma mort, dit-elle alors, car je me considère comme la plus heureuse jeune fille du monde, moi qui ai fait chevalier le meilleur de tous les hommes. Sachez en effet que vous n'étiez pas vraiment chevalier tant que vous n'aviez pas à votre côté cette épée qui fut apportée pour vous en ce monde.

— Ma demoiselle, lui répondit Galaad, vous avez tant fait pour moi que je serai à tout jamais votre chevalier et je vous remercie grandement de tout ce que vous m'avez dit.

— Nous pouvons donc maintenant nous en aller d'ici et poursuivre notre tâche ».

Aussitôt, les compagnons sortent de la nef et reviennent vers le rocher.

« Seigneur, dit alors Perceval à Galaad, je ne cesserai de remercier Dieu de m'avoir permis d'assister à cette aventure, la plus extraordinaire que j'aie jamais vue ».

Ils remontèrent alors à bord de leur nef et le vent, gonflant les voiles, les emporta bientôt loin du rocher. Lorsque la nuit les surprit, ils se demandèrent les uns aux autres s'ils étaient près d'un rivage mais aucun d'eux ne le savait. Ils passèrent donc la nuit en mer, sans boire ni manger, car ils n'avaient rien emporté avec eux. Le lendemain, ils abordèrent près d'un château nommé Carcelois qui était dans la marche d'Ecosse. Après avoir remercié Dieu de les avoir ramenés sains et saufs de l'aventure de l'épée, ils pénétrèrent dans l'enceinte du château. La porte franchie, la jeune fille leur dit :

« Seigneurs, c'est pour notre malheur que nous avons abordé ici. Si l'on apprend que nous sommes de la cour du roi Artus, on nous courra sus aussitôt car les gens d'ici haïssent le roi Artus plus que tout au monde.

— N'ayez crainte, ma demoiselle, dit Bohort. Celui qui nous a sauvés de la roche saura bien nous tirer d'ici quand il Lui plaira ! »

A ce moment, un écuyer vint à leur rencontre.

« Seigneurs chevaliers, demanda-t-il, qui êtes-vous ?

— Nous sommes des chevaliers de la cour d'Artus.

— Alors, vous êtes venus là pour votre perte ! »

Sur ce, comme il s'en retournait vers la tour principale, les compagnons entendirent résonner un cor capable d'alerter tout le château puis une demoiselle s'approcha d'eux et leur demanda à son tour qui ils étaient. Quand ils eurent répondu,

« Ha ! seigneurs, au nom de Dieu, s'écria-t-elle, éloignez-vous d'ici si vous le pouvez car vous êtes en danger de mort et je ne saurais trop vous conseiller de repartir avant que les gens d'ici ne vous trouvent dans leurs murs ».

Mais eux répliquent qu'ils ne s'en iront pas.

« Voulez-vous donc mourir ?

— N'ayez crainte ! Celui que nous servons saura bien nous guider ».

Ils voient alors venir par la grand-rue une dizaine de chevaliers en armes qui leur ordonnent de se rendre. Sinon, ils les tueront. Les compagnons refusent.

« Vous êtes donc perdus », reprennent-ils, en lançant leurs chevaux sur eux. Mais les compagnons qui ne les craignent guère, bien que leurs adversaires soient plus nombreux et à cheval tandis qu'eux-mêmes sont à pied, dégainent leurs épées. Perceval frappe l'un deux, le désarçonne puis s'empare de son cheval. Galaad, lui, en avait déjà fait autant. Une fois à cheval, tous deux désarçonnent et tuent leurs assaillants et donnent à Bohort un cheval. Les autres, se voyant ainsi dominés, prennent la fuite, poursuivis par les compagnons jusque dans la tour principale.

Parvenus dans la grand-salle, ils trouvèrent des chevaliers et des hommes en train de s'armer car ils avaient entendu l'alarme par le château. Aussitôt les trois compagnons, sur leur lancée, tirent leurs épées et les attaquent, les abattant et les tuant comme des bêtes. Les autres se défendent de leur mieux mais, finalement, ils sont obligés de fuir car Galaad fait de tels exploits et en tue un si grand nombre qu'ils ne pensent pas avoir affaire à un être humain mais à un démon acharné à leur perte. Enfin, voyant que toute résistance est vaine, ils s'enfuient, les uns par les portes, les autres par les fenêtres, en se rompant le cou et les membres.

Une fois maîtres de la place, les trois compagnons examinent les morts et se traitent de pécheurs devant ce massacre, se disant qu'ils ont bien mal agi en tuant ainsi tant de gens.

« Pourtant, dit Bohort, je ne pense pas que Notre Seigneur les ait aimés pour les avoir ainsi livrés au supplice. Ce furent sans doute des êtres impies, des renégats qui ont commis de tels crimes envers Notre Seigneur qu'Il ne voulait pas qu'ils vivent plus longtemps, et Il nous a envoyés ici pour les détruire.

— Ce que vous dites là n'est guère juste, répondit Galaad. S'ils ont péché envers Notre Seigneur, ce n'est pas à nous d'en prendre vengeance mais à Celui qui attend que le pécheur prenne conscience de ses fautes. Aussi, je vous l'avoue, je ne serai pas tranquille tant que je ne saurai pas clairement, si Dieu le veut, ce que cette aventure signifie ».

Sur ce, sortit d'une des pièces un vieillard revêtu d'une robe blanche. C'était un prêtre et il portait le corps du Christ dans un calice. Tout surpris de voir tous ces cadavres dans la grand-salle, il recule, ne sachant que faire, mais Galaad, qui avait bien vu ce qu'il portait, ôte son heaume et, comprenant qu'il a peur d'eux, retient ses compagnons et s'approche de lui.

« Seigneur, lui dit-il, pourquoi vous arrêter ? Vous ne devez pas avoir peur de nous.

— Mais qui êtes-vous ?

— Nous sommes de la cour du roi Artus ».

Aussitôt rassuré par cette nouvelle, le vieillard reprend ses esprits et demande à Galaad de lui dire comment ces chevaliers ont été tués.

Il lui explique alors comment tous trois, quêteurs du Graal, étaient arrivés ici et comment ils avaient été assaillis mais que le combat, —comme on pouvait le voir—, avait tourné au désavantage de leurs assaillants.

« Seigneur, lui répondit le prêtre, sachez que vous avez fait là la meilleure action que fît jamais chevalier et, si vous viviez jusqu'à la fin du monde, je ne pense pas que vous puissiez faire œuvre plus charitable. C'est Notre Seigneur, je le sais, qui vous a envoyé pour l'accomplir car personne au monde ne haïssait autant Notre Seigneur que les trois frères qui tenaient ce château. Dans leur grande perfidie, ils avaient si bien corrompu ses habitants qu'ils étaient pires que sarrasins et que toutes leurs actions étaient dirigées contre Dieu et contre Sainte Eglise.

— Seigneur, dit Galaad, j'avais beaucoup de remords de m'être ainsi laissé aller à les tuer parce que c'étaient des chrétiens.

— Ne vous en repentez pas, bien au contraire, car je peux vous assurer que Notre Seigneur vous sait gré de les avoir tués. Ce n'était pas des chrétiens mais l'engeance la plus perfide que j'ai jamais vue et je vais vous dire comment je le sais.

« Il y a un an, ce château appartenait au comte Hernoul. Il

avait trois fils, assez bons chevaliers, et une fille, la plus belle jeune fille de ce pays. Or les trois frères conçurent pour leur sœur une passion si violente que, s'échauffant outre mesure, ils la prirent de force et lui ravirent sa virginité. Puis, comme elle avait eu assez de courage pour se plaindre à son père, ils la tuèrent. Devant tant de perfidie, le comte décida de chasser ses fils mais eux, loin de lui obéir, se saisirent de lui, le jetèrent en prison et le blessèrent cruellement. Ils l'auraient même tué si l'un de ses frères ne l'avait secouru. Ensuite, ils multiplièrent les forfaits, tuant clercs, prêtres, moines, abbés et faisant abattre les deux chapelles du château. Il est même surprenant, vu l'étendue de leurs crimes, qu'ils n'aient pas été anéantis plus tôt. Or hier matin leur père, qui était à l'agonie à ce qu'il me parut, me demanda de venir auprès de lui, ainsi revêtu de mon habit de prêtre. Ce que je fis bien volontiers car il m'avait jadis beaucoup aimé. Mais, dès que j'arrivai, ses fils me traitèrent plus cruellement encore que ne l'auraient fait des sarrasins. J'ai enduré avec patience tous ces mauvais traitements pour l'amour de Celui qu'ils insultaient ainsi et, quand j'ai retrouvé le comte dans sa prison, je lui ai raconté ce qu'ils m'avaient infligé mais lui m'a répondu :

« Oubliez tout cela car vous et moi nous serons vengés par trois serviteurs de Jésus-Christ comme me l'a fait savoir le Tout-Puissant ».

« Vous pouvez donc être certain que Notre Seigneur ne s'irritera pas de ce que vous avez fait mais que c'est Lui-même qui vous a envoyés pour les mettre à mort. Au reste, vous en aurez aujourd'hui-même une preuve plus manifeste encore ».

Appelant alors ses compagnons, Galaad leur répète les paroles du vieillard selon qui ceux qu'ils avaient tués étaient les êtres les plus impies du monde. Il leur apprend également qu'ils gardaient leur père prisonnier et pour quelle raison.

« Monseigneur Galaad, dit Bohort, ne vous avais-je pas dit que Notre Seigneur nous avait envoyés ici pour les punir de leur crime ? D'ailleurs, s'Il n'en avait décidé ainsi, jamais nous n'aurions pu, à nous trois, tuer tant d'hommes en si peu de temps ! »

Ils délivrèrent alors le comte Hernoul de sa prison et le firent transporter dans la grand-salle du château mais il s'aperçurent bientôt qu'il était à l'agonie. Pourtant, dès qu'il vit Galaad, il le reconnut, —non qu'il l'eût déjà vu, mais parce que Notre Seigneur lui en donna le pouvoir—, et lui dit en pleurant d'émotion :

« Seigneur, voici longtemps que nous vous attendons et vous voici, grâce à Dieu ! Mais, au nom de Dieu, pressez-moi sur votre cœur afin que mon âme se réjouisse de savoir que mon corps meurt dans les bras d'un être aussi noble que vous ! »

Galaad accepte bien volontiers et le serre sur sa poitrine. Le comte, inclinant la tête comme un homme que la mort assiège, dit encore :

« Notre Père des cieux, je remets en tes mains et mon âme et mon esprit ».

Puis il s'affaisse et reste si longtemps prostré que tous le croient mort. Pourtant, au bout d'un moment, il reprend :

« Galaad, voici ce que t'ordonne le Tout-Puissant que tu as si bien vengé aujourd'hui de ses ennemis que les cieux s'en réjouissent : rends-toi au plus vite chez le roi Méhaignié, lui qui attend depuis si longtemps déjà d'être guéri par ta venue. Séparez-vous donc dès que l'occasion vous en sera donnée ».

Il se tut alors et aussitôt son âme quitta son corps. Ceux des habitants du château qui étaient encore vivants éclatèrent en lamentations en le voyant mort car ils l'avaient beaucoup aimé. Lorsqu'il eut été enseveli avec les honneurs dus à un homme de si haut rang, on fit savoir ce qui lui était arrivé et tous les moines des environs vinrent chercher le corps pour l'enterrer dans un ermitage.

Le lendemain, les trois compagnons reprirent leur route, toujours accompagnés de la sœur de Perceval, et chevauchèrent jusqu'à la Forêt Gaste. Une fois dans la forêt, ils virent le Cerf Blanc conduit par quatre lions, celui que Perceval avait vu jadis (90).

« Galaad, dit Perceval, regardez, voici la plus extraordinaire aventure que j'aie jamais vue ! On dirait vraiment que ces lions gardent le cerf. Pour ma part, je n'aurai de cesse de savoir le sens de cette apparition.

— Moi de même, répondit Galaad. Suivons-le donc jusqu'à son gîte car, sans aucun doute, cette aventure est d'origine céleste.

— Bien volontiers », dirent ses compagnons.

Suivant le cerf à la trace, ils arrivèrent dans une vallée et aperçurent devant eux, dans un petit bosquet, un ermitage. Là vivait un ermite d'un grand âge. Le cerf pénètre dans l'ermitage, suivi par les lions. Les chevaliers mettent pied à terre puis se dirigent vers la chapelle où ils trouvent l'ermite, revêtu des armes de Notre Seigneur, sur le point de commencer la messe du Saint-Esprit. Les compagnons, se disant qu'ils arrivent au bon moment, écoutent donc le service. Au moment de la secrète (91), leur étonnement fut encore plus vif qu'auparavant. Ils virent en effet, à ce qu'il leur sembla, le cerf se changer en homme et s'asseoir sur l'autel dans un siège somptueux tandis que les lions étaient changés l'un en homme, l'autre en aigle, le troisième en lion ailé, le quatrième en bœuf. Les quatre lions ainsi métamorphosés avaient des ailes qui leur auraient permis de voler si Dieu en avait décidé ainsi. Ils prirent ensuite le siège, —c'était un trône—, dans lequel le Cerf était assis, deux par le dossier, deux par les pieds, et passèrent à travers une verrière qui se trouvait dans la chapelle sans l'endommager le moins du monde. Comme ils étaient déjà hors de vue, une voix descendit qui dit aux compagnons :

« C'est ainsi que le Fils de Dieu s'est incarné dans la Sainte Vierge Marie sans que sa virginité ait été touchée ».

Aussitôt ils se prosternèrent contre terre car une telle clarté et un tel fracas avaient accompagné la voix qu'ils avaient bien cru que la chapelle s'écroulait. Reprenant leurs esprits, ils virent que l'ermite s'était dévêtu, sa messe terminée. Ils vinrent donc lui demander de leur dire la signification de ce qu'ils avaient vu.

« Qu'avez-vous donc vu, leur demanda-t-il ?

— Nous avons vu un cerf se changer en homme et quatre lions se métamorphoser eux aussi.

— Ha ! seigneurs, s'écria alors l'ermite, soyez les bienvenus car je sais maintenant, d'après ce que vous me dites, que vous à qui Notre Seigneur a montré partie de ses secrets et de ses mystères, vous faites partie des justes, des vrais chevaliers, des hommes de haute vertu qui mèneront à bien la Quête du Saint-Graal après avoir subi de si pénibles épreuves. En changeant en effet le cerf en un être spirituel et non mortel, Il vous a montré la métamorphose qu'Il a subie sur la Croix au moment où, portant une enveloppe terrestre, — sa chair mortelle —, Il triompha de la mort en mourant et restaura la vie éternelle. Ce qui est très justement signifié par le cerf. Car, de même que cet animal rajeunit en abandonnant partie de sa peau et de son pelage, de même Notre Seigneur passa de la mort à la vie quand Il laissa son enveloppe terrestre, la chair périssable qu'Il avait revêtue dans le ventre de la bienheureuse Vierge. Et de même que la Sainte Vierge ignora le péché, Il apparaît sous la forme d'un cerf blanc sans tache. Enfin, ceux qui L'accompagnaient représentent, apprenez-le, les quatre Evangélistes qui eurent le privilège de mettre par écrit une partie des actes qu'accomplit Jésus-Christ tant qu'Il partagea notre vie terrestre. Jamais chevalier, sachez-le, n'a pu connaître le sens de cette apparition. Pourtant, le Tout-Puissant, ici et ailleurs, s'est montré à plusieurs reprises aux justes et aux bons chevaliers sous les apparences d'un cerf et en compagnie des quatre lions afin que ceux qui le voient ainsi en recherchent la signification. Mais sachez aussi que nul, désormais, ne le reverra sous cette forme ».

A ces mots les compagnons se mirent à pleurer de joie, rendant grâces à Dieu de leur avoir montré si manifestement ce mystère. Ils restèrent tout le jour avec l'ermite. Le lendemain, après la messe, au moment de partir, Perceval prit l'épée que Galaad avait laissée et déclara qu'il la porterait désormais. Il laissa la sienne chez l'ermite.

Ils chevauchèrent ensuite jusqu'à midi et arrivèrent près d'un très beau château fortifié mais ils n'y entrèrent pas car leur chemin les menait ailleurs. Ils s'étaient déjà un peu éloignés de la porte principale lorsqu'ils furent rattrapés par un chevalier.

« Seigneur, leur dit-il, la demoiselle qui vous accompagne est-elle vierge ?

— Oui, répondit Bohort, assurément ».

Saisissant alors le cheval de la jeune fille par le mors, le chevalier poursuivit.

« Par Sainte Croix, vous ne m'échapperez pas avant d'avoir satisfait à la coutume de ce château !

— Seigneur chevalier, répliqua Perceval très irrité de le voir ainsi retenir sa sœur, voilà des paroles bien peu raisonnables ! Où qu'elle aille, une jeune fille n'a pas à satisfaire aux coutumes et surtout une femme d'aussi noble race, fille de roi et de reine ».

Cependant dix chevaliers tout armés sortirent du château, accompagnés d'une demoiselle qui tenait à la main une écuelle d'argent.

« Chers seigneurs, dirent-ils aux trois compagnons, il faut absolument que la jeune fille qui vous accompagne satisfasse à la coutume du château.

— Quelle coutume ? demanda Galaad.

— Seigneur, lui répondit un chevalier, chaque jeune fille qui passe par ici doit remplir cette écuelle du sang de son bras droit. Aucune ne peut s'y soustraire.

— Ha ! chevalier plein de perfidie, maudit soit alors celui qui a institué cette coutume cruelle ! Au reste, si Dieu le veut, vous ne toucherez pas à cette demoiselle. Tant que j'aurai des forces et qu'elle aura confiance en moi, elle ne vous accordera pas ce que vous demandez.

— Par Dieu, ajouta Perceval, je préférerais être tué !

— Moi aussi, dit Bohort.

— Vous mourrez donc tous, répliqua le chevalier, car vous ne pourriez nous résister même si vous êtiez les meilleurs chevaliers du monde ».

Ils s'élancent alors les uns contre les autres. Les trois compagnons désarçonnent les dix chevaliers avant même d'avoir brisé leurs lances puis, tirant leurs épées, ils les abattent et les tuent comme des bêtes.Ils les auraient assez facilement tous exterminés si n'étaient survenus les habitants du château avec un renfort de soixante chevaliers tout armés. A leur tête venait un vieil homme qui dit aux compagnons :

« Chers seigneurs, ayez pitié de vous ! Ne vous faites pas tuer ! Ce serait une grande perte car vous êtes de haut mérite et de grande prouesse. Aussi vous demandons-nous instamment de nous accorder ce que nous voulons.

— Il n'en est pas question, répond Galaad ! Jamais nous n'accepterons tant que cette jeune fille me fera confiance.

— Comment ? Vous voulez donc mourir ?

— Nous n'en sommes pas encore là et, de toute manière, nous préférerions mourir plutôt que de souffrir pareille infamie ».

Un combat acharné s'engage alors. Les compagnons sont attaqués de tous côtés mais Galaad frappe en tous sens de l'Epée aux étranges attaches, tuant tous ceux qu'il atteint, et fait de telles prouesses que tous ceux qui le voient sont persuadés que ce n'est pas un être humain mais quelque monstre. Il va toujours de l'avant, faisant reculer ses adversaires, et puissament aidé par ses deux compagnons qui le gardent à gauche et à droite de telle sorte qu'il ne peut être assailli que de face.

La bataille dura ainsi fort avant dans l'après-midi sans que les compagnons aient le dessous ou soient forcés de reculer. Mais, à la nuit noire, force leur fut, de part et d'autre, d'abandonner le combat, comme en convinrent leurs assaillants. Le vieillard revint alors vers les trois compagnons.

« Seigneurs, leur dit-il, nous vous prions, par amitié et par courtoisie, d'accepter aujourd'hui notre hospitalité. Nous vous promettons de ne rien tenter contre vous jusqu'à demain matin. Savez-vous pourquoi ? Parce que je suis sûr que dès que vous saurez en quoi consiste exactement notre demande, vous accepterez que la demoiselle l'exauce.

— Seigneurs, dit la demoiselle, allez-y puisqu'il vous le demande ».

Ils concluent donc une trêve et entrent tous ensemble dans l'enceinte du château où ils sont accueillis dans l'allégresse générale. Ils mettent pied à terre et se désarment puis, après avoir mangé, ils demandent comment et pourquoi avait été instituée la coutume.

« Nous vous le dirons volontiers », répond un des chevaliers.

« Il y a ici, sachez-le, une demoiselle à qui nous appartenons tous, les habitants de ce pays et nous-mêmes et qui, outre celui-ci, possède de nombreux châteaux. Or, il y a deux ans, telle fut la volonté de Notre Seigneur, elle est tombée malade. Comme sa maladie se prolongeait, nous l'avons examinée et nous nous sommes alors aperçus qu'elle était très atteinte de ce mal qu'on appelle la lèpre. Nous avons fait venir des médecins, d'ici et d'ailleurs, mais aucun n'a su nous dire comment la soigner. Finalement un homme plein de science a dit que si nous pouvions remplir une écuelle du sang d'une jeune fille vierge en fait et en intention et qui fût en outre fille de roi et de reine et sœur de Perceval le vierge, il nous suffirait d'en oindre notre maîtresse pour qu'elle guérisse aussitôt. Nous avons donc décidé que toute demoiselle qui passerait par ici devrait, si elle était vierge, nous donner une écuelle de son sang et nous avons posté des gardes aux portes de ce château pour arrêter toutes celles qui se présenteraient. Voici donc comment fut établie cette coutume. A vous maintenant d'en faire ce qu'il vous plaira.

— Seigneurs, dit alors la demoiselle aux trois compagnons, vous voyez bien que cette demoiselle est malade et que sa guérison dépend de la décision que je prendrai. Dites-moi donc ce que je dois faire.

— Par Dieu, dit Galaad, si vous acceptez, vous êtes sûre de mourir car vous êtes jeune et fragile.

— Mais si je mourrais en la guérissant, quel titre de gloire pour mon lignage et pour moi-même ! Au reste, il me faut le faire aussi bien pour vous que pour eux. Si demain en effet vous

vous battez comme aujourd'hui, ma mort sera peu de chose en comparaison des pertes qui se produiront. Je ferai donc ce qu'ils veulent pour mettre terme à cette querelle et je vous demande, au nom de Dieu, de bien vouloir me le permettre ».

Ils y consentent avec douleur.

Réunissant alors les habitants du château, la demoiselle leur dit :

« Réjouissez-vous ! Demain, il n'y aura pas de bataille car je vous promets de m'acquitter de la coutume comme les autres demoiselles ».

Les gens du château la remercient beaucoup et laissent éclater leur joie. Ils servent de leur mieux les trois compagnons et leur préparent des lits aussi somptueux que possible. Ils en auraient fait davantage encore si leurs hôtes y avaient consenti.

Le lendemain après la messe, la demoiselle vint au château et demanda à voir la malade qu'elle devait guérir de son sang. Les gens du château s'empressèrent d'obéir et allèrent chercher leur maîtresse dans sa chambre. Lorsque les trois compagnons la virent, ils furent saisis de stupeur. Son visage était si décomposé, si bourgeonnant et si déformé par la lèpre qu'on se demandait comment elle pouvait endurer de telles souffrances. Ils se levèrent à son approche puis la firent asseoir auprès d'eux. Aussitôt elle demanda à la jeune fille de s'acquitter de sa promesse. La sœur de Perceval répondit qu'elle était prête et donna l'ordre d'apporter l'écuelle. Elle tendit alors son bras et se fit ouvrir la veine avec une petite lame aussi aiguë et aussi tranchante qu'un rasoir puis, comme le sang jaillissait,

« Dame, dit-elle en se signant et en se recommandant à Dieu, je meurs pour vous guérir. Au nom de Dieu, priez pour mon âme car ma fin est venue ».

A ces mots elle s'évanouit car elle avait déjà perdu tant de sang que l'écuelle était pleine. Les compagnons se précipitèrent pour la soutenir et étancher le sang. Elle resta longtemps évanouie puis, retrouvant la parole, elle dit à Perceval :

« Ha ! Perceval, mon cher frère, je meurs pour guérir cette demoiselle mais je vous demande de ne pas enterrer mon corps dans ce pays. Dès que je serai morte, déposez-moi dans une nacelle, dans le premier port que vous trouverez et laissez-moi voguer là où le destin me conduira. Et je vous le dis : à peine serez-vous arrivés à la cité de Sarras, où vous mènera votre Quête du Saint-Graal, que vous me retrouverez sous la tour de la ville. Je vous demande alors de me faire le grand honneur de m'enterrer dans le Palais spirituel parce que c'est là que reposera Galaad et vous avec lui ».

Puis, comme Perceval, tout en pleurs, l'assure qu'il exaucera sa prière, elle ajoute :

« Demain, séparez-vous et que chacun chevauche seul jusqu'à ce que le destin vous réunisse chez le Roi Méhaignié. Telle est la volonté du Tout-Puissant qu'Il me charge de vous faire connaître ».

Ils promettent d'obéir. Elle demande ensuite son Sauveur et ils font venir un vénérable ermite qui vivait dans un petit bois assez près du château. Il vint très rapidement, comprenant que le temps pressait. Lorsqu'il fut devant elle, la jeune fille tendit les mains vers son Sauveur qu'elle reçut avec une extrême dévotion et aussitôt elle rendit l'âme. Sa mort causa une telle souffrance aux compagnons qu'ils ne pensaient pouvoir s'en consoler.

Ce jour même la dame du château guérit. Dès qu'elle fut lavée avec le sang de la sainte jeune fille, elle fut purifiée et débarrassée de la lèpre et sa peau, auparavant noire et horrible à regarder, retrouva sa beauté. Ce qui remplit de joie les trois compagnons comme les habitants du château. Ils ensevelirent ensuite la jeune fille comme elle l'avait souhaité, ôtèrent de son corps les entrailles et tout ce qu'il convient d'ôter et l'embaumèrent aussi somptueusement que si c'était le corps d'un empereur. Enfin, ils firent construire la plus belle nef qu'ils purent, la recouvrirent d'une riche étoffe de soie et y mirent un lit somptueux. Ils y couchèrent ensuite la jeune fille et lancèrent la nef sur les flots. Comme Bohort regrettait qu'il n'y eût pas près de son corps une lettre disant qui elle était et comment elle était morte, Perceval lui dit qu'il avait placé au chevet du lit une telle lettre, expliquant de quelle famille elle était, comment elle était morte et rapportant toutes les aventures qui, grâce à elle, avaient pu être menées à bien.

« Ainsi, si on la retrouve en quelque pays étranger, on saura qui elle est ».

Galaad le félicita de toutes ces précautions car, dit-il,

« si quelqu'un découvre son corps, il le traitera avec plus de respect encore dès qu'il saura de qui il s'agit et ce qu'elle a fait ».

Aussi longtemps que les habitants du château purent voir la nef, ils restèrent sur la rive en pleurant et en se lamentant car la jeune fille avait accompli une bien noble action, elle qui était morte pour guérir une étrangère, ce que jamais jeune fille n'avait fait. La nef disparue à l'horizon, ils rentrèrent au château mais les compagnons refusèrent de les suivre pour l'amour de la demoiselle qu'ils avaient ainsi perdue. Ils restèrent donc à l'extérieur, demandant aux gens du château de leur apporter leurs armes.

Comme les trois compagnons reprenaient leur route, ils virent le ciel s'obscurcir et les nuages se charger de pluie. Ils se dirigèrent donc vers une chapelle au bord du chemin et, comme le temps devenait de plus en plus menaçant, ils s'y réfugièrent, laissant leurs chevaux dehors sous un appentis. Aussitôt il se mit à tonner et à faire des éclairs et la foudre tomba aussi drue qu'une averse sur le château. La tempête fit rage toute la journée avec une violence telle que la moitié au moins des murailles du château s'écroula. Les trois compagnons restèrent frappés de stupeur. En un an, pensaient-ils, une tempête, même aussi violente, n'aurait pu faire de tels ravages au château !

Après vêpres, comme le temps s'éclaircissait, les compagnons virent accourir jusqu'à eux un chevalier grièvement blessé qui répétait :

« Ha ! Dieu, secourez-moi car j'en ai grand besoin ! »

Il était poursuivi par un autre chevalier et un nain qui lui criaient :

« Vous êtes mort, vous ne pouvez nous échapper ! »

Mais lui tendait les mains vers le ciel en disant :

« Mon Dieu, venez à mon secours, ne me laissez pas mourir en pareil tourment ! »

En entendant le chevalier supplier ainsi Notre Seigneur, les trois compagnons furent saisis de pitié et Galaad déclara qu'il irait à son secours.

« Seigneur, dit Bohort, c'est moi qui irai car il n'est pas nécessaire que vous vous engagiez pour combattre un seul chevalier ».

Galaad renonce donc et Bohort monte à cheval en disant à ses compagnons :

« Seigneurs, si je ne reviens pas, n'abandonnez pas pour autant votre quête mais mettez-vous en route demain matin, chacun de votre côté, et chevauchez jusqu'à ce que Notre Seigneur nous accorde de nous réunir tous les trois dans la demeure du Roi Méhaignié ».

Ils le recommandent alors à Dieu. Quant à eux, ils se sépareront demain matin. Bohort les quitte donc pour secourir le chevalier qui continue ses lamentations et part à la poursuite de son agresseur. Mais ici le conte cesse de s'occuper de lui pour parler des deux compagnons restés dans la chapelle.

*
* *

Galaad et Perceval, — ainsi le rapporte le conte —, passèrent toute la nuit dans la chapelle, priant Notre Seigneur de veiller sur Bohort où qu'il aille. Au matin, la tempête s'était calmée et le jour brillait beau et serein. Ils montèrent en selle et revinrent vers le château pour voir ce qu'il était advenu de ses habitants. Arrivés à la porte, ils s'aperçurent que tout avait brûlé et que les murailles étaient abattues. Leur surprise fut encore plus vive lorsqu'ils pénétrèrent à l'intérieur : tous les habitants sans exception étaient morts. Ils fouillent partout, stupéfaits de l'ampleur de la catastrophe et du nombre des morts. Enfin, lorsqu'ils parviennent dans le donjon, ils découvrent les murs abattus, les parois effondrées et les cadavres des chevaliers gisant çà et là à l'endroit même où la foudre de Notre Seigneur les avait atteints pour les punir de leur mauvaise vie. Devant ce spectacle, les compagnons s'écrièrent que c'était bien là une vengeance céleste car jamais pareille chose ne se serait produite sinon pour apaiser la colère du Créateur. Ils entendirent alors une voix qui leur dit :

« Ceci est la vengeance du sang qu'ont répandu les bonnes jeunes filles pour guérir ici-bas une pécheresse endurcie ».

A ces mots, tous deux s'écrient que vraiment la vengeance de Notre Seigneur est terrible et qu'il est bien insensé celui qui s'oppose à Lui pour préserver sa vie.

Après avoir parcouru tout le château pour se rendre compte du nombre des morts, les compagnons découvrirent au chevet d'une chapelle un cimetière tout verdoyant, ombragé d'arbres bien feuillus et rempli de belles tombes, soixante environ. Ce lieu paraissait si beau, si agréable que la tempête semblait l'avoir épargné. Ce qui était la vérité car c'est là que reposaient les corps des jeunes filles qui avaient été mises à mort pour sauver la dame. Pénétrant dans le cimetière, toujours à cheval, ils s'approchèrent des tombes sur lesquelles ils purent lire les noms de chacune des jeunes mortes. Il y avait là, à ce qu'ils virent, douze jeunes filles, toutes filles de roi et de noble famille. Ce qui leur fit dire que vraiment la coutume qui règnait en ce château était par trop odieuse et révoltante et que les habitants du pays l'avaient trop longtemps supportée car trop de nobles familles avaient été diminuées ou anéanties par la mort de ces jeunes filles.

Les deux compagnons restèrent dans le château jusqu'au début de la matinée puis, après avoir tout bien examiné, ils reprirent leur route. Comme ils arrivaient à l'entrée d'une forêt, Perceval dit à Galaad :

« Seigneur, c'est aujourd'hui que nous devons nous séparer et suivre chacun notre route. Je vous recommande donc à Notre Seigneur. Qu'Il nous accorde de nous retrouver bientôt car je n'ai jamais trouvé personne dont la compagnie me soit aussi douce et aussi agréable. Aussi cette séparation me pèse-t-elle beaucoup plus que vous ne l'imaginez mais elle est nécessaire puisque Dieu le veut ».

Tous deux ôtent alors leur heaume et s'embrassent avant de se séparer tant leur amitié était profonde. D'ailleurs, on le vit bien au moment de leur mort puisqu'ils ne survécurent guère l'un à l'autre. Ainsi se quittèrent les deux compagnons, à l'orée d'une forêt que les gens du pays appelaient Aube. Chacun partit de son côté. Mais ici le conte ne s'occupe plus d'eux et revient à Lancelot dont il n'a pas parlé depuis longtemps.

LANCELOT A CORBENIC

Une fois arrivé au bord de la rivière Marcoise, Lancelot, - ainsi le rapporte le conte -, se vit à sa grande inquiétude cerné de trois côtés : d'une part la forêt, immense, et où il risquait de se perdre ; de l'autre, deux hauts rochers séculaires et enfin la rivière, profonde et trouble. Il décida donc de ne pas bouger et de s'en remettre à la merci de Notre Seigneur. Il resta ainsi jusqu'au soir puis, lorsque la nuit fut tombée, il retira son armure et s'allongea à côté, demandant à Dieu, avec les prières qu'il connaissait, de ne pas l'oublier et de le secourir pour le plus grand bien de son âme et de son corps. Sur ce il s'endormit, le cœur plus occupé par Notre Seigneur que par les choses d'ici-bas. Une fois endormi, il entendit une voix qui lui dit :

« Lancelot, lève-toi, prends tes armes et monte à bord de la première nef que tu rencontreras ».

A ces mots il sursaute, ouvre les yeux et se voit entouré d'une clarté si vive qu'il se croit en plein jour ; mais, très vite, la clarté disparaît il ne sait comment. Il se signe, prend ses armes et s'équipe en se recommandant à Dieu et ceint son épée. Puis, comme il regarde vers le rivage, il aperçoit une nef sans voiles ni avirons. Il monte à bord et aussitôt il lui semble qu'il respire les plus suaves odeurs du monde et qu'il est rassasié des meilleures nourritures que l'on puisse trouver ici-bas. Cent fois plus heureux qu'auparavant puisqu'il a désormais, lui semble-t-il, tout ce qu'il a toujours désiré, il s'agenouille sur le sol de la nef et rend grâces à Dieu :

« Jésus-Christ, doux père, je ne sais d'où tout ceci peut

venir sinon de Toi car mon cœur est si pénétré de joie et de douceur que je ne sais plus si je suis sur la terre ou au paradis ! »

Il s'appuie alors contre le bord de la nef et s'endort, tout à sa joie.

Lancelot dormit toute la nuit dans un tel sentiment de bien-être qu'il ne lui semblait plus être le même homme. Au matin, en s'éveillant, il regarda autour de lui et aperçut au milieu de la nef un lit somptueux sur lequel était étendue une jeune morte dont seul apparaissait le visage. Lancelot vient près du lit et se signe en remerciant Dieu de lui avoir donné une telle compagnie. Puis s'approchant davantage pour voir qui est cette jeune fille et quel est son lignage, il finit par découvrir une lettre déposée sous sa tête. Il la déplie et y lit ceci :

« Cette demoiselle était la sœur de Perceval le Gallois. Elle fut toute sa vie vierge en œuvre et en intention. C'est elle qui changea le baudrier de l'Epée aux étranges attaches que porte désormais Galaad, le fils de Lancelot du Lac ».

Il lit ensuite toute l'histoire de sa vie et apprend comment elle est morte et comment les trois compagnons, Galaad, Perceval et Bohort, l'ont ensevelie puis l'ont mise dans cette nef sur l'ordre de la voix céleste. Nouvelles qui rendent Lancelot encore plus heureux car il se réjouit de savoir que les trois chevaliers (92) sont réunis. Il remet la lettre en place puis revient près du bord de la nef en priant Notre Seigneur de lui permettre de retrouver son fils avant la fin de la Quête, de le revoir, de lui parler et de se réjouir avec lui.

Tout en priant, il regarde autour de lui et s'aperçoit que la nef a accosté au pied d'une haute falaise. Tout près se trouve une petite chapelle et, devant la porte, est assis un vieillard aux cheveux blancs. Lancelot le salue du plus loin qu'il peut et le vieillard en fait de même avec plus de vigueur que le chevalier l'en aurait cru capable. Puis il vient près du bord de la nef, s'assied sur une motte de terre et demande à Lancelot par quelle aventure il est arrivé ici. Lancelot lui raconte son histoire et lui explique comment le hasard l'a conduit en ce lieu qu'il ne connaissait pas jusqu'alors, lui semble-t-il. Le vieillard lui demande ensuite qui il est, —et Lancelot se nomme—, puis lui dit sa surprise de le voir à bord de cette nef et lui demande qui est avec lui.

« Seigneur, dit Lancelot, venez voir si vous voulez et montez à bord ».

Le vieillard entre aussitôt et découvre la demoiselle et la

lettre qu'il lit de bout en bout.

« Ha ! Lancelot, s'écrie-t-il, après avoir lu ce qui concernait l'Epée aux étranges attaches, je ne pensais pas vivre assez longtemps pour apprendre le nom de cette épée. Vraiment, tu peux prendre la mesure de ton infortune, toi qui n'as pu assister au dénouement de cette aventure, ce qui a été accordé à ces trois justes pour qui, pourtant, on a eu parfois moins d'estime que pour toi ! Mais il est maintenant manifeste que leur mérite est plus grand que le tien, que ce sont eux, et non toi, les vrais chevaliers du Christ. Pourtant quels que soient tes torts passés, je suis bien certain que si tu voulais désormais t'abstenir de tout péché mortel et te soumettre à ton Créateur, tu pourrais encore mériter sa pitié et sa miséricorde, car Il est toute pitié et t'a déjà rappelé sur le chemin de la vérité. Mais dis-moi maintenant comment tu est monté à bord de cette nef ».

Lorsque Lancelot a achevé son récit, le vieillard lui répond tout en pleurs :

« Ha ! Lancelot, Notre Seigneur, sache-le, t'a montré une grande mansuétude en te donnant la compagnie de cette noble et sainte jeune fille ! Efforce-toi donc désormais d'être chaste en œuvre et en intention afin que ta chasteté s'accorde avec sa virginité. A ce prix, vous pourrez rester ensemble ».

Et Lancelot lui promet du fond du cœur de ne plus rien faire désormais qui puisse offenser son Créateur.

« Alors pars d'ici où tu n'as plus rien à faire car, si Dieu le veut, tu arriveras bientôt à la demeure où tu désires tant venir.

— Et vous, seigneur, demeurerez-vous ici ?

— Oui, car il doit en être ainsi ».

Le vent cependant gonfle les voiles de la nef et l'entraîne loin de la falaise. Voyant qu'ils s'éloignent l'un de l'autre, les deux hommes se recommandent à Dieu et le vieillard retourne vers sa chapelle mais, avant de s'en aller, il crie encore à Lancelot :

« Ha ! Lancelot, soldat du Christ, au nom de Dieu ne m'oublie pas mais demande à Galaad, le vrai chevalier que tu vas bientôt retrouver, de prier Notre Seigneur d'avoir pitié de moi dans sa miséricorde ».

Lancelot cependant se réjouissait de savoir qu'il allait bientôt revoir Galaad. Revenu au bord de la nef, il se prosterna contre le sol sur les coudes et les genoux, priant Notre Seigneur de le conduire là où il pourrait accomplir sa volonté.

Lancelot resta ainsi plus d'un mois sans sortir de la nef. Et si vous vous demandez comment il put vivre pendant tout ce temps puisqu'il n'avait trouvé aucune nourriture sur la nef, le conte répond que Celui qui nourrit de sa manne Israël dans le désert et qui fit jaillir l'eau du rocher pour leur donner à boire le soutint si bien que, chaque jour, dès qu'il avait achevé ses prières et demandé à Notre Seigneur de ne pas l'oublier et de lui envoyer son pain comme le père doit le faire pour son fils, il était aussitôt si rassasié et si comblé par la grâce du Saint-Esprit qu'il lui semblait avoir goûté aux meilleures nourritures terrestres.

Après avoir longtemps navigué ainsi sans jamais sortir de la nef, il finit par arriver de nuit à l'orée d'une forêt. Tendant l'oreille, il entendit venir un chevalier qui galopait à grand fracas dans le taillis. Le chevalier, une fois à découvert, aperçut la nef. Il descendit alors de son cheval qu'il laissa partir à l'aventure après l'avoir dessellé puis, tout armé, il monta à bord de la nef en se signant.

Lancelot, en le voyant approcher, ne courut pas prendre ses armes tant il était persuadé que c'était là Galaad, le compagnon que lui avait promis l'ermite.

« Seigneur chevalier, lui dit-il en se levant, soyez le bienvenu ».

Le chevalier, qui se croyait seul à bord, lui répond tout surpris :

« Seigneur, je vous souhaite bonne chance ! Mais, au nom de Dieu, dites-moi qui vous êtes, je serais heureux de l'apprendre ».

Puis lorsque Lancelot lui a dit son nom, il reprend :

« Soyez vraiment le bienvenu car, par Dieu, je désirais par-dessus tout vous voir et vous avoir comme compagnon, ce qui est un désir bien légitime puisque c'est vous qui m'avez engendré ».

Le chevalier enlève alors son heaume qu'il dépose au centre de la nef tandis que Lancelot lui dit :

« Vous êtes donc bien Galaad ?

— Oui, répond-il, c'est bien moi ».

Il lui tend alors les bras et tous deux s'embrassent avec des transports de joie impossibles à décrire puis ils s'interrogent l'un l'autre sur ce qu'ils ont fait et se racontent les aventures qui leur sont arrivées depuis leur départ de la cour.

Ils parlèrent si longuement que le jour apparut avec le lever du soleil. Ils purent alors se voir et se reconnaître, ce qui renouvela leur joie. Puis, lorsque Galaad aperçut la demoiselle qui était étendue dans la nef, il la reconnut immédiatement (il l'avait déjà vue) et demanda à Lancelot s'il savait qui elle était.

« Oui, dit-il, car la lettre qui est à son chevet l'expose clairement. Mais, au nom de Dieu, dites-moi si vous avez mené à bien l'aventure de l'Epée aux étranges attaches.

— Oui seigneur, et si vous n'avez jamais vu cette épée, la voici ».

Sûr que c'est bien elle, Lancelot l'examine longuement avec soin puis, la saisissant par la poignée, en embrasse le pommeau, le fourreau et la lame. Il demanda ensuite à Galaad comment et où il l'avait trouvée. Galaad lui raconta donc l'histoire de la nef que fit jadis construire la femme de Salomon et celle des trois fuseaux. Il lui expliqua comment Eve, la première femme, avait planté le premier arbre et comment ces fuseaux étaient naturellement blanc, vert et rouge. Enfin, lorsqu'il lui eut rapporté toute l'histoire de la nef et le contenu des inscriptions qui s'y trouvaient, Lancelot conclut que jamais aventure si extraordinaire n'était arrivée à un chevalier.

Lancelot et Galaad restèrent près d'une demi-année sur la nef sans jamais cesser de servir leur Créateur de tout leur cœur. A plusieurs reprises, ils abordèrent dans des îles lointaines où ne vivaient que des bêtes sauvages et où ils menèrent à bien des aventures extraordinaires, tant par leur prouesse que par la grâce du Saint-Esprit qui en tous lieux les aidait. Mais le conte du Saint-Graal ne mentionne pas ces aventures car ce serait trop long de raconter par le détail tout ce qui leur arriva.

A Pâques, à l'époque du renouveau, lorsque tout reverdit, que les oiseaux chantent doucement dans les bois leurs chants divers pour fêter le retour de la belle saison et que toute chose est en liesse plus qu'en tout autre temps, ils arrivèrent un jour, à midi, à l'orée d'une forêt devant une croix. Ils virent alors sortir de la forêt un chevalier vêtu d'une armure blanche et chevauchant une magnifique monture. Il menait par la main droite un cheval blanc. Lorsqu'il vit la nef approcher du rivage, il se dirigea vers elle à toute allure, salua les deux chevaliers au nom du Tout-Puissant et dit à Galaad :

« Seigneur chevalier, vous êtes assez longtemps resté avec votre père. Sortez de cette nef, montez sur ce très beau cheval blanc et allez où le destin vous conduira pour chercher et achever les aventures du royaume de Logres ».

A ces mots, Galaad court vers son père et l'embrasse avec

émotion :

« Mon cher seigneur, lui dit-il tout en pleurs, je ne sais si je vous reverrai jamais. Je vous recommande donc à Jésus-Christ afin qu'Il vous garde en son service ».

Tous deux se mirent à pleurer puis, comme Galaad était déjà sorti de la nef et monté à cheval, une voix vint sur eux et leur dit :

« Que chacun de vous s'efforce de bien faire car vous ne vous reverrez jamais avant le grand jour de colère où Notre Seigneur récompensera chacun selon ses mérites, et ce sera au jour du Jugement ».

« Mon fils, dit Lancelot tout en pleurs, puisqu'il me faut te quitter à tout jamais, prie pour moi le Tout-Puissant de ne pas me laisser quitter son service mais de me garder comme son soldat, sur cette terre et au ciel.

— Seigneur, lui répond Galaad, aucune prière n'aura autant de force que la vôtre. Aussi, souvenez-vous de vous-même ».

Sur ce ils se séparent : Galaad entre dans la forêt tandis que le vent frappe avec une grande violence les voiles de la nef qui, bien vite, emporte Lancelot loin du rivage.

Lancelot resta ainsi dans la nef en la seule compagnie du corps de la demoiselle environ un mois, dormant peu, veillant beaucoup, priant et suppliant Notre Seigneur de le conduire là où il puisse voir quelque chose des secrets du Saint-Graal.

Un soir vers minuit, il arriva devant un château fort de belle allure et très solidement bâti. Derrière le château, une porte, qui donnait sur la mer, restait ouverte de nuit comme de jour. Les habitants n'avaient pas besoin de la garder car deux lions étaient là en permanence et, si l'on voulait pénétrer dans l'enceinte, il fallait passer entre eux. Lorsque la nef aborda, la lune brillait d'un tel éclat que l'on pouvait tout bien distinguer. Au même instant, Lancelot entendit une voix qui lui disait :

« Lancelot, sors de la nef et entre dans ce château où tu verras une grande partie de ce que tu cherches et de ce que tu as tant désiré voir ».

A ces mots, Lancelot va saisir ses armes sans rien laisser dans la nef puis, une fois à terre, il s'approche de la porte et aperçoit les deux lions. Persuadé qu'il lui faudra se battre contre eux, il met la main à l'épée, tout prêt à se défendre. Mais à peine a-t-il dégainé que, regardant en l'air, il voit venir une main de feu qui lui frappe si violemment le bras que son épée lui échappe. Puis il entend une voix qui lui dit :

« Ha ! homme de peu de foi et de piètre croyance, pourquoi as-tu plus confiance en ton bras qu'en ton Créateur ? Misérable que tu es, qui n'es pas encore persuadé que Celui que tu sers a plus de pouvoir que toutes tes armes ! »

Lancelot reste si interdit, tant de ces paroles que de la main qui l'a frappé, qu'il tombe à terre tout étourdi, ne sachant plus s'il fait jour ou nuit. Puis, au bout d'un moment, il se remet debout :

« Ha ! doux seigneur Jésus-Christ, dit-il, je Vous rends grâces et Vous adore, Vous qui daignez me reprendre de mes fautes. Je suis donc sûr maintenant que Vous me considérez comme votre soldat puisque Vous me donnez la preuve de mon manque de foi ».

Lancelot ramasse alors son épée et la remet au fourreau, décidé à ne plus l'en ôter,mais à s'en remettre en ce jour à la grâce de Dieu car, dit-il,

« s'Il veut que je meure, du moins aurai-je sauvé mon âme et si j'en réchappe, ce sera pour moi un grand honneur ».

Il se signe donc en se recommandant à Dieu puis marche vers les lions. Ceux-ci, dès qu'ils le voient approcher, s'asseyent sans manifester la moindre hostilité et il passe devant eux sans qu'ils le touchent. Il remonte alors la grande rue du château et parvient jusqu'au donjon. Tous les habitants étaient déjà couchés car il était près de minuit. Il gravit les marches et arrive enfin, toujours armé, dans la grand-salle du château. Une fois là, il regarde de tous côtés mais ne voit personne ; ce qui le surprend beaucoup car un si beau château, de si belles salles ne peuvent pas être inhabitées, lui semble-t-il. Il continue donc d'avancer, pensant bien qu'il finira par trouver des gens qui lui apprendront où il se trouve.

Il arriva finalement devant une pièce dont la porte était soigneusement fermée. Il essaya de l'ouvrir mais n'y parvint pas. Il redoubla d'efforts mais en vain : il ne put entrer. Prêtant l'oreille, il entendit alors une voix qui chantait d'une manière si douce qu'elle semblait plutôt une voix céleste qu'une voix d'ici-bas et qui disait :

« Gloire, louange et honneur à Toi, Père des cieux ! »

Pénétré d'émotion par ces paroles, Lancelot s'agenouilla devant la chambre, pensant bien qu'elle abritait le Saint-Graal.

« Doux Jésus-Christ, dit-il tout en pleurs, si jamais je T'ai été agréable, cher Seigneur, ne me repousse pas dans ta pitié sans me montrer partie de ce que je cherche à voir ».

A peine eut-il fini de prier que, regardant devant lui, il vit la porte de la chambre s'ouvrir et en jaillir une lumière aussi violente que si le soleil s'y trouvait enclos. Aussitôt toute la maison en fut illuminée comme si brûlaient là tous les cierges du monde. Lancelot ressent alors une telle joie, il a un si vif désir de voir d'où vient cette lumière qu'il oublie tout. Il s'approche de la porte, cherchant à pénétrer dans la pièce, lorsqu'une voix lui dit :

« Fuis, Lancelot, n'entre pas car cela t'est interdit et, si tu enfreins cette défense, tu t'en repentiras ! »

Lancelot recule donc malgré sa peine, —il aurait tant désiré entrer—, et se soumet à l'ordre reçu puis il regarde à l'intérieur de la pièce et voit sur une table d'argent le Saint-Vase recouvert d'une étoffe de soie vermeille. Tout autour des anges officiaient, tenant les uns des encensoirs d'argent et des cierges allumés, les autres des croix et des ornements d'autel, tous occupés à quelque tâche. Devant le Saint-Vase était assis un vieillard vêtu comme un prêtre et qui semblait célébrer la messe. Or, comme il élevait le corps du Seigneur, Lancelot vit, lui sembla-t-il, trois hommes au-dessus des mains du vieillard. D'eux d'entre eux remettaient le plus jeune entre les mains du prêtre et lui l'élevait comme pour le montrer au peuple.

Lancelot est extrêmement surpris de ce qu'il voit. Le prêtre lui paraît si chargé par le poids de Celui qu'il soutient qu'il a peur qu'il ne tombe. Il veut donc l'aider puisqu'aucun de ceux qui l'entourent ne semble en avoir l'intention et il éprouve une telle envie d'approcher qu'il oublie la défense qu'on lui a faite.

« Ha ! Jésus-Christ, doux seigneur, dit-il en se dirigeant rapidement vers la porte, que je ne sois ni puni ni damné si je vais aider ce vieillard qui en a grand besoin ! »

Il entre alors dans la pièce et se dirige vers la table d'argent. Mais, comme il s'approche, un souffle de vent si chaud qu'il lui paraît chargé de feu le frappe au visage avec une telle violence qu'il a l'impression d'être tout brûlé. En même temps il lui est impossible d'avancer davantage car il est entièrement paralysé et n'entend et ne voit plus rien. Il sent alors que plusieurs mains se saisissent de lui, le jettent hors de la chambre et l'abandonnent devant la porte.

Le lendemain matin, au lever du jour, les habitants du château, en se levant, découvrirent Lancelot qui gisait devant la porte de la chambre. Très surpris, ils lui demandent de se lever mais il ne paraît pas entendre et ne bouge pas. Pensant donc qu'il est mort, ils prennent soin toutefois de le désarmer rapidement et de l'examiner pour bien s'en assurer. Ils s'aperçoivent alors qu'il est encore bien vivant mais incapable de parler, pareil à une motte de terre. Ils le prennent donc dans leurs bras et l'emmènent dans une chambre du château où ils l'allongent sur un lit somptueux, à l'écart, pour que le bruit ne le dérange pas. Ils s'en occupent de leur mieux, restant avec lui à longueur de journée et l'interrogeant à maintes reprises au cas où il retrouverait l'usage de la parole. Mais il ne leur répond rien, comme s'il avait toujours été muet. Les gens du château lui tâtent le pouls, tout étonnés de voir que ce chevalier est en vie et ne peut leur parler. D'autres ajoutent qu'ils ne savent comment pareille chose est possible à moins que ce ne soit là quelque vengeance ou quelque manifestation de Notre Seigneur.

Ils se relayèrent ainsi auprès de Lancelot durant quatre jours, les uns disant qu'il était mort et les autres qu'il vivait.

« Par Dieu, dit un vieillard qui habitait le château et s'y connaissait en médecine, je vous assure qu'il n'est pas mort mais aussi plein de vie que le plus vigoureux d'entre nous. Je serais donc d'avis que nous le traitions avec soin et sollicitude jusqu'à ce que Notre Seigneur lui ait rendu la santé. Alors nous saurons ce qui lui est arrivé, qui il est et de quel pays. Au reste, il me semble bien, si j'ai quelque expérience en ce domaine, que cet homme a été l'un des meilleurs chevaliers du monde et qu'il le sera encore si Dieu le veut. A mon avis, il n'est pas près de mourir bien qu'il puisse rester longtemps encore dans cet état de langueur ».

Voici donc ce que dit de Lancelot ce vieillard dont l'expérience était grande. Et tout ce qu'il avait dit se révèla exact : ils le gardèrent en effet vingt-quatre jours et vingt-quatre nuits durant lesquels il ne but ni ne mangea et resta sans parler, sans remuer, et sans donner le moindre signe de vie. Pourtant, chaque fois que les gens s'occupaient de lui, ils se rendaient bien compte qu'il était en vie. Aussi tous et toutes le plaignaient-ils amèrement en répétant :

« Hélas ! Dieu ! Quel malheur que Dieu ait ainsi muré en lui-même ce chevalier qui semblait si noble, si preux et qui était si beau ! »

Ainsi disaient-ils en se lamentant sur son sort mais ils avaient beau l'examiner, ils ne pouvaient reconnaître en lui Lancelot. Pourtant, nombre des chevaliers qui étaient là l'avaient si souvent vu qu'ils auraient bien pu le reconnaître !

Lancelot resta ainsi vingt-quatre jours et tous s'attendaient à le voir mourir. Or, le vingt-quatrième jour vers midi il ouvrit les yeux. Lorsqu'il vit les gens autour de lui, il éclata en lamentations :

« Ha ! seigneurs, leur dit-il, pourquoi m'avoir si tôt réveillé ? J'étais pourtant plus heureux alors que je ne le serai jamais ! Ha ! Jésus-Christ mon doux Seigneur, qui pourrait avoir assez de bonheur ou de vertu pour voir en toute clarté la révélation de vos grands mystères, à ce moment où furent aveuglés mon regard chargé de péché et mes yeux tout souillés des ordures de ce monde ? »

Et comme les gens qui l'entouraient, tout heureux de l'entendre ainsi parler, lui demandaient ce qu'il avait vu :

« J'ai vu, leur répondit-il, de telles merveilles, j'ai éprouvé une telle béatitude que ma langue serait incapable de vous les décrire et que mon cœur ne pourrait les imaginer car ce que j'ai vu n'était pas de ce monde mais du monde spirituel. Et si le poids de mes péchés et ma grande infortune ne m'en avaient empêché, j'en aurais vu davantage mais j'ai perdu l'usage de ma vue et de mon corps à cause de la perfidie que Dieu a trouvée en moi ».

Puis il ajouta :

« Chers seigneurs, je me demande bien comment je suis arrivé ici car je n'ai aucun souvenir de ce qui s'est passé ».

Ils lui racontèrent alors tout ce qu'ils avaient vu de lui et comment il était resté vingt-quatre jours avec eux sans qu'ils puissent savoir s'il était mort ou vivant. Lancelot se mit alors à réfléchir, cherchant quel pouvait bien être le sens de ce qui lui était arrivé. Il finit par découvrir qu'il avait servi le Diable pendant vingt-quatre ans, qu'en guise de pénitence donc Notre Seigneur l'avait privé pendant vingt-quatre jours de l'usage de ses membres. Regardant alors autour de lui, il aperçut la haire qu'il avait portée pendant près de six mois et qu'on lui avait enlevée. Ce qui le peina beaucoup car il lui sembla qu'il avait enfreint son vœu. Puis, comme les gens lui demandaient comment il se sentait :

« Très bien, leur dit-il, grâce à Dieu, mais dites-moi, je vous en prie, où je suis.

« Au château de Corbenic », répondirent-ils.

Une demoiselle apporta alors à Lancelot un vêtement de lin tout neuf et tout frais mais lui refusa de le revêtir et reprit sa haire.

« Seigneur, lui dirent alors les gens du château, vous pouvez désormais laisser votre haire : votre quête est terminée. Tous vos efforts pour chercher le Saint-Graal seront vains désormais car, sachez-le, vous n'en verrez pas plus que ce que vous avez vu. Que Dieu nous amène maintenant ici ceux qui doivent en voir davantage ! »

Mais Lancelot, refusant de se laisser convaincre, revêt la haire et passe par-dessus le vêtement de lin puis un autre, d'écarlate, qu'on lui apporte. Lorsqu'il fut habillé, tous les gens du château, très surpris de ce que Dieu avait fait de lui, vinrent le voir et eurent tôt fait de le reconnaître :

« Monseigneur Lancelot, lui dirent-ils, est-ce bien vous ?

— Oui vraiment », leur répondit-il. Alors, aussitôt, la joie et l'allégresse éclatent dans le château et la nouvelle se répand si vite que le roi Pellés l'apprend par un de ses chevaliers.

« Seigneur, lui dit ce dernier, j'ai une nouvelle extraordinaire à vous annoncer.

— Et laquelle ? dit le roi.

— Sur ma foi, le chevalier qui est resté si longtemps comme mort est maintenant guéri et c'est Lancelot du Lac ».

Tout heureux de cette nouvelle, le roi se rend auprès de Lancelot. Le chevalier se lève à son approche et lui souhaite avec joie la bienvenue. Le roi lui apprend alors que sa fille, celle qui avait mis au monde Galaad, est morte. Cette nouvelle affligea fort Lancelot parce que c'était une noble dame et issue d'un si illustre lignage.

Lancelot demeura quatre jours au château à la grande joie du roi qui avait longtemps désiré l'avoir avec lui. Le cinquième jour, lorsqu'ils prirent place pour le dîner, le Saint-Graal avait déjà recouvert les tables de tant de mets que personne n'aurait pu imaginer parelle abondance. Puis il se produisit au cours du repas une extraordinaire aventure : à leur grande stupeur, ils virent nettement les portes de la grand-salle se fermer sans que personne y ait touché. Un chevalier en armes, monté sur un grand cheval, arriva alors devant la grand-porte en criant :

« Ouvrez, ouvrez ! »

Comme les gens du château s'y refusaient, il continua à les importuner de ses cris jusqu'au moment où le roi, se levant de table, vint à l'une des fenêtres de la salle, du côté où se trouvait le chevalier. Voyant qu'il attendait toujours à la porte, il lui dit :

« Seigneur chevalier, vous n'entrerez pas ! Tant que le

Saint-Graal sera ici, personne n'entrera monté sur un aussi grand cheval que le vôtre. Repartez donc dans votre pays car vous ne faites pas partie des compagnons de la Quête mais vous êtes de ceux qui ont abandonné le service de Jésus-Christ pour celui du Diable ».

Ces paroles causent au chevalier une telle détresse et une telle douleur qu'il ne sait que faire. Il tourne bride mais le roi le rappelle :

« Seigneur chevalier, lui dit-il encore, puisque vous êtes venu jusqu'ici, dites-moi, je vous en prie, qui vous êtes.

— Seigneur, je suis du royaume de Logres. Je m'appelle Hector des Mares et je suis le frère de Lancelot du Lac.

— Par Dieu, dit le roi, je vous reconnais bien et je suis plus affligé qu'auparavant par ce qui vous est arrivé, pour l'amour de votre frère qui est ici avec nous ».

En apprenant que son frère est là, son frère qu'il craignait par-dessus tout tant il l'aimait et le respectait, Hector s'écrie :

« Ha ! Dieu, mon humiliation redouble et grandit encore et jamais plus je n'aurai l'audace de me présenter devant lui, moi qui ai échoué là où n'échoueront pas les justes, les fidèles chevaliers. Certes, il m'a bien dit la vérité, l'ermite de la montagne, celui qui nous a expliqué, à Gauvain et à moi, le sens de nos rêves ! »

Hector sort alors de la cour et traverse le bourg aussi vite que le lui permet sa monture tandis que les habitants, en le voyant ainsi s'enfuir, se répandent sur son passage en insultes et en malédictions, le traitant de mauvais chevalier et de lâche. Et il en éprouve une si vive douleur qu'il voudrait bien mourir. Il fuit ainsi jusqu'aux portes du château et se jette au plus épais de la forêt. Le roi Pellés, retournant alors auprès de Lancelot, lui apprend ce qui est arrivé à son frère. Lancelot en est si affligé qu'il ne sait que faire. Il ne peut dissimuler sa peine aux gens du château qui voient les larmes couler sur son visage. Et le roi s'en veut de lui en avoir parlé. Il ne l'aurait pas fait s'il avait pensé causer une telle peine au chevalier.

Après le dîner, Lancelot demanda au roi de lui faire apporter son armure en lui disant qu'il désirait retourner au royaume de Logres qu'il avait quitté depuis plus d'un an.

« Seigneur, lui dit le roi, je vous prie de me pardonner de vous avoir parlé de votre frère.

— Je vous le pardonne bien volontiers », répondit Lancelot. Le roi ordonna alors d'apporter les armes et lorsque

Lancelot fut prêt à partir, il lui fit amener dans la cour un cheval robuste et rapide et l'invita à y monter. Une fois en selle, et après avoir dit au revoir aux gens du château, Lancelot s'en alla et chevaucha par grandes étapes à travers des pays étrangers.

Un soir, il demanda l'hospitalité dans une abbaye de moines blancs qui le reçurent avec empressement parce qu'il était chevalier errant. Au matin, sortant de la chapelle après la messe, il aperçut sur sa droite une très belle tombe, récente, lui sembla-t-il. De près, il la trouva si belle qu'il ne doutât pas que ce ne fût la tombe d'un puissant prince. Puis, regardant au chevet, il découvrit une inscription qui disait :

« Ci-gît le roi Baudemagu de Gorre, qu'a tué Gauvain, le neveu du roi Artus ».

En lisant ces mots, sa douleur fut vive car il aimait beaucoup le roi Baudemagu et si un autre que monseigneur Gauvain l'avait tué, il n'aurait pu échapper à sa vengeance. Il pleure et se lamente tristement, déplorant la perte douloureuse qu'ont ainsi faite et la cour du roi Arthur et beaucoup d'autres bons chevaliers.

Lancelot resta là toute la journée, tout à la douleur et à l'affliction que lui causait la mort de cet homme de bien qui si souvent lui avait témoigné son estime. Le lendemain, une fois armé, il monta à cheval et, recommandant les moines à Dieu, il reprit sa route. Chevauchant au hasard durant de longues journées, il finit par arriver là où se trouvaient les tombes et les épées dressées (93). Passant à cheval à travers le cimetière, il regarda longuement les tombes puis il continua sa route et chevaucha jusqu'à la cour du roi Artus. Dès qu'on apprit son arrivée, la joie fut générale car tous, à la cour, désiraient fort son retour comme celui des autres compagnons. Un petit nombre seulement était déjà revenu qui, à leur grande honte, n'avaient rien accompli durant la Quête. Mais le conte cesse ici de s'occuper d'eux et revient à Galaad, le fils de Lancelot du Lac.

DE CORBENIC A SARRAS

Après avoir quitté Lancelot, Galaad, —ainsi le rapporte le conte—, chevaucha plusieurs jours au hasard, tantôt dans une direction, tantôt dans une autre, puis finit par arriver à l'abbaye où se trouvait le roi Mordrain. Dès qu'il apprit que le roi attendait la venue du Bon Chevalier, il décida d'aller le voir. Le lendemain donc, après la messe, il se rendit auprès de lui.Or, dès que Galaad s'approcha de lui, le roi, qui n'y voyait plus depuis longtemps et qui avait perdu l'usage de ses membres par la volonté de Notre Seigneur, recouvra aussitôt la vue et s'assit sur son lit en disant à Galaad :

« Galaad, soldat de Dieu, toi, le vrai chevalier que j'ai si longtemps attendu, serre-moi contre toi, laisse-moi m'appuyer sur ta poitrine afin que je puisse finir mes jours entre tes bras, toi qui surpasses tous les autres chevaliers par ta pureté et ta virginité comme la fleur de lys, qui signifie la virginité, est plus blanche que toutes les fleurs. Tu es le lys par ta virginité et tu es la rose, couleur de flamme, reine de vertu, car le feu du Saint-Esprit brûle en toi d'une ardeur si vive que ma chair, morte de vieillesse qu'elle était, en est déjà toute rajeunie et régénérée ».

A ces mots, Galaad s'assied au chevet du roi et le serre sur sa poitrine selon son désir. Penché sur le chevalier qu'il entoure et presse dans ses bras, le vieillard s'écrie alors :

« Ha ! Jésus-Christ, doux Seigneur, mon souhait est désormais exaucé ! Je te supplie donc de venir me chercher dans l'état où me voici car je ne pourrais pas finir mes jours en un lieu plus agréable et plus délicieux que celui-ci : cette joie que j'ai si longtemps désirée est pour moi comme un buisson de roses et de lys ».

Et Notre Seigneur accepta sa prière car, à peine la Lui avait-il adressée qu'il rendit son âme à Celui qu'il avait si longuement servi et qu'il mourut entre les mains de Galaad. Lorsque les gens de l'abbaye apprirent sa mort, ils examinèrent le corps et s'aperçurent à leur grand étonnement que ses plaies s'étaient refermées. Ils lui firent un service funèbre digne d'un roi et l'enterrèrent dans l'abbaye.

Galaad resta deux jours avec les moines. Au troisième jour, il reprit sa chevauchée et finit par arriver dans la Forêt Périlleuse où il trouva la source qui bouillait, source dont le conte a parlé plus haut (94). Dès qu'il mit sa main dans l'eau, la chaleur disparut parce que lui-même n'était pas échauffé par la luxure. Les habitants du pays furent remplis d'étonnement lorsqu'ils apprirent que l'eau s'était refroidie et la source perdit alors son nom pour s'appeler la Fontaine Galaad.

Cette aventure achevée, il parvint au hasard de sa chevauchée à la frontière du royaume de Gorre et arriva dans l'abbaye où Lancelot avait jadis trouvé la tombe de Galaad, le roi de Hoselice, le fils de Joseph d'Arimathie, et la tombe de Siméon. Aventure qu'il n'avait pu mener à bien(95). Une fois dans l'abbaye, Galaad se rendit dans le caveau qui se trouvait sous la chapelle et, voyant la tombe qui brûlait d'une manière extraordinaire, il demanda aux moines ce qu'il en était.

« Seigneur, lui dirent-ils, c'est là une très étrange aventure que seul pourra réussir celui qui surpassera par ses mérites et sa prouesse tous les compagnons de la Table Ronde.

— Dites-moi donc, je vous en prie, comment accèder à la tombe.

— Bien volontiers », lui répondent-ils et ils le mènent à la porte du caveau. Il descend les marches et, dès qu'il s'approche de la tombe, voici que cette flamme qui avait si longtemps brûlé s'apaise et que le feu s'éteint par la seule présence de celui qui ignorait toute ardeur mauvaise. Il souleva alors la pierre tombale et vit dessous le cadavre de Siméon. Puis, dès que la chaleur fut apaisée, il entendit une voix qui disait :

« Galaad, Galaad, vous devez louer le Seigneur de vous avoir donné tant de grâces car la sainte vie que vous avez menée vous permet d'arracher les âmes aux souffrances de ce monde pour leur ouvrir la joie du Paradis. Je suis Siméon, votre parent, et j'ai brûlé trois-cent-cinquante-quatre ans dans ces flammes pour avoir jadis péché contre Joseph d'Arimathie. Vu les souffrances que j'ai endurées, j'aurais dû être perdu et damné. Mais la grâce du Saint-Esprit, encore plus puissante en vous que la prouesse guerrière, a eu pitié de moi et cela en vertu de votre grande humilité. Elle a mis terme, — qu'elle en soit louée —!, à mes souffrances ici-bas et m'a donné la joie des cieux par le seul effet de votre venue ».

Les moines qui s'étaient rapprochés dès que la flamme s'était éteinte, entendirent eux aussi la voix et considérèrent cet événement comme un grand miracle. Galaad cependant enleva le cadavre de la tombe où il était si longtemps resté et le déposa au milieu de la chapelle. Les moines l'ensevelirent avec les honneurs dus à un chevalier, — ce que Siméon avait été jadis —, et l'enterrèrent devant le maître-autel. Puis ils revinrent auprès de Galaad qu'ils accueillirent avec tout l'empressement et le zèle possibles, lui demandant qui il était et de quel pays ; ce à quoi il répondit très exactement.

Le lendemain après la messe, Galaad s'en alla en recommandant les moines à Dieu. Il chevaucha ensuite cinq ans tout pleins avant d'arriver à la demeure du Roi Méhaignié. Pendant ces cinq ans Perceval fut toujours à ses côtés où qu'il allât (96). Tous deux, durant ce temps, mirent si bien fin aux aventures du royaume de Logres qu'il n'en survenait plus guère, à moins que ce ne fût quelque éclatante manifestation de Notre Seigneur. Et jamais, en quelque lieu que ce soit et quel qu'ait été le nombre de leurs adversaires, ils ne purent être vaincus ni même inquiétés.

Un jour, au sortir d'une forêt immense et redoutable, ils rencontrèrent au milieu de leur route Bohort qui chevauchait tout seul. Inutile de dire s'ils furent heureux de le retrouver : voici longtemps en effet qu'ils avaient été séparés et qu'ils désiraient se revoir. Ils se saluèrent avec joie, se souhaitant mutuellement bonne chance et succès puis les deux compagnons demandèrent à Bohort ce qui lui était arrivé. Bohort le leur raconta avec exactitude : il y avait bien cinq ans qu'il n'avait pas couché dans un lit ou dans une demeure habitée mais dans des forêts lointaines ou sur des montagnes reculées où il aurait dû plus de cent fois mourir si la grâce du Saint-Esprit ne l'avait secouru et réconforté dans toutes ses épreuves.

« Et avez-vous trouvé, lui demanda Perceval, ce que nous recherchons tous trois ?

— Non certes, mais je suis sûr que nous ne nous

quitterons plus désormais avant d'avoir mené à bien la tâche que nous nous sommes fixée au début de cette Quête.

— Que Dieu nous l'accorde ! répondit Galaad, car je ne sais rien au monde qui puisse autant me réjouir que d'être de nouveau avec vous, comme je l'ai toujours désiré ».

C'est ainsi que le hasard réunit les trois compagnons que le hasard avait séparé. Ils chevauchèrent longtemps puis parvinrent un jour au château de Corbenic. Lorsque le roi les reconnut, la joie dans le château fut immense. Tous les habitants savaient en effet qu'avec la venue des trois compagnons cesseraient les aventures qui depuis si longtemps s'y déroulaient. La nouvelle se répandit aussitôt et tous accoururent pour voir les chevaliers. Quant au roi Pellés, il pleurait d'émotion en revoyant son neveu, et tous ceux qui avaient connu Galaad dans sa petite enfance faisaient de même.

Lorsque les compagnons se furent désarmés, Elyezer, le fils du roi Pellés, apporta devant eux l'épée brisée, celle dont le conte a parlé plus haut et par laquelle Joseph fut blessé à la cuisse (97). Lorsqu'Elyezer l'eut dégainée et eut expliqué comment elle s'était brisée, Bohort la prit en main pour voir s'il pourrait la ressouder, mais en vain. Il la passa alors à Perceval.

« Seigneur, lui dit-il, voyez si vous pourrez accomplir cette aventure.

— Volontiers », répondit Perceval. Il prit donc l'épée et en rapprocha les tronçons mais lui non plus ne parvint pas à les ressouder.

« Seigneur, dit-il à Galaad, nous avons échoué tous deux. A vous d'essayer, et si vous n'y parvenez pas, je ne pense pas que l'épreuve puisse être réussie par un être humain. »

Galaad rapprocha alors les deux tronçons de l'épée qui se soudèrent si parfaitement que personne au monde n'aurait pu voir où la lame avait été brisée et même qu'elle l'avait été.

Devant ce succès, les trois compagnons se réjouirent de cet heureux commencement que Dieu leur accordait et déclarèrent qu'ils étaient sûrs désormais d'achever les autres aventures puisque celle-ci avait été menée à bien. Les gens du château à leur tour manifestèrent une grande joie et remirent l'épée à Bohort, disant qu'elle ne pourrait être donnée à chevalier de plus grand mérite et de plus grande valeur.

A vêpres, le temps changea et s'assombrit. Un vent violent envahit la grand-salle du château, si chaud que la plupart des gens qui se trouvaient là craignirent d'être brûlés et que certains s'évanouirent de peur. En même temps, ils entendirent une voix qui disait :

« Que ceux qui ne doivent pas prendre place à la table de Jésus-Christ s'en aillent car bientôt les vrais chevaliers recevront la nourriture céleste ».

A ces mots, tous quittèrent la salle sauf le roi Pellés, homme de grand mérite et de sainte vie, son fils, Elyezer, et une jeune fille, nièce du roi, qui était la plus sainte, la plus pieuse personne de ce temps. Tous trois restèrent auprès des trois compagnons dans l'attente de ce que Notre Seigneur voudrait bien leur révéler. Peu après entrèrent dans la salle neuf chevaliers tout armés qui, après avoir déposé leurs heaumes et leurs armures, vinrent saluer Galaad.

« Seigneur, lui dirent-ils, nous sommes venus en grande hâte prendre place avec vous à la Table où sera distribuée la sainte nourriture.

— Vous êtes arrivés à temps, leur répondit-il, et nous-mêmes nous ne sommes là que depuis peu ».

Tous s'assirent alors dans la salle et Galaad leur demanda qui ils étaient. Trois d'entre eux dirent qu'ils étaient de Gaule, trois autres d'Irlande et les trois derniers du Danemark.

A ce moment-là, ils virent sortir d'une des pièces du château un lit de bois porté par quatre demoiselles. Sur ce lit, était étendu un vieillard qui portait sur la tête une couronne d'or et qui semblait très malade. Une fois au milieu de la salle, les demoiselles posèrent le lit et se retirèrent. Le vieillard souleva alors la tête et dit à Galaad :

« Seigneur, soyez le bienvenu ! Voici longtemps que je désire vous voir et je vous ai attendu au milieu de telles souffrances et de tels tourments que personne d'autre n'aurait pu les supporter longtemps. Mais, si Dieu le veut, voici venue la fin de mes souffrances car je vais mourir comme il me fut jadis promis ».

Ils entendirent alors une voix qui disait :

« Que ceux qui n'ont pas pris part à la Quête du Saint-Graal s'éloignent d'ici car il ne leur est pas permis de rester ».

Aussitôt se retirèrent le roi Pellés, son fils Elyezer et la jeune fille. Dès qu'eurent quitté la salle tous ceux qui ne se considéraient pas comme quêteurs du Graal, ceux qui étaient restés virent descendre du ciel, à ce qu'il leur sembla, un homme vêtu comme un évêque, la crosse à la main et la mitre sur la tête. Quatre anges qui le portaient sur un trône somptueux l'installèrent près de la Table où était le Saint-Graal. Cet homme semblable à un évêque avait sur le front une inscription où l'on pouvait lire :

« Voici Josèphé, le premier évêque des chrétiens, celui-même que Notre Seigneur a consacré dans la cité de Sarras, dans le Palais spirituel ».

Les chevaliers déchiffrèrent sans difficulté l'inscription mais se demandèrent ce qu'elle pouvait bien signifier puisque le Josèphé dont elle parlait était mort depuis plus de trois cents ans. Mais l'homme, s'adressant à eux, leur dit :

« Ha ! chevaliers de Dieu, soldats de Jésus-Christ, ne vous étonnez pas de me voir ainsi devant vous auprès de ce Saint-Vase. En effet, de même que je l'ai servi durant ma vie terrestre, de même je le sers dans le monde céleste ».

A ces mots, il s'approcha de la table d'argent et se prosterna devant l'autel, coudes et genoux en terre. Un long moment après, prêtant l'oreille, il entendit la porte de la salle s'ouvrir et claquer avec violence. Il regarda dans cette direction ainsi que les chevaliers et tous virent alors s'avancer les anges qui avait apporté Josèphé. Deux d'entre eux portaient deux cierges, le troisième un linge de soie rouge et le quatrième une lance qui saignait si abondamment que les gouttes tombaient dans un coffret que l'ange tenait dans l'autre main. Les deux premiers mirent les cierges sur la table, le troisième déposa le linge (98) près du Saint-Vase tandis que le quatrième tenait la lance toute droite au-dessus pour qu'y soient recueillies les gouttes de sang qui coulaient de la hampe.

Alors Josèphé se leva et écarta un peu la lance du Saint-Vase qu'il recouvrit du linge. Puis il commença, leur sembla-t-il, à célébrer la messe. Au bout d'un moment, il prit dans le Saint-Vase une hostie qui avait l'apparence du pain. Or, comme il l'élevait, descendit du ciel un être semblable à un enfant dont le visage était comme embrasé de feu. L'enfant se fondit dans le pain, si bien que les assistants virent distinctement que le pain avait pris la forme d'un être de chair. Puis, quand Josèphé l'eut un long moment élevé, il le remit dans le Saint-Vase.

Ensuite, lorsque Josèphé eut célébré la messe comme doit le faire le prêtre, il s'approcha de Galaad, l'embrassa et lui demanda d'embrasser à son tour tous ses compagnons.

« Soldats du Christ, leur dit alors Josèphé, vous qui avez enduré tant de souffrances pour voir une partie des mystères du Saint-Graal, prenez place à cette table où vous serez servis, et de la main même de notre Sauveur, de la nourriture la plus sainte, la plus exquise que goutât jamais chevalier. Vous pouvez bien dire maintenant que vos souffrances n'ont pas été vaines car vous recevrez en ce jour la plus haute récompense que reçut jamais chevalier ».

A ces mots, il disparut sans que nul pût savoir ce qu'il était devenu. Ils s'assirent alors à la table, pleins de frayeur et le visage tout baigné de douces larmes. Puis, comme ils contemplaient le Saint-Vase, ils en virent sortir un homme tout nu dont les pieds, les mains et le corps étaient tout sanglants.

« Mes chevaliers, leur dit-il, mes soldats, mes fils pleins de loyauté, vous qui, dès votre vie terrestre, êtes devenus des êtres spirituels, vous qui m'avez tant cherché que je ne peux plus me dérober, il est juste que vous voyiez maintenant partie de mes secrets et de mes mystères. Vous avez tant lutté en effet que vous voilà assis à ma table où jamais chevalier ne mangea depuis l'époque de Joseph d'Arimathie. Tout le reste leur fut accordé, comme il se doit pour de loyaux serviteurs ; je veux dire que les chevaliers d'ici, et bien d'autres encore, ont été rassasiés de la grâce du Saint-Vase, mais jamais ils n'en ont été aussi près que vous aujourd'hui. Recevez donc la sainte nourriture que vous avez si longtemps désirée et pour laquelle vous avez tant souffert ».

Lui-même prit alors le Saint-Vase et s'approcha de Galaad. Galaad aussitôt s'agenouilla et l'homme lui donna son Sauveur qu'il reçut dans l'allégresse, mains jointes. Puis, tous les autres firent de même, dans l'absolue certitude d'avoir reçu dans leur bouche l'hostie semblable au pain. Lorsqu'ils eurent tous goûté la sainte nourriture, si douce, si extraordinaire qu'il leur semblait avoir en eux toutes les douceurs imaginables, Celui qui les avait ainsi rassasiés dit à Galaad :

« Mon fils, toi qui es aussi pur et sans tache que peut l'être une créature ici-bas, sais-tu ce que je tiens dans mes mains ?

— Non seigneur, si vous ne me le dites.

— C'est l'écuelle oú Jésus-Christ mangea l'agneau le jour de Pâques avec ses disciples. C'est l'écuelle qui a servi à leur gré tous ceux que j'ai trouvés à mon service. C'est l'écuelle que nul impie n'a pu voir sans en pâtir, et parce qu'elle agrée ainsi à toutes gens, elle est à juste titre appelée le Saint-Graal (99). Voici donc que tu as vu ce que tu as tant désiré voir mais tu ne l'as pas vu aussi distinctement que tu le verras. Et sais-tu où ? Dans la cité de Sarras, dans le Palais spirituel. Il te faut donc partir d'ici et accompagner ce Saint-Vase qui cette nuit-même quittera le royaume de Logres et où jamais plus on ne le reverra, ni lui ni ses manifestations. Mais sais-tu pourquoi il quitte ce royaume ? Parce qu'il n'y est pas servi et honoré comme il le mérite par ses habitants, eux dont la vie est plus mauvaise et plus mondaine que jamais, et ce, bien qu'ils aient déjà été nourris de sa grâce. Ainsi, comme ils n'ont pas su s'en montrer reconnaissants, je les dépouille de l'honneur que je leur avais accordé. Je veux donc que demain matin tu ailles jusqu'à la mer. Là, tu trouveras la nef où tu as pris l'Epée aux étranges attaches. Pour que tu ne sois pas seul, je veux que tu emmènes avec toi Perceval et Bohort. Toutefois, comme je ne veux pas que tu partes de ce pays sans avoir guéri le Roi Méhaignié, je t'ordonne de prendre du sang de cette lance et de lui en oindre les jambes car c'est là le seul remède capable de le guérir.

— Ha ! Seigneur, dit Galaad, pourquoi ne permettez-vous pas que tous viennent avec moi ?

— Non, il n'en sera pas ainsi, car je veux agir avec eux comme je l'ai fait jadis avec mes apôtres. De même qu'ils mangèrent avec moi le jour de la Cène, de même vous mangez aujourd'hui avec moi à la table du Saint-Graal. Vous êtes douze, comme ils le furent. Et moi je suis le treizième, moi qui dois être votre seigneur et votre pasteur. De même que je les ai dispersés pour les envoyer prêcher la vraie foi dans tout l'univers, de même je vous envoie dans des régions différentes, et vous mourrez tous en accomplissant cette tâche sauf l'un d'entre vous ».

Il leur donna alors sa bénédiction puis disparut sans qu'ils puissent savoir ce qu'Il était devenu sinon qu'ils Le virent monter vers le ciel.

Galaad, s'approchant alors de la lance qui était posée sur la table, prit un peu de sang puis en oignit les jambes du Roi Méhaignié à l'endroit où il avait été blessé. Aussitôt le roi s'habilla et se leva de son lit, en parfaite santé, rendant grâces à Notre Seigneur de l'avoir si rapidement guéri. Il vécut encore longtemps, mais loin du siècle, car il se retira dans une abbaye de moines blancs. Notre Seigneur, par amour pour lui, y fit de nombreux miracles mais le conte ne les relate pas ici car ce n'est pas absolument nécessaire.

Vers minuit, comme ils avaient longuement prié Notre Seigneur de bien vouloir les guider, où qu'ils aillent, pour le salut de leurs âmes, une voix descendit parmi eux qui leur dit :

« Mes fils et non mes ennemis, mes soldats et non mes adversaires, partez d'ici et allez là où vous croirez agir pour le mieux et où votre destin vous conduira ».

Tous répondirent alors d'un même élan :

« Père des cieux, sois béni, Toi qui veux bien nous considérer comme tes fils et tes amis. Nous savons bien maintenant que nos peines n'ont pas été vaines ! »

Au sortir de la salle, ils trouvèrent dans la cour armes et chevaux. Ils s'équipèrent donc et montèrent aussitôt puis partirent du château non sans s'être mutuellement demandés d'où ils étaient. Ils découvrirent alors que, parmi les chevaliers qui venaient de Gaule, il y avait Claudin, le fils du roi Claudas, et que les autres, d'où qu'ils fussent, étaient de haute naissance et de noble famille. Au moment de se séparer, ils s'embrassèrent comme des frères et dirent à Galaad en pleurant d'émotion :

« Seigneur, sachez-le, nous n'avons jamais éprouvé plus grande joie que lorsque nous avons appris que nous serions vos compagnons et notre douleur est extrême de devoir si rapidement vous quitter. Mais nous comprenons bien que c'est là la volonté de Notre Seigneur et qu'il nous faut donc nous séparer sans montrer notre peine.

— Chers seigneurs, répondit Galaad, moi aussi j'aimerais rester en votre compagnie mais vous voyez bien qu'il faut tous nous séparer. Je vous recommande donc à Dieu et vous prie, si vous allez à la cour du roi Artus, de saluer de ma part monseigneur Lancelot mon père ainsi que les chevaliers de la Table Ronde ».

Et ils l'assurèrent que, s'ils allaient dans cette direction, ils n'y manqueraient pas.

Ils se quittèrent alors. Galaad s'en alla avec ses deux compagnons et tous trois, en moins de quatre jours de chevauchée, arrivèrent à la mer. Ils auraient pu y arriver plus tôt mais, faute de bien connaître leur route, ils n'avaient pas pris le chemin le plus court.

Arrivés au bord de la mer, ils virent sur le rivage la nef où ils avaient trouvé l'Epée aux étranges attaches et lurent l'inscription qui interdisait à quiconque d'y entrer si sa croyance en Notre Seigneur n'était pas parfaite. S'approchant du bord et regardant à l'intérieur, ils aperçurent au milieu du lit la table d'argent qu'ils avaient laissée chez le Roi Méhaignié et, dessus, le Saint-Graal recouvert d'une sorte de voile de soie rouge. Les trois compagnons se montrèrent les uns aux autres cette étonnante apparition, tout heureux de voir que ce Vase qu'ils aimaient et désiraient par-dessus tout resterait avec eux jusqu'au terme de leur voyage. Après s'être signés et recommandés à Dieu, ils montèrent à bord et aussitôt le vent, jusqu'alors très faible, gonfla les voiles avec une telle force que la nef s'éloigna de la rive et gagna le large. Elle fila bientôt à vive allure, poussée par un vent de plus en plus violent.

Ils voguèrent longuement sur la mer sans savoir où Dieu les menait. Chaque fois que Galaad se couchait ou se levait, il priait Notre Seigneur de lui accorder de quitter ce monde au moment où il le Lui demanderait. Il répéta si souvent sa prière, matin et soir, que la voix divine lui dit :

« N'aies crainte, Galaad ! Notre Seigneur exaucera ta prière : dès que tu demanderas la mort du corps, tu l'auras et tu recevras la vie de l'âme et la joie éternelle ».

Perceval entendit la requête que formulait si souvent Galaad. Très surpris, il lui demanda, au nom de l'amitié et de la confiance qui devaient régner entre eux, de lui en dire la raison.

« Voici, répondit Galaad. Quand nous avons vu il y a quelque temps les mystères du Saint-Graal, ceux du moins que Dieu dans sa miséricorde a bien voulu nous révéler, en ce moment où j'ai vu les secrets qui ne sont dévoilés qu'aux ministres de Jésus-Christ, en ce moment où j'ai vu ce que le cœur humain ne pourrait concevoir et ce que les mots humains ne pourraient décrire, j'ai ressenti en mon cœur une telle douceur, une joie telle que si, à ce moment-là, j'avais quitté ce monde, personne, je le sais, n'aurait pu mourir dans une telle béatitude. J'avais devant moi un si grand nombre d'anges, une telle abondance de choses spirituelles que je croyais déjà appartenir au monde céleste et partager la joie des glorieux martyrs et des amis de Notre Seigneur. Et c'est parce que je pense qu'il me sera une nouvelle fois donné de connaître pareille béatitude, ou mieux encore, que j'adresse cette prière à Notre Seigneur. Je pense ainsi quitter ce monde, si Dieu le veut, en contemplant les mystères du Saint-Graal ».

C'est ainsi que Galaad révéla à Perceval l'approche de sa mort comme le lui avait appris la voix divine. Et c'est ainsi, comme je vous l'ai expliqué, que les habitants du royaume de Logres perdirent par leur péché le Saint-Graal qui si souvent les avait nourris et rassasiés. De même que Notre Seigneur l'avait jadis envoyé à Galaad (100), à Joseph et à leurs descendants pour récompenser leurs mérites, de même il en dépouilla leurs mauvais héritiers à cause de la méchanceté et de la bassesse d'âme qu'il avait trouvées en eux. Ainsi est-il manifeste que les héritiers indignes perdirent par leur péché ce que leurs nobles ancêtres avaient conservé par leurs mérites.

Les compagnons naviguaient depuis longtemps sur la mer lorsqu'ils dirent un jour à Galaad :

« Seigneur, vous ne vous êtes jamais couché sur ce lit qui, d'après la lettre (101), fut préparé pour vous. Or vous devez le faire car elle dit que vous vous y reposerez.

— Bien volontiers », répondit-il. Il s'y coucha donc et dormit longuement. A son réveil, il regarda devant lui et vit la cité de Sarras. Une voix descendit alors sur eux qui leur dit :

« Chevaliers de Jésus-Christ, sortez de cette nef ! Prenez à vous trois la table d'argent, portez-la dans la cité telle qu'elle est garnie mais ne la posez pas à terre avant d'être arrivés au Palais spirituel, là où Notre Seigneur consacra Josèphé, le premier évêque. »

Or, lorsqu'ils voulurent enlever la table, ils virent approcher au large la nef où ils avaient autrefois déposé la sœur de Perceval.

« Par Dieu, dirent- ils alors, cette demoiselle a bien tenu sa promesse, elle qui nous a suivis jusqu'ici ! ».

Ils sortirent alors la table d'argent de la nef, Perceval et Bohort la tenant par-devant et Galaad par-derrière, et tous trois se dirigèrent vers la cité. Mais, arrivé près de la porte, Galaad commença à fléchir sous le poids assez considérable de la table. Il aperçut alors un mendiant avec ses béquilles qui se tenait au pied de la porte pour demander l'aumône aux passants. Ceux-ci la lui faisaient volontiers pour l'amour de Dieu.

« Brave homme, lui dit Galaad, viens ici et aide-moi à porter cette table jusqu'à ce château.

— Ha ! seigneur, que dites-vous, au nom de Dieu ? Voici bientôt dix ans que je ne peux marcher sans aide !

— Ne t'inquiète pas, répondit Galaad mais lève-toi sans crainte car tu es guéri ».

Aussitôt l'homme essaya de se lever et, ce faisant, il se sentit aussi vigoureux que s'il n'avait jamais été malade. Il se précipita donc pour porter la table avec Galaad puis, une fois entré dans la cité, il annonça à tous le miracle que Dieu avait fait pour lui.

Arrivés dans la grand-salle du château, les compagnons virent le trône que Notre Seigneur avait jadis préparé pour

Josèphé. Aussitôt les gens du château accoururent, tout étonnés, pour voir le malade qui venait d'être guéri. Après avoir accompli ce que Dieu leur avait ordonné, les compagnons revinrent à la nef où était la sœur de Perceval. Ils l'emportèrent sur son lit jusqu'au château où ils l'enterrèrent avec les honneurs dus à une fille de roi.

Quand le roi Escorant, le roi de la cité, vit les trois compagnons, il leur demanda qui ils étaient et quel était cet objet qu'ils avaient apporté sur cette table d'argent. Eux répondirent à toutes ses questions, lui révélant ce qu'était le Graal et le pouvoir que Dieu lui avait conféré. Mais cet homme, issu de la maudite race des païens, était plein de perfidie et de cruauté. Ils ne crut pas ce qu'ils lui disaient mais les traita de scélérats et d'imposteurs. Puis, lorsqu'ils furent désarmés, il les fit saisir par ses hommes et jeter en prison. Ils y restèrent un an entier mais, dès qu'ils furent emprisonnés,Notre Seigneur, qui ne les avait pas oubliés, leur envoya le Saint-Graal qui les rassasia de sa grâce tant qu'ils restèrent enfermés.

Un an se passa ainsi. Un jour, Galaad se plaignit à Notre Seigneur en lui disant :

« Seigneur, je suis assez longtemps resté en ce monde, me semble-t-il. Si telle est votre volonté, faites m'en bientôt partir ».

Or, ce jour-là, le roi Escorant était couché à l'agonie. Il fit venir les compagnons devant lui et leur demanda pardon de les avoir ainsi injustement maltraités. Ils lui pardonnèrent de bon cœur et il mourut aussitôt.

Quand il fut enterré, les gens de la cité furent tout désemparés car ils ne savaient qui choisir comme roi. Tandis qu'ils délibéraient, —et cette délibération fut longue—, ils entendirent une voix qui leur dit :

« Choisissez le plus jeune des trois chevaliers. Il saura vous protéger et vous guider tant qu'il sera parmi vous ».

Obéissant aux ordres de la voix, ils remirent le pouvoir à Galaad, —qu'il le voulût ou non—, et le couronnèrent. Ce qui lui déplut beaucoup mais il finit par accepter lorsqu'il vit qu'il lui fallait céder. Sinon, les gens de la cité l'auraient tué.

Une fois maître du royaume, Galaad fit élever sur la table d'argent une arche d'or et de pierres précieuses qui recouvrait le Saint-Vase. Tous les matins à son réveil il venait avec ses compagnons devant le Saint-Graal et là,ils disaient tous leurs prières.

Au bout d'un an, le jour même où il avait été couronné,

Galaad se leva de bonne heure ainsi que ses compagnons. Arrivés au palais, celui que l'on appelait le Palais spirituel, ils virent devant le Saint-Vase un homme de grande beauté, vêtu comme un évêque, qui, agenouillé devant la table, battait sa coulpe. Il y avait autour de lui autant d'anges que si c'était Jésus-Christ lui-même. Il resta longtemps à genoux puis, se levant, il commença l'office de la glorieuse Mère de Dieu. Enfin, au moment de la secrète, après avoir enlevé la patène qui recouvrait le Saint-Vase, il appela Galaad et lui dit :

« Approche, soldat du Christ, et tu verras ce que tu as tellement désiré voir ».

Alors Galaad s'avança et regarda à l'intérieur du Saint-Vase. Mais dès que son corps mortel commença à contempler les mystères célestes, il se mit à trembler de tous ses membres. Tendant alors les mains vers le ciel, il s'écria :

« Seigneur, je T'adore et Te rends grâces d'avoir exaucé mon désir car je vois maintenant distinctement ce que l'esprit ne peut concevoir ni la langue décrire. Je vois là l'origine des hautes entreprises, la source des prouesses. Je vois là les mystères qui surpassent tous les autres ! Et puisqu'il est ainsi, mon doux Seigneur, que Vous avez exaucé tous mes souhaits, que Vous m'avez laissé voir ce que j'ai toujours désiré voir, acceptez, je Vous en supplie, qu'en cet instant même et dans l'état de béatitude où je suis, je passe du monde d'ici-bas au monde céleste ».

Dès que Galaad eut achevé sa prière à Notre Seigneur, l'homme habillé comme un évêque qui se trouvait devant l'autel prit le corps du Christ et le lui présenta. Galaad le reçut avec une grande dévotion et une grande humilité. Puis, lorsqu'il eut communié, l'homme lui dit :

« Sais-tu qui je suis ?

— Non seigneur, si vous ne me le dites.

— Apprends donc que je suis Josèphé, le fils de Joseph d'Arimathie, et que Notre Seigneur m'a envoyé pour être ton compagnon. Pourquoi moi plutôt qu'un autre ? Parce que tu m'as ressemblé sur deux points : tu as vu, tout comme moi, les secrets du Saint-Graal et tout comme moi, tu es resté vierge. Il est donc juste que nous soyons réunis par cette vertu ».

Il se tut, Galaad vint embrasser Perceval puis Bohort à qui il dit :

« Bohort, saluez de ma part monseigneur Lancelot mon père dès que vous le verrez ».

Puis, revenant vers la table, il se prosterna, coudes et genoux en terre, mais bientôt il tomba, la face sur le sol de la salle, car son âme avait déjà quitté son corps. Les anges l'emportèrent en manifestant leur joie et en louant le Seigneur.

Dès que Galaad fut mort, il se produisit une chose extraordinaire : les deux compagnons virent en effet très distinctement une main descendre du ciel (mais ils ne virent pas le corps auquel elle appartenait). Elle alla droit vers le Saint-Vase et le prit, ainsi que la lance, puis l'emporta dans le ciel et personne, depuis lors, n'a eu assez d'audace pour prétendre avoir vu le Saint-Graal.

La mort de Galaad causa une immense douleur à Perceval et à Bohort. S'ils n'avaient été de si haute vertu et d'une si parfaite sainteté, ils auraient pu succomber au désespoir tant ils l'aimaient. Les gens du pays en éprouvèrent également beaucoup de douleur et d'affliction. Galaad fut enterré là où il était mort. Dès qu'il fut en terre, Perceval se rendit dans un ermitage qui était près de la cité et prit l'habit de religion. Bohort l'accompagna, mais sans quitter l'habit laïc parce qu'il désirait retourner à la cour du roi Artus. Perceval vécut dans l'ermitage un an et trois jours puis mourut. Bohort le fit alors enterrer dans le Palais spirituel auprès de sa sœur et de Galaad.

Lorsque Bohort se vit tout seul dans ces terres si lointaines du royaume de Babylone, il quitta tout armé la cité de Sarras et monta dans une nef. Il atteignit en peu de temps le royaume de Logres et chevaucha jusqu'à Camaaloth où se trouvait le roi Artus. Jamais personne ne reçut accueil aussi enthousiaste car tous, à la cour, croyaient bien qu'ils l'avaient à tout jamais perdu tant il était resté longtemps loin du royaume.

Après le dîner, le roi fit venir les clercs qui mettaient par écrit les aventures des chevaliers de sa maison. Lorsque Bohort eut raconté les aventures du Saint-Graal telles qu'il les avait vues, elles furent mises par écrit et déposées dans la bibliothèque de Salisbury (102). C'est là que maître Gautier Map les recueillit pour écrire son livre du Saint-Graal pour l'amour du roi Henri son seigneur, et le roi fit ensuite traduire l'histoire de latin en français.

Le conte ici se tait, qui n'a plus rien à ajouter aux *Aventures du Saint-Graal.*

NOTES

Les notes ont été établies à partir des ouvrages cités p. 15. Ont été également utilisés :

— l'édition du *Lancelot en prose* d'H.O. Sommer *(The Vulgate Version of the Arthurian Romances*, 7 vol. Washington, 1908-1916).

— les tomes 1, 2, et 3 de l'édition A. Micha du *Lancelot*, Genève, Droz, 1978, 1979.

— les études d'A. Micha sur la littérature du Graal dans *De la Chanson de geste au roman*, Genève, Droz, 1976 et d'Y. Le Hir, *L'élément biblique dans la « Queste del Saint-Graal »* dans *Lumière du Graal*, Cahiers du Sud, 1951.

— la *Traduction Oecuménique de la Bible, Ancien Testament* et *Nouveau Testament*, Editions du Cerf, Paris 1977.

— *An Index of proper names in French Arthurian prose Romances* de G.D. West, Toronto, 1978.

— les glossaires et index de la *Première Continuation du Conte du Graal* par L. Foulet, Philadelphie, 1961, de la traduction du *Chevalier de la Charrette* par J. Frappier, Paris, Champion, 1969, de l'édition F. Lecoy du *Conte du Graal*, Paris, Champion, 1975.

1. Le terme de *demoiselle* désigne une jeune fille ou jeune femme non mariée qui remplit très souvent dans le roman arthurien une fonction de messagère ou d'initiatrice à l'aventure.

2. Dans le *Lancelot*, (Sommer III, 125) lorsque Guenièvre voit pour la première fois Lancelot, elle prie Dieu de faire de lui un chevalier de grande valeur puisqu'Il lui a accordé une très grande beauté. Le lien est, ici et là, posé comme nécessaire entre la beauté physique et les vertus chevaleresques.

3. Allusion à l'usage d'apporter de l'eau aux convives pour qu'ils se lavent les mains. On « corne l'eau » pour annoncer que le repas est prêt.

4. Artus prend donc place à la table d'honneur, distincte dans le texte de la Table Ronde où s'asseyent les compagnons qui seuls participeront, au nombre de cent cinquante, à la Quête.

5. La généalogie de Galaad dans la *Quête* reste assez trouble. Galaad a comme ascendants directs Lancelot et la fille du Riche Roi Pêcheur. Le Riche Roi Pêcheur peut être identique au roi Pellés, maître de Corbenic et gardien du Graal mais, en d'autres endroits du texte (p.229), Galaad est présenté comme petit-fils du Roi Pêcheur et neveu de Pellés. Roi Pêcheur et roi Pellés sont alors deux personnes distinctes... Dans tous les cas cependant la relation de Galaad avec la lignée des gardiens du Graal est assurée. D'autre part, Galaad est issu de David et de Joseph d'Arimathie. Généalogie déjà proposée dans le *Lancelot* pour Lancelot lui-même. Elaine, mère de Lancelot, descend en effet, ainsi l'affirme l'auteur (Sommer III p.13) du roi David. Ascendance confirmée dans la *Quête* par la voix divine (p.198). Reste la relation avec Joseph. Lancelot descend de Nascien qui n'a

d'autre lien que d'amitié avec Joseph. En revanche, les Rois Pêcheurs descendent de Bron, le beau-frère de Joseph.

6. De même dans le *Merlin* (Sommer II, 81 et ss.) l'aventure de l'épée fichée dans l'enclume institue Artus comme successeur d'Uterpendragon et maître du royaume de Logres. Voir également A. Micha, *L'épreuve de l'épée* dans *De la Chanson de geste au roman*, Genève, Droz, 1976, notamment pp.437-439.

7. Passage inspiré par le récit de la venue du Saint-Esprit le jour de la Pentecôte dans les *Actes des Apôtres* (2, 1-3) comme le signale E. Gilson dans *La Mystique de la grâce dans la Queste del Saint-Graal, Romania*, 1925, 321-337, et comme le confirme la tante de Perceval, p.83.

8. Allusion à la visite de Gauvain lui-même à Corbenic (*Lancelot*, éd. Micha II, 377) ou à celle de Lancelot (Sommer V, 108). Dans les deux passages l'insistance est mise, comme dans la *Quête* et pratiquement dans les mêmes termes, sur le pouvoir nourricier du Graal et sur les odeurs suaves qui en émanent.

9. L'expression « moines blancs » désigne dans le texte, comme l'a mis en évidence A. Pauphilet, *Etudes* pp.53 et ss. les moines de l'ordre de Cîteaux.

10. Yvain l'Avoutre (le bâtard), tué ultérieurement par Gauvain, est le demi-frère d'Yvain, fils légitime du roi Urien.

11. Josèphé, sans doute une création de l'auteur de la *Quête*, est le fils et le double de Joseph d'Arimathie. Chevalier, évêque et vierge —Joseph ne pouvait revendiquer cette dernière vertu— il est aussi et surtout, comme le suggère déjà F. Lot, *Etude*..p.205 et comme l'indique le texte (p.245) une préfiguration de Galaad.

12. Le texte évangélique le plus proche est sans doute celui de Matthieu 26, 32 : « Mon âme est triste à en mourir » qui évoque lui-même le psaume 42, 6 mais la glose proposée par l'auteur de la *Quête* est curieuse.

13. La légende selon laquelle Vespasien, guéri de la lèpre par la sainte Véronique, aurait vengé la mort du Christ sur le peuple juif apparaît antérieurement en français dans le *Joseph* de Robert de Boron, éd. Nitze, *C.F.M.A.* Champion, 1927 vv.2257-2356.

14. Le terme de « vavasseur », qui n'a pas d'équivalent en français moderne désigne des personnages de petite noblesse, vivant modestement sur leurs terres et qui sont généralement très accueillants pour les chevaliers errants dans le roman arthurien.

15. Je traduis ainsi l'expression *chevalier aventureus* qui désigne, semble-t-il, ici et p.63 les chevaliers qui participent à la Quête, c'est-à-dire les chevaliers qui recherchent et affrontent avec des fortunes diverses les *Aventures du Graal*. Tel est au reste le titre donné au texte dans l'explicit du ms. de base reproduit par Pauphilet comme de la plupart des mss. de la *Quête*.

16. La Saverne est généralement identifiée comme le fleuve Severn qui se jette, près de Cardiff, dans le canal de Bristol.

17. Le terme d'« histoire » —dans le texte *estoire*— semble bien désigner, ici et ailleurs, la source écrite du récit. Soit le corpus d'aventures consigné, selon la fiction développée par l'auteur, par les grands clercs de la cour d'Artus (cf. infra p.246) sous la dictée de Bohort et des autres participants de la Quête et enfermé aussitôt dans la bibliothèque de Salisbury (Salesbieres). Dans un second

temps, ces récits sont traduits et mis en forme (en livre ?) par Gautier Map, présenté comme l'auteur de la *Quête*. Quant au conte, il est l'instance énonciative de cet énoncé. Ainsi est constituée une tradition écrite qui relie sans discontinuité l'événement —les aventures— et leur relation, le texte de la *Quête* et permet donc d'en garantir l'authenticité, la véracité.

18. Sur cette aventure, qui reprend un motif utilisé par Chrétien de Troyes dans *Yvain*, le Château de Pesme Aventure, et sur son interprétation, voir l'article de L. Cornet, « Trois épisodes de la *Queste del Graal* » dans *Mélanges R. Lejeune*, II pp.983-998, où sont successivement examinés l'épisode du Château des Pucelles, du Château Carcelois et du Château de la lépreuse.

19. Agloval est le seul frère de Perceval désigné nominalement dans le *Lancelot*. Sur les frères de Perceval voir infra n. 31.

20. La « Forêt Gaste », inculte, stérile, appellation reprise au *Conte du Graal* où il désigne le domaine de la mère de Perceval, *li filz a la veve dame/de la Gaste Forest soutainne*, est le lieu géographique essentiel de la *Quête* jusqu'au départ des compagnons pour la navigation mystique. L'appellation très proche de « Terre Gaste » désigne dans la *Quête* l'ancien royaume de la tante de Perceval qui s'est exilée dans la Forêt Gaste après la mort de son mari pour fuir le roi Libran. Mais Terre Gaste est aussi le nom donné au royaume de Logres après le Coup Douloureux. Coup assené par le roi Varlan à son ennemi le roi Lambar, père du Roi Méhaignié, appelé aussi Parlan ou Pellehan (cf.infra p.184 et n. 76). Or Pellehan n'est autre, dans la *Quête*, que le père de Perceval (cf.infra p.182). Il est également dans le *Lancelot* le père de Pellés, le grand-père donc de Galaad... Ce qui justifie la remarque de la recluse (p.85) selon laquelle Pellés est le parent de Perceval.

21. Sur l'itinéraire spirituel de Lancelot, les étapes de son cheminement de la Forêt Gaste à Corbenic, on lira l'article de F. Whitehead, *Lancelot's Redemption*, dans *Mélanges Delbouille*, II, pp.729-739.

22. Allusion à la visite de Lancelot à Corbenic (Sommer, V, 105-108). Cet épisode précède immédiatement, dans le *Lancelot*, la conception de Galaad.

23. J'ai conservé telle quelle cette expression, qui désigne fréquemment dans le texte les ornements sacerdotaux, dans la mesure où elle marque la relation d'identité qu'établit l'auteur entre le « service » du prêtre et celui du chevalier. Deux fonctions qu'il confond d'ailleurs dans la personne de Josèphé, le chevalier officiant (premier évêque) de la liturgie du Graal.

24. J'ai conservé, ici et ailleurs, le terme de « prêter » qui signifie les dons provisoires, le crédit que Dieu accorde à l'homme à sa naissance avec l'espoir que celui-ci saura les faire fructifier comme l'enseigne la parabole des trois talents.

25. *Matthieu*, 25, 19-30 mais la parabole se retrouve aussi dans *Luc* 19,12-27. Tout le passage est étudié par A. Pauphilet, *Etudes*, pp.184-186.

26. Echo, peut-être, comme le signale Y. Le Hir *(art.cit*.p.108) de *Luc* 3, 16 (« Lui, il vous baptisera dans l'Esprit saint et le feu ») et de l'hymne *Veni Creator*. Mais on pourrait également rapprocher l'*Epitre aux Hébreux* 1, 7 : il fait de ses serviteurs une flamme de feu ».

27. Sur la doctrine de la confession et le contritionnisme de la *Quête* on consultera, outre Pauphilet, *Etudes* p. 77 et ss. J. Ch. Payen, *Le motif du repentir dans la littérature française médiévale*, Genève, Droz, 1967, pp. 446 et ss. et la bibliographie afférente.

28. *Jean* 14, 6.

29. La comparaison avec la tour est inspirée de *Luc* 6, 49, celle avec la semence vient plus directement de *Matthieu* 13, 3.

30. L'entrée du Christ à Jérusalem le jour des Rameaux, de Pâque fleurie, est rapportée par les quatre Evangélistes mais, pour la parabole du figuier, l'auteur s'inspire de *Matthieu* 21, 18-19 et de *Marc* 11, 12. Le « doux chant » est l'Hosanna (cf. *Marc* 11, 9).

31. Dans le *Lancelot*, (Sommer V, 383) la mère de Perceval déclare que Perceval est avec Agloval le seul survivant de « tous les autres enfans que j'ai eus » mais sans préciser les circonstances de leur mort. Le motif de la mort par démesure n'est pas non plus explicité dans le *Conte du Graal*, éd. F. Lecoy, vv. 457-478.

32. La tante de Perceval, la reine de la Terre Gaste, qui n'apparaît ni dans le *Lancelot* ni dans le *Conte du Graal* n'est guère qu'un double de la mère/de l'ermite du *Conte du Graal*. Son double statut de tante/de recluse lui permet de dispenser au jeune homme, en lieu et place de la mère, un enseignement plus conforme au nouvel idéal chevaleresque, de lui communiquer aussi sa connaissance du passé, des « concordances » qu'établissent les trois tables, les trois sièges et leurs trois occupants entre le temps de la Passion, le temps de Joseph/Josèphé, le temps arthurien.

33. Tout cet épisode est raconté dans le *Lancelot*, (Sommer V, 383 et ss).

34. On consultera sur l'ensemble de ce passage l'article d'A. Micha, *La table ronde chez Robert de Boron et dans la « Queste del Saint-Graal »* dans *De la chanson de geste au roman*, Droz, Genève, 1976 pp. 183-200.

35. *Psaume* 133, 1.

36. Le miracle des pains est directement inspiré des Evangiles. Pour le détail des emprunts, cf. A. Micha, *art. cit.* n. 30, p. 194.

37. L'épreuve du Siège Redouté, homologue, à la table du Graal, du Siège Périlleux de la Table Ronde, motif maintes fois repris dans le roman arthurien en prose, apparaît pour la première fois dans le *Joseph* de Robert de Boron (châtiment de Moyse, vv. 2527-2530 de l'éd. Nitze). Moyse toutefois n'a pas cherché dans le *Joseph* à prendre la place de Joseph mais à occuper la place vide, celle de Judas, qui lui est contiguë.

38. Cette prédiction du prophète, reprise en écho p. 113 renvoie globalement au passage du *Merlin* qui relate l'institution de la Table Ronde (Sommer II 55-56) mais dans le détail comme dans l'inspiration le texte du *Merlin* et celui de la *Quête* sont très différents.

39. La lance, qui n'a pas été mentionnée dans le serment initial des quêteurs, ne réapparaîtra qu'à la fin du texte, lors de la liturgie du Graal et de la guérison du Roi Méhaignié. Dans la *Quête*, les « coups douloureux » sont en effet liés à l'Epée aux attaches étranges, même si, parfois, la blessure est infligée par une lance pour avoir osé dégainer l'épée (p.188) ou par une épée qui est lancée (p.187) ! La lance qui saigne est, elle, une lance « guérisseuse ».

40. Cette formulation inspirée de saint Paul : « Cet homme fut enlevé jusqu'au paradis et entendit des paroles inexprimables qu'il n'est pas permis à l'homme de redire » (II. *Corinthiens*, 12, 4) revient en leit-motiv à chaque vision du Graal. Inconcevables donc indicibles, les secrets du saint Vase ne relèvent que de la vision extatique et, jusqu'au terme du récit, la description est défaillante.

41. Les prophéties de Siméon sont rapportées par *Luc* 2, 29-32 mais le texte de la prophétie du vieillard est inspiré du *Livre d'Esaïe* et non des *Psaumes* de David.

42. Sur le motif du combat pour le lion contre le serpent et du lion reconnaissant, voir J. Frappier, *Etude sur Yvain ou le Chevalier au lion*, Paris, SEDES 1969, pp. 108-109. Rappelons avec V. H. Debidour (*Le Bestiaire sculpté du Moyen Age en France* Arthaud 1961, p. 314) que « le Moyen Age appelle communément serpents tous les dragons bipèdes auxquels il donne généralement des ailes... Dragon et serpent sont donc un seul et même animal essentiellement démoniaque ».

43. Ce curieux passage est commenté par F. Lot, *Etude*, p. 128 n. 3.

44. *Matthieu* 18, 10-14 et *Luc* 15, 17.

45. L'histoire d'Enoch et d'Elie, enlevés vivants au ciel est rapportée dans la *Genèse*, 5, 24 et le *Deuxième Livre des Rois*, 2, 1-14. Dans l'*Epitre aux Hébreux*, saint Paul fait également allusion à Enoch qui « pour avoir échappé à la mort » fut considéré comme le révélateur des secrets divins (*T.O.B.* note au verset 11, 5, p. 690). L'Evangile apocryphe de Nicodème qui rapporte l'enlèvement d'Enoch et d'Elie fait, comme la *Quête*, allusion au combat qu'ils livreront contre l'Antéchrist : « Le criator ci nos tendra/Jusque tant qu'Antecrist vendra : /O lui nos convendra combatre/Mes nel porron par nos abatre : / D'ambes nos dous se defendra/Et martirs a Deu nos rendra ». (*Evangile de Nicodème*, version B, vv. 1769-1774, éd. G. Paris, *SATF*).

46. *Matthieu* 7, 7 et *Luc* 11, 9-13.

47. « Braies » désigne un vêtement de dessous, un caleçon.

48. Allusion sans doute à l'épisode de Brumant, brûlé par une flamme venue du ciel pour avoir voulu s'asseoir sur le Siège Périlleux à la suite d'un pari (Sommer V, 319-321).

49. Tout ce passage est à rapprocher du portrait d'inspiration très différente de Lancelot adolescent que donne le *Lancelot* et de « l'enseignement » que lui propose alors la Dame du Lac (Sommer III, p.111 et ss.). Sur la hiérarchie et la description des vertus, voir Pauphilet, *Etudes*, p. 39-41 et 76.

50. La parabole du pharisien et du publicain est rapportée par *Luc* 18, 9-14. L'adaptation qu'en fait l'auteur est commentée par Pauphilet, *Etudes*, p. 181-182.

51. Allusion à la première rencontre entre Lancelot et Guenièvre (Sommer III, pp. 125 et ss.) où, après avoir dit l'impression que la beauté de la reine produit sur le jeune homme, l'auteur ajoute « et il n'avoit mie tort se il ne prisoit envers la reine nule autre dame car che fu la dame des dames et la fontaine de biauté. Mais s'il seust la grant valor qui en li estoit, encore l'esgardast il plus volentiers car nule n'estoit, ne povre ne riche, de sa valor »...

52. *Matthieu* 22, *Luc* 14. Passage commenté par Pauphilet, *Etudes*, p. 182.

53. Tous les songes sont introduits dans le texte par la formule *il li fu avis que* suivie de l'indicatif. Le choix du mode signifie la véracité du rêve dont le contenu est ainsi présenté comme aussi « réel »/aussi symbolique que les aventures rencontrees par les chevaliers en état de veille. Nous avons également gardé dans la traduction des rêves l'imparfait qui est, au reste, le temps généralement employé pour la relation des rêves dans la langue médiévale et ce,

depuis la *Chanson de Roland*. Voir également l'article de G. Moignet, *La grammaire des Songes dans la Queste del saint Graal* dans *Grammaires du texte médiéval, Langue française* n. 40, 1978, pp. 113-119.

54. L'auteur introduit ici sans précaution le nom de baptême d'Evalac : Mordrain (cf. supra p.88).

55. Dans le *Lancelot* (Sommer V, 244-248), Lancelot découvre dans une fontaine qui bout la tête de son aieul également nommé Lancelot « qui fu nés de la lignee Joseph ». Ce qui est en contradiction avec l'ascendance proposée dans la *Quête* où Lancelot est le descendant de Nascien et non de Joseph. Lancelot ne peut achever l'aventure : la fontaine bouillira jusqu'à la venue de l'élu du Graal. Prédiction accomplie dans la *Quête* (cf. infra p.234).

56. Allusion au *Lancelot* (Sommer III, 12-13). Dans ce texte, Ban meurt de douleur en voyant brûler son château mais remercie Dieu de le faire mourir pauvre et démuni, comme Lui-même sur la croix.

57. *Matthieu* 25, 34 et 41.

58. La « ventaille » est une partie de la coiffe, c'est-à-dire du capuchon de fer qui recouvre la tête sous le heaume. Pièce mobile, la ventaille recouvre le menton et le bas du visage.

59. Cette expression, qui revient à plusieurs reprises dans la *Quête*, est fréquente dans les Evangiles pour désigner le disciple qui ne vit pas selon la lumière que lui donne sa foi.

60. La fête de la Madeleine se célèbre le 22 juillet.

61. Le roncin désigne un cheval de charge ou une monture destinée aux écuyers.

62. Un peu plus loin dans le récit (p.231) Lancelot découvre dans une abbaye la tombe du roi Baudemagu sur laquelle est gravée le nom de son meurtrier, Gauvain. Au début de la *Mort le Roi Artu*, Gauvain s'accuse également de la mort de Baudemagu et non de celle d'Yvain. Le meurtre d'Yvain dans la *Quête*, doublet du meurtre —non rapporté de Baudemagu— est sans doute un moyen de noircir davantage Gauvain, le chevalier homicide, et de discréditer à travers lui un certain type de comportement chevaleresque.

63. Allusion à la conception d'Elyan le Blanc, fils de Bohort et de la fille du roi Brangoire et futur empereur de Constantinople (*Lancelot*, éd. Micha, II, 192-199). Cf. aussi infra p.153.

64. A partir d'ici, le système temporel est faussé. L'énoncé du rêve devrait être comme précédemment à l'imparfait, (*un seul revenait*), son exégèse au futur. Devant l'accord des différentes familles de mss, nous avons conservé les temps utilisés : l'auteur oublie ici la fiction du rêve pour prédire directement, et une fois de plus, le dénouement du récit.

65. Ce refus d'interprétation est ambigu. Y-a-t-il là, comme le pensait J. Frappier (*Etude sur la Mort le Roi Artu*, p. 141-142) une allusion aux luttes ultérieures entre Artus, Gauvain et ses frères et Lancelot, rapportées par la *Mort Artu* ? En ce cas, le silence de l'ermite signifierait que la destruction du royaume arthurien fait partie du projet divin et ne doit en aucun cas être entravée.

66. L'entrée messianique à Jérusalem est rapportée par les quatre Evangélistes mais seul *Matthieu* 21, 5 et, partiellement *Jean* 12, 12 commentent le caractère symbolique de l'âne qui s'oppose bien entendu dans la *Quête* au

grand cheval d'orgueil monté par Hector, parfait exemple de chevalier « terrestre ».

67. Cf. infra p.228 et p.229 Lancelot puis Hector à Corbenic.

68. Rien n'a été dit précédemment sur cette séparation. Ce qui est assez conforme au peu de souci de l'auteur pour la vraisemblance du récit. Le texte édité par Sommer porte cependant : *quant Bohors se fu partis de ses compagnons et de Lancelot*, ce qui pourrait à la rigueur renvoyer à la séparation initiale, après la nuit chez Vagan.

69. L'image de l'arbre et du fruit, fréquente dans l'Ancien Testament, se retrouve notamment chez *Matthieu* 7, 15-20.

70. Echo du *Cantique des Cantiques* 1, 5 : « Je suis noire, moi, mais jolie, filles de Jérusalem ». Cf. aussi infra, p. 169.

71. Le seigneur lige est celui que l'homme, le vassal, doit servir sans restriction aucune et par priorité. Conjuré au nom de Dieu, le seigneur lige par excellence, Bohort doit donc choisir de porter secours à la jeune fille plutôt qu'à son frère.

72. Echo peut-être de *Matthieu* 6, 16 : « Quand vous jeûnez, ne prenez pas un air sombre comme font les hypocrites. »

73. Cf. supra p.112.

74. La sœur de Perceval reste anonyme dans tous les romans en prose sauf le *Perlesvaus*. Dans ce dernier texte elle s'appelle Dandrane. Dans la plupart des romans en prose, Perceval est le fils du roi Pellinor de Listenois (cf. Lot, *Etude*, p. 242, n. 8). L'étude la plus récente sur le difficile problème de l'ascendance de Perceval est l'article de J. Roubaud, *Généalogie morale des Rois Pêcheurs* dans *Change*, n. 16-17, 1973, pp. 228-247. Il est évident que la substitution dans le cycle du *Lancelot-Graal* de Galaad à Perceval comme élu de la Quête a entraîné de grands troubles, de nombreuses obscurités, sans doute volontaires, dans la généalogie respective des deux chevaliers.

75. Ce récit est l'une des variantes du motif si souvent repris dans la littérature du Graal du « coup douloureux ». Les quatre composantes du motif, la blessure par une arme, —lance ou épée—, la double conséquence de la blessure, impotence/impuissance du roi méhaignié (blessé), stérilité de son royaume, la guérison du roi (et de sa terre) par l'élu du Graal sont ici librement distribuées entre les rois Lambar et Varlan d'une part (stérilité du royaume, mort des rois) et le roi Parlan (Pellehan) ou Roi Méhaignié (impuissance du roi, guérison ultérieure par Galaad).

76. La formule de restriction (dans le texte *se petit non*) manque dans le ms. de base de l'édition Pauphilet et a été introduite par l'éditeur d'après les mss S' (Sommer) et A (cf. variantes à la p. 204, 1, 7-8). Par souci sans doute d'expliquer comment la vie a pu malgré tout se perpétuer dans le royaume de Logres qui semble englober ici le royaume de Lambar, père du roi Méhaignié, et celui de Varlan. Rappelons que Terre Gaste désigne également dans la *Quête* l'ancien royaume de la tante de Perceval. On consultera sur ce passage Lot, *Etude*, pp. 229-231. Il semble bien d'autre part que pour l'auteur de la *Quête* tout le royaume de Logres, la cour d'Artus mais surtout la Gaste Forêt qui l'entoure, lieu des « aventures felenesses et dures » soit frappé de stérilité. D'une stérilité plus morale que matérielle qui expliquerait peut-être la disparition du Graal à la fin du récit (cf. infra p.240).

77. « Azur » désigne en termes d'héraldique le bleu, l'un des neuf émaux des armoiries. D'autres mss donnent la var. argent.

78. Tout ce passage procède bien évidemment du récit de la *Genèse* 3, 1-23. Mais la modification la plus importante concerne l'Arbre. Dans la Bible, il y a deux arbres dans le Jardin d'Eden, l'Arbre de Vie et l'Arbre de la Connaissance. Ce dernier seul est interdit et c'est de lui qu'Eve détache le fruit. Lorsque Dieu chasse Adam et Eve du jardin, il prend soin de leur interdire l'Arbre de Vie dont le chemin est désormais gardé par les Chérubins à l'épée flamboyante : « Maintenant, que l'homme ne tende pas la main pour prendre aussi de l'Arbre de Vie, en manger et vivre à jamais » (3, 22). Or, dans la *Quête*, il semble bien que ce soit à l'Arbre de Vie, —tel est le nom qu'il reçoit ultérieurement—, qu'Eve cueille le fruit et le rameau, emportant ainsi sur la terre une promesse de vie, donc de rédemption et de retour au paradis perdu. L'*Evangile de Nicodème*, qui rapporte une tradition un peu différente sur l'Arbre de Vie, assimile l'Arbre au Christ qui le rendra de nouveau accessible à l'humanité : « C'iert l'arbre de misericorde/Cil ert la pais et la concorde/Cil ert la douce atempreüre/entre Dieu et sa creature ». (vv. 1131-1134 de la version B). Enfin, le texte cité par A. Pauphilet *Etude* pp. 197 et ss combine la tradition utilisée par la *Quête* à celle reprise dans l'évangile apocryphe.

79. L'auteur renvoie ici, comme à la p.59 non au conte mais au livre qui est sans doute le livre latin signalé dans l'épilogue, garant plus sûr de l'exégèse proposée.

80. La tradition selon laquelle la race humaine doit reformer la dixième légion des anges précipités aux enfers est ancienne et remonte au moins aux *Etymologiae* d'Isidore de Séville.

81. J'ai traduit par « parole sainte » l'expression « veraie bouche » du texte. En fait, tout ce passage est fautif dans le ms. de base et le texte proposé, comme l'indique l'éditeur, est celui de l'édition Hucher de l'*Estoire del Saint-Graal* qui rapporte également l'épisode de la Nef de Salomon et de l'Arbre de Vie. Pour le même passage, l'éd. Sommer de l'*Estoire del saint Graal* a la leçon banale « veraie estoire ».

82. *Psaume* 50, 21.

83. Tout le passage est inspiré de *Genèse* 4, 2-12 avec parfois des emprunts presque textuels comme le dialogue entre Dieu et Caïn.

84. Le terme de *Parabole* désigne dans la *Vulgate* le livre des *Proverbes*, collection placée tout entière sous le patronage de Salomon. La citation est peut-être un écho du *Proverbe* 31, 10 (une femme de caractère, qui la trouvera ?), mais rappelle aussi *Ecclésiaste* 7, 28. Cette dernière œuvre est également attribuée à Salomon.

85. Comme le signale A. Pauphilet à l'index des noms propres ce beau-frère de Salomon est imaginaire mais ce nom n'est sans doute ici qu'un rappel de Josué, le redoutable guerrier successeur de Moïse.

86. Le premier *Livre des Rois*, 11, 1-13 fait allusion aux nombreuses femmes étrangères qu'épousa Salomon et qui le détournèrent finalement de Dieu.

87. La relation est ici clairement établie entre le fuseau, attribut essentiel des fileuses du destin et l'Arbre de Vie. Comme l'écrit G. Durand dans les *Structures anthropologiques de l'Imaginaire*, Paris, p. 370, « par le mouvement circulaire qu'il suggère le fuseau est talisman contre le destin ». Il peut en effet

être interprété comme signe de la continuité du fil qui relie l'homme à Dieu et en même temps comme promesse d'une rédemption, d'un retour cyclique au paradis perdu.

88. Je reprends cette traduction à L. Foulet, *Le conte du Graal* mis en français moderne, Paris, Nizet, p. 111. La précision sur l'origine du fourreau n'a pas été donnée précédemment. Plus exactement, les trois compagnons n'ont pu déterminer en quelle matière il était fait (cf. supra p. 185).

89. Talisman ambigu, l'Epée aux étranges attaches est destinée, lorsqu'elle a trouvé en Galaad son juste possesseur, à mettre fin aux manifestations du Graal comme aux cruelles aventures qu'elle a elle-même suscitées. Mais elle est en même temps une épée vengeresse, exterminatrice, comme le montre l'épisode suivant du Château Carcelois. Ainsi annonce-t-elle peut-être une fin des temps et un jugement dernier également signifiés par l'occultation du Graal et de la lance à la fin du récit.

90. Cette « rencontre » n'est nulle part racontée. En revanche, dans le *Lancelot*, Sommer V 249 et ss. Lancelot et Mordret ont cette même apparition mais le sens, leur explique un ermite, n'en sera révélé qu'au Bon Chevalier qui « fera a savoir el monde en quel maniere li lyon pristrent en garde le cerf ». Les quatre animaux, le tétramorphe, représentent bien entendu les quatre Evangélistes (l'homme, Matthieu, le lion, Marc, le bœuf Luc, l'aigle Jean). Mais l'apparition tout entière renvoie simultanément aux quatre grands mystères de l'Incarnation (la verrière), de la Mort et de la Résurrection (le symbolisme du Cerf) et de l'Ascension.

91. La secrète est l'oraison que prononce à voix basse le prêtre à la fin de l'offertoire.

92. Le texte de l'édition Pauphilet ne mentionne ici que Bohort et Galaad. Le texte de l'édition Sommer ajoute Perceval. D'où notre traduction : « les trois chevaliers ». Si l'on s'en tient au reste à la stricte chronologie, les trois élus, à ce moment précis, sont séparés...

93. Allusion à un épisode du *Lancelot*, éd. Micha, II, p. 366 et ss. Dans le *Lancelot*, c'est Hector et Gauvain qui découvrent le cimetière et qui apprennent que l'aventure, traverser le cimetière en échappant aux coups d'épées dressées et approcher d'une tombe en flammes, est réservée à Lancelot, « li chaitis chevaliers qui par sa maleurose luxure a perdu a achever les merveilloses aventures del Graal » (ibid. p. 367). Dans la *Quête*, la « réussite » de Lancelot n'est que suggérée : il traverse, sans encombre semble-t-il, le cimetière. Il n'est pas question de la tombe qui brûle, motif repris ultérieurement (p. 234) à propos de Galaad.

94. Cf. note 55.

95. Il s'agit de l'épisode du Saint Cimetière (*Lancelot*, éd. Micha, II, pp. 31-38). Lancelot, en quête de Guenièvre, parvient à soulever la dalle qui recouvre Galaad de Hoselice, fils de Joseph d'Arimathie, et est ainsi désigné comme celui qui « geteroit toz les emprisonés del Roialme sans Retor ». Il ne peut en revanche soulever celle de Symeon (Symeu) père de Moyse et neveu de Joseph dont le corps et l'âme doivent brûler dans la tombe pour expier un péché, non précisé, jusqu'à la venue de l'élu du Graal.

96. Les circonstances de la réunion des deux chevaliers ne sont pas précisées. L'essentiel est en effet la réunion elle-même dans la mesure où devenir le compagnon de Galaad signifie que le chevalier a atteint momentanément ou

plus durablement le même niveau de sainteté que l'élu de la Quête. On notera que la durée de ces réunions est proportionnelle au degré d'élection des personnages : cinq et plus pour Perceval, nettement moins pour Bohort, six mois pour Lancelot (la navigation en mer), le temps d'un coup d'épée pour Gauvain...

97. Cet épisode est rapporté au t.II, pp. 325-340 et t.III, pp. 352-361 de l'éd. Micha du *Lancelot* : « Gauvain et le chevalier aux deux épées ». Le motif de l'épée brisée, qui apparaît avec le *Conte du Graal*, c'est l'épée donnée au héros lors de sa visite au château du Graal, — « Et li sires an revesti/celui qui leanz ert *estranges*/de l'espee par mi les *ranges*/qui valoient bien un tresor » (éd. Lecoy, vv. 3146-3149) —, a déjà été utilisé dans la *Quête* pour l'épée aux étranges attaches, *as estranges ranges* (p.186).

98. Selon A. Micha, ce linge de soie rouge désigne la pale c'est-à-dire le linge sacré qui recouvre durant la messe la patène et le calice.

99. Le jeu de mot sur Graal, agréer, servir à gré (et grâce) est repris au *Joseph* de Robert de Boron : « Qui a droit le vourra nummer/Par droit Graal l'apelera ;/Car nus le Graal ne verra,/Ce croi je , qu'il ne li agree » etc. (vv. 2658-2661 de l'éd. Nitze).

100. Il s'agit de Galaad de Hoselice, fils de Joseph d'Arimathie. Cf. n. 95.

101. Allusion à la lettre trouvée jadis par les compagnons à bord de la nef et où est racontée l'histoire de l'Arbre de Vie et de la construction de la Nef (cf. supra p.203).

102. Salisbury (Salesbieres) désigne généralement dans les textes arthuriens le lieu où se déroule l'ultime bataille entre Artus et Mordret. Dans cet épilogue, Gautier Map est moins désigné comme l'auteur (fictif) du récit, ce qui est le cas dans le prologue de la *Mort Artu*, que comme l'auteur, tout aussi fictif, d'un livre antérieur, « le livre du Saint-Graal », rédigé en latin et dédié au roi Henri. Ainsi est respectée non la vérité mais une certaine vraisemblance chronologique et littéraire. Le vrai Gautier Map, auteur du *De Nugis Curialium*, a été en effet un familier du roi Henri II Plantagenêt. Cf. également n. 17.

TABLE DES MATIERES

	pages
Repérages	9
Références	15
Note préliminaire à la traduction	16
LA QUETE DU SAINT-GRAAL	
La Pentecôte du Graal	17
Les Aventures	18
La Nef de Salomon	41
L'Arbre de Vie	177
Les trois compagnons et la sœur de Perceval	191
Lancelot à Corbenic	203
De Corbenic à Sarras.	219
Notes.	233

Imprimé en Suisse